絶対決める！

教職教養
教員採用試験

合格問題集

新星出版社

◆ 本書の特色 ◆

●過去問分析による実践的模擬問題

本書では、各地方自治体の教員採用試験教職教養問題を徹底的に分析し、出題頻度の高い項目を選んで模擬問題を作成しています。

●一問一答と本試験型で実力アップ

本書は、一問一答型問題と本試験型問題で構成されており、まずは一問一答で基礎力を固め、さらに本試験型で実戦力を高めます。

●詳しい解説と赤シートで理解と暗記に最適

見開きで問題と解答・解説が掲載されているので正解がわかりやすく、また、赤シートを使用することで暗記にも役立ちます。

● check ボックスで反復学習を

各問題には check ボックスがついているので、正解・不正解をチェックしながら繰り返し学習するのに便利です。

本書で使用している略称

本書では、解説の中で以下の略称を使用しています。

日本国憲法 ―――――――――――――――― 憲法
地方教育行政の組織及び運営に関する法律 ―― 地方教育行政法
児童虐待の防止等に関する法律 ――――――― 児童虐待防止法
児童の権利に関する条約 ―――――――――― 児童権利条約
人権教育及び人権啓発の推進に関する法律 ―― 人権教育人権啓発推進法

目 次

教員採用試験受験ガイド

公立学校の教員採用試験は、都道府県・政令指定都市の教育委員会によって実施されます。

受験資格や試験期日等の詳細は、各地方公共団体によって異なりますので、希望する自治体の教育委員会に問い合わせる必要があります。また、それぞれの教育委員会のホームページでも確認できます。

教員採用試験の流れは、おおむね以下のとおりです。

◆教員採用試験の流れ◆

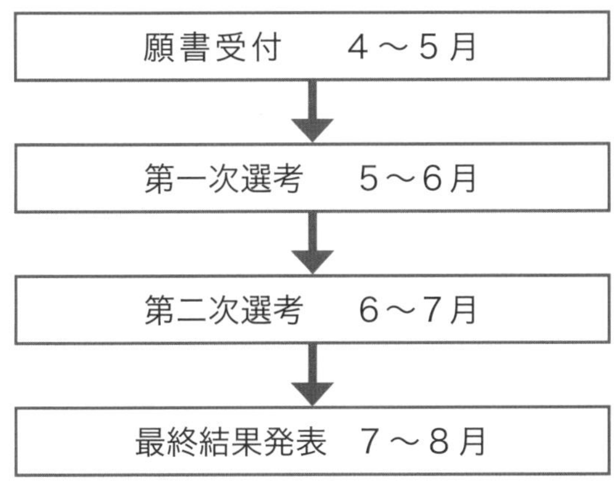

＊最終選考に残ると、採用候補者名簿に登載され、4月1日の辞令を受けて、晴れて採用となります。

【試験内容】

筆答試験：一般教養・教職教養・専門分野

面接試験：個人面接・集団面接

実技試験：音楽・美術・保健体育・技術・家庭等

そのほか、論文試験、模擬授業、適性検査などが実施されます。

各地方公共団体により内容は異なりますので、希望する自治体の教育委員会にお問い合わせください。

教育原理

教育原理について

教育原理は文字通り、教育の「原理」を学ぶのであり、教育に関する知識を体系的に学びながら「教育とは何か」、「子どもとは何か」、「学校とはどういうものか」ということを根本から問い直し、考え抜く教科である。子どもを取り巻く環境が急激に変化している現代において、教員はただ教育現場に適応するだけでは不十分であり、よりよい社会や教育を目指すために自ら考えて実践していくことが求められている。よって教育原理は、教育実践を考えるための拠り所になる子ども観や教育観を醸成していく手立てとなる。

傾向と対策

教育原理の範囲は、広汎な領域にわたっている。しかし本試験に限っては、学習指導要領からの出題が顕著である。したがって、各学校の学習指導要領はもちろん、解説も読んでおかねばならない。解説には改訂の経緯やポイントなども掲載され、指導要領を深く理解するうえで役に立つ。また、文部科学省をはじめとする省庁からの通達・報告など、児童生徒に関する政府の動きについても、各省庁のホームページで最新の情報を確認しておくのがよい。学習指導要領以外の問題においては、出題される内容がだいたい固定化されているので、過去問にも目を通しておくことを勧める。

以下の記述を読み、正しいものには○、誤っているものには×をつけよ。

問1 check√ □□□
学習指導要領が果たす役割の一つは、公の性質を有する学校における教育水準を全国的に確保することである。また、各学校がその特色を生かして創意工夫を重ね、長年にわたり積み重ねられてきた教育実践や学術研究の蓄積を生かしながら、児童や地域の現状や課題を捉え、家庭や地域社会と協力して、学習指導要領を踏まえた教育活動の更なる充実を図っていくことも重要である。

問2 check√ □□□
学校の教育活動を進める際、児童の能力を考慮して、児童の言語など、学習の基盤をつくる活動を充実するとともに、家庭との連携を図りながら、児童の学習習慣が確立するよう配慮する。

問3 check√ □□□
道徳教育を進めるに当たっては、人間尊重の精神と生命に対する畏敬の念を家庭、学校、その他社会における具体的な生活の中に生かし、伝統と文化を尊重し、それらを育んできた我が国と郷土を愛し、他国を尊重し、国際社会の平和と発展や環境の保全に貢献し未来を拓く主体性のある日本人を育成するため、その基盤としての道徳性を養うことを目標とする。

問4 check√ □□□
学校における食育の推進並びに体力の向上に関する指導、安全に関する指導及び心身の健康の保持増進に関する指導については、家庭科、特別活動の時間はもとより、体育科などにおいてもそれぞれの特質に応じて適切に行うよう努めることとする。

問5 check√ □□□
各教科等の授業は、年間45週（第1学年については44週）以上にわたって行うよう計画し、週当たりの授業時数が児童の負担過重にならないようにするものとする。

問6 check√ □□□
各学校においては、児童や学校及び地域の実態、各教科等や学習活動の特質等に応じて、創意工夫を生かした時間割を弾力的に編成することができる。

問7 check√ □□□
指導計画を作成する際、各教科の特色を明確に示し、系統的、発展的な指導ができるようにする。

解答・解説

問1 ○ 新学習指導要領（平成29年3月公示）では、教育は、教育基本法第1条に定めるとおり、人格の完成を目指し、平和で民主的な国家及び社会の形成者として必要な資質を備えた心身ともに健康な国民の育成を期すという目的のもと、全部で5つの目標を掲げて、それを達成するよう行われなければならないとしている。

問2 × 学校の教育活動を進める際に考慮するのは、児童の発達の段階である。

問3 ○ 道徳教育を進めるに当たっては、人間尊重の精神と生命に対する畏敬の念を生活の中に生かし、伝統と文化を尊重し、国際社会の平和と発展や環境の保全に貢献し主体性のある日本人を育成するため、その基盤としての道徳性を養うことを目標とする。これは、教育基本法及び学校教育法に定められた教育の根本精神に基づいて設定されている。道徳教育に関しても頻出であるので、その意義や目的をおさえておくこと。

問4 × 学校における食育の推進並びに体力の向上に関する指導、安全に関する指導及び心身の健康の保持増進に関する指導については、体育科、家庭科及び特別活動の時間はもとより、各教科、道徳科、外国語活動及び総合的な学習の時間などにおいても、それぞれの特質に応じて適切に行うよう努めることが求められている。

問5 × 各教科等の授業は、年間35週（第1学年については34週）以上にわたって行うように計画する。

問6 ○ 各学校においては、児童や学校及び地域の実態、各教科等や学習活動の特質等に応じて、時間割を弾力的に編成することができる。

問7 × 指導計画の作成に当たって配慮すべき事項の1つとして、各教科等及び各学年相互間の関連を図り、系統的、発展的な指導ができるようにすることが挙げられている。

教育原理　小学校学習指導要領　総則

以下の記述を読み、正しいものには○、誤っているものには×をつけよ。

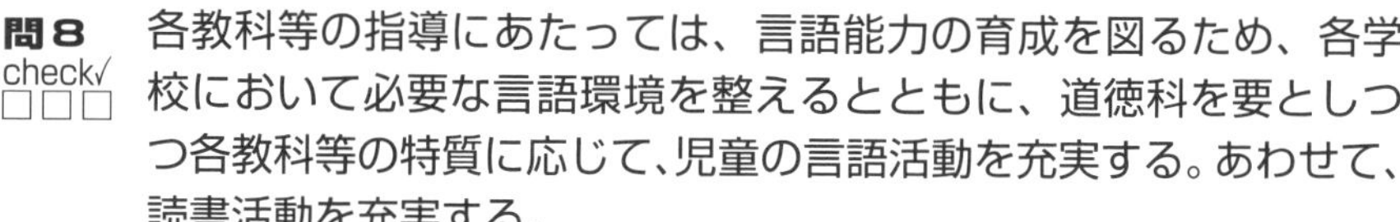

問8 check√ □□□
各教科等の指導にあたっては、言語能力の育成を図るため、各学校において必要な言語環境を整えるとともに、道徳科を要としつつ各教科等の特質に応じて、児童の言語活動を充実する。あわせて、読書活動を充実する。

問9 check√ □□□
各教科等の指導に当たっては、児童が自ら学習課題や学習活動を選択する機会を設けるなど、児童の興味・関心を生かした自主的、自発的な学習が促されるよう工夫する。

問10 check√ □□□
学習や生活の基盤として、教師と児童との共同関係及び児童相互のよりよい人間関係を育てるため、日頃から学級経営の充実を図る。

問11 check√ □□□
児童が基礎的・基本的な知識及び技能の習得も含め、学習内容を確実に身に付けることができるよう、児童や学校の実態に応じ、指導方法や指導体制の工夫改善により、集団に合わせた教授の充実を図る。

問12 check√ □□□
障害のある児童などについては、特別支援学校等の助言又は援助を活用しつつ、個々の児童の障害の状態等に応じた指導内容や指導方法の工夫を組織的かつ計画的に行う。

問13 check√ □□□
海外から帰国した児童などについては、学校生活への適応を図るとともに、できるだけ早急にわが国の生活に馴染めるような活動などの適切な指導を行う。

問14 check√ □□□
学校がその目的を達成するため、学校や地域の実態等に応じ、教育活動の実施に必要な人的又は物的な体制を家庭や地域の人々の協力を得ながら整えるなど、家庭や地域社会との連携及び協働を深める。

解答・解説

問 8 ×

各教科等の指導にあたっては、言語能力の育成を図るため、各学校において必要な言語環境を整えるとともに、国語科を要としつつ各教科等の特質に応じて、児童の言語活動を充実する。あわせて、読書活動を充実すること、とされている。

問 9 ○

各教科等の指導に当たっては、児童が自ら学習課題や学習活動を選択する機会を設けるなど、児童の興味・関心を生かし、自主的、自発的な学習が促されるよう工夫する。このことは、児童の自立心や自律性を育む上で重要である。

問 10 ×

学習や生活の基盤として、教師と児童との信頼関係及び児童相互のよりよい人間関係を育てるため、日頃から学級経営の充実を図る。穴埋め問題が頻出されるので、語句も正確に覚えること。

問 11 ×

各教科等の指導に当たっては、個に応じた指導の充実を図る。学校は集団学習・生活の場であるが、児童一人ひとりに目を向けることが大切である。

問 12 ○

障害のある児童には、より「個に応じた支援・指導」が必要になる。

問 13 ×

海外から帰国した児童などについては、学校生活への適応を図るとともに、外国における生活経験を生かすなどの適切な指導を行う。

問 14 ○

また、高齢者や異年齢の子供など、地域における世代を越えた交流の機会を設けることや、他の小学校や、幼稚園、幼保連携型認定こども園、保育所、中学校、高等学校、特別支援学校などとの間の連携や交流を図るとともに、障害のある幼児児童生徒との交流及び共同学習の機会を設け、共に尊重し合いながら協働して生活していく態度を育むようにすることに留意する。

以下の記述を読み、正しいものには○、誤っているものには×をつけよ。

問1 check√ □□□
道徳科の目標は、よりよく生きるための基盤となる道徳性を養うため、道徳的価値についての理解を基に、社会を見つめ、物事を多面的・多角的に考え、自己の生き方についての考えを深める学習を通して、道徳的な判断力、心情、実践意欲と態度を育てることである。

問2 check√ □□□
学校の教育活動全体を通じて行う道徳教育の要である道徳科の内容は、主として自分自身に関すること、主として人との関わりに関すること、主として情報や政治的なものとの関わりに関すること、主として集団や社会との関わりに関することの４つである。

問3 check√ □□□
「第１学年及び第２学年」の「主として人との関わりに関すること」において、その１つに「礼儀の大切さを知り、誰に対しても真心をもって接すること」がある。

問4 check√ □□□
「第３学年及び第４学年」の「主として自分自身に関すること」において、その１つに「健康や安全に気を付け、物や金銭を大切にし、身の回りを整え、わがままをしないで、規則正しい生活をすること」がある。

問5 check√ □□□
「第５学年及び第６学年」の「主として集団や社会との関わりに関すること」において、「父母、祖父母を敬愛し、家族の幸せを求めて、進んで役に立つことをすること」がある。

問6 check√ □□□
道徳科の年間指導計画の作成に当たっては、各学年段階の内容項目について、相当する各学年において全て取り上げなくてもよい。

解答・解説

問 1 ×
道徳科の目標は、よりよく生きるための基盤となる道徳性を養うため、道徳的価値についての理解を基に、自己を見つめ、物事を多面的・多角的に考え、自己の生き方についての考えを深める学習を通して、道徳的な判断力、心情、実践意欲と態度を育てることである。

問 2 ×
道徳科の内容は、主として自分自身に関すること、主として人との関わりに関すること、主として生命や自然、崇高なものとの関わりに関すること、主として集団や社会との関わりに関することの４つである。この４項目は頻出なので、覚えておくこと。

問 3 ×
「第３学年及び第４学年」の「主として人との関わりに関すること」において、その１つに「礼儀の大切さを知り、誰に対しても真心をもって接すること」がある。

問 4 ×
「第１学年及び第２学年」の「主として自分自身に関すること」において、その１つに「健康や安全に気を付け、物や金銭を大切にし、身の回りを整え、わがままをしないで、規則正しい生活をすること」がある。

問 5 ○
「第５学年及び第６学年」の「主として集団や社会との関わりに関すること」において、「父母、祖父母を敬愛し、家族の幸せを求めて、進んで役に立つことをすること」がある。

問 6 ×
道徳科の年間指導計画の作成に当たっては、各学年段階の内容項目について、相当する各学年において全て取り上げることとされている。

教育原理 小学校学習指導要領 外国語活動・外国語

以下の記述を読み、正しいものには○、誤っているものには×をつけよ。

問1 check✓ □□□
外国語活動の目標は、外国語によるコミュニケーションにおける見方・考え方を働かせ、外国語による聞くこと、話すことの言語活動を通して、コミュニケーションを図る素地となる資質・能力を育成することである。

問2 check✓ □□□
日本と外国の言語や文化について、体験的に身に付けることができるよう、「日本と外国との生活や習慣、行事などの違いを知り、多様な考え方があることに気付くこと」について指導する。

問3 check✓ □□□
学級担任の教師又は外国語活動を担当する教師が指導計画を作成し、学級担任の外国語による進行に努めるとともに、英語が堪能な地域の人々の協力を得るなど、指導体制の充実を図るとともに、指導方法の工夫を行う。

問4 check✓ □□□
音声を取り扱う場合には、原則として視聴覚教材に頼らず、教師による生の発音を中心に進行すること。その際、使用する視聴覚教材は、児童、学校及び地域の実態を考慮して適切なものとする。

問5 check✓ □□□
外国語活動において、内容の取扱いについては、言葉によるコミュニケーションに重点を置き、できるだけ口頭によって自分の考えを表現できるようにすることに配慮する。

問6 check✓ □□□
外国語科の英語の教材については、多様な考え方に対する理解を深めさせ、公正な判断力を養い、豊かな心情を育てることに役立つことに配慮する。

解答・解説

問1 ○ 具体的には、「外国語を通して、言語や文化について体験的に理解を深め、日本語と外国語との音声の違い等に気付くとともに、外国語の音声や基本的な表現に慣れ親しむようにする」など、全部で3つの項目を掲げている。

問2 ○ 日本と外国の言語や文化について、体験的に身に付けることができるよう指導する事項は全部で3つあり、「日本と外国との生活や習慣、行事などの違いを知り、多様な考え方があることに気付くこと」、「英語の音声やリズムなどに慣れ親しむとともに、日本語との違いを知り、言葉の面白さや豊かさに気付くこと」、「異なる文化をもつ人々との交流などを体験し、文化等に対する理解を深めること」である。

問3 × 学級担任の教師又は外国語活動を担当する教師が指導計画を作成し、授業の実施に当たっては、ネイティブ・スピーカーや英語が堪能な地域人材などの協力を得るなど、指導方法の工夫を行う。

問4 × 児童が身に付けるべき資質・能力や児童の実態、教材の内容などに応じて、視聴覚教材やコンピュータ、情報通信ネットワーク、教育機器などを有効活用し、児童の興味・関心をより高め、指導の効率化や言語活動の更なる充実を図るようにする。

問5 × 内容の取扱いについて配慮することの事項の1つに、「言葉によらないコミュニケーションの手段もコミュニケーションを支えるものであることを踏まえ、ジェスチャーなどを取り上げ、その役割を理解させるようにすること」がある。

問6 ○ そのほか、我が国の文化や、英語の背景にある文化に対する関心を高め、理解を深めようとする態度を養うことに役立つこと、広い視野から国際理解を深め、国際社会と向き合うことが求められている我が国の一員としての自覚を高めるとともに、国際協調の精神を養うことに役立つことにも配慮する。

小学校学習指導要領 総合的な学習の時間

以下の記述を読み、正しいものには○、誤っているものには×をつけよ。

問 1 check√ □□□
目標は、探究的な見方・考え方を働かせ、横断的・総合的な学習を行うことを通して、よりよく課題を解決し、自己の生き方を考えていくための資質・能力を「探究的な学習の過程において、課題の解決に必要な知識及び技能を身に付け、課題に関わる概念を形成し、探究的な学習のよさを理解するようにする」など３つの項目を掲げて、育成することである。

問 2 check√ □□□
全体計画及び年間指導計画の作成に当たっては、学校における全教育活動との関連の下に、目標及び内容、学習活動、指導方法や指導体制、学習の評価の計画などを示すことに配慮する。

問 3 check√ □□□
目標を実現するにふさわしい探究課題については、学校の実態に応じて、例えば、国際理解、情報、環境、福祉・健康などの現代的な諸課題に対応する横断的・総合的な課題、地域の人々の暮らし、伝統と文化など地域や学校の特色に応じた課題、児童の興味・関心に基づく課題などを踏まえて設定する。

問 4 check√ □□□
各学校において定める内容の取扱いについては、探究的な学習の過程において、各個人が集中力を高めて問題を解決しようとする学習活動や、言語により分析し、まとめたり表現したりするなどの学習活動が行われるようにすることに配慮する。

問 5 check√ □□□
各学校において定める内容の取扱いについては、自然体験やボランティア活動などの文化体験、ものづくり、生産活動などの成功体験、観察・実験、見学や調査、発表や討論などの理論活動を積極的に取り入れることに配慮する。

問 6 check√ □□□
各学校において定める内容の取扱いについては、グループ学習や異年齢集団による学習などの多様な学習形態、専門家の指導の下、全教師が一体となって指導に当たるなどの指導体制について工夫を行うことに配慮する。

解答・解説

問1 ○ 具体的な項目としては、ほかに「実社会や実生活の中から問いを見いだし、自分で課題を立て、情報を集め、整理・分析して、まとめ・表現することができるようにする」、「探究的な学習に主体的・協働的に取り組むとともに、互いのよさを生かしながら、積極的に社会に参画しようとする態度を養う」が掲げられている。

問2 ○ 全体計画及び年間指導計画の作成に当たっては、学校における全教育活動との関連の下に、目標及び内容、学習活動、指導方法や指導体制、学習の評価の計画などを示すことに配慮する。

問3 ○ 探究課題には、横断的・総合的な学習としての性格をもち、探究的な見方・考え方を働かせて学習することがふさわしく、それらの解決を通して育成される資質・能力が、よりよく課題を解決し、自己の生き方を考えていくことに結び付いていくような、教育的に価値のある諸課題であることが求められる。

問4 × 探究的な学習の過程においては、他者と協働して問題を解決しようとする学習活動や、言語により分析し、まとめたり表現したりするなどの学習活動が行われるように配慮する。その際、例えば、比較する、分類する、関連付けるなどの考えるための技法が活用されるようにする。

問5 × 総合的な学習の時間の内容については、自然体験やボランティア活動などの社会体験、ものづくり、生産活動などの体験活動、観察・実験、見学や調査、発表や討論などの学習活動を積極的に取り入れる。

問6 × 総合的な学習の時間の学習法について、グループ学習や異年齢集団による学習などの多様な学習形態、地域の人々の協力も得つつ、全教師が一体となって指導に当たるなどの指導体制について工夫を行う。

小学校学習指導要領 特別活動

以下の記述を読み、正しいものには○、誤っているものには×をつけよ。

問1 check√ □□□
目標は、集団や社会の形成者としての見方・考え方を働かせ様々な集団活動に自主的、実践的に取り組み、互いのよさや可能性を発揮しながら集団や自己の生活上の課題を解決することを通して、「多様な他者と協働する様々な集団活動の意義や活動を行う上で必要となることについて理解し、行動の仕方を身に付けるようにする」などの資質・能力を育成することである。

問2 check√ □□□
児童会活動の目標は、同学年の児童同士で協力し、学校生活の充実と向上を図るための諸問題の解決に向けて、計画を立て役割を分担し、協力して運営することに自主的、実践的に取り組むことを通して、特別活動の目標に掲げる資質・能力を育成することである。

問3 check√ □□□
クラブ活動の目標は、異年齢の児童同士で協力し、共通の興味・関心を追求する集団活動の計画を立てて運営することに積極的、活動的に取り組むことを通して、個性の伸長を図りながら、特別活動の目標に掲げる資質・能力を育成することである。

問4 check√ □□□
学校行事の目標は、全校又は学年の児童で協力し、よりよい学校生活を築くための体験的な活動を通して、集団への所属感や連帯感を深め、公民的な態度を身に付け、特別活動の目標に掲げる資質・能力を育成することである。

問5 check√ □□□
学校行事の内容については、４つに分類されており、それは、「儀式的行事」、「文化的行事」、「遠足・集団宿泊的行事」、「勤労生産・奉仕的行事」である。

問6 check√ □□□
内容の取扱いについては、学級活動、児童会活動及びクラブ活動の指導については、指導内容の特質に応じて、教師の適切な指導の下に、児童の自発的、自治的な活動が効果的に展開されるようにすることに配慮する。

解答・解説

問1 ○ 具体的な資質・能力としては、ほかに「集団や自己の生活、人間関係の課題を見いだし、解決するために話し合い、合意形成を図ったり、意思決定したりすることができる」、「自主的、実践的な集団活動を通して身に付けたことを生かして、集団や社会における生活及び人間関係をよりよく形成するとともに、自己の生き方についての考えを深め、自己実現を図ろうとする態度を養う」が掲げられている。

問2 × 児童会活動の目標は、異年齢の児童同士で協力し、学校生活の充実と向上を図るための諸問題の解決に向けて、計画を立て役割を分担し、協力して運営することに自主的、実践的に取り組むことを通して、特別活動の目標に掲げる資質・能力を育成することである。

問3 × クラブ活動の目標は、異年齢の児童同士で協力し、共通の興味・関心を追求する集団活動の計画を立てて運営することに自主的、実践的に取り組むことを通して、個性の伸長を図りながら、特別活動の目標に掲げる資質・能力を育成することである。

問4 × 学校行事の目標は、全校又は学年の児童で協力し、よりよい学校生活を築くための体験的な活動を通して、集団への所属感や連帯感を深め、公共の精神を養いながら、特別活動の目標に掲げる資質・能力を育成することである。

問5 × 「儀式的行事」、「文化的行事」、「遠足・集団宿泊的行事」、「勤労生産・奉仕的行事」、「健康安全・体育的行事」の、全部で５つに分かれる。

問6 ○ 学級活動、児童会活動及びクラブ活動の指導については、児童の自発的、自治的な活動が効果的に展開されるようにする。その際、よりよい生活を築くために自分たちできまりをつくって守る活動などを充実するよう工夫する。

中学校学習指導要領 総則

以下の記述を読み、正しいものには○、誤っているものには×をつけよ。

問1 check√ □□□
教育課程を通して、これからの時代に求められる教育を実現していくためには、よりよい学校教育を通してよりよい社会を創るという理念を学校と社会とが共有し、社会との連携及び協働によりその実現を図っていくという、社会に開かれた教育課程の実現が重要となる。

問2 check√ □□□
学校の教育活動を進めるに当たっては、主体的・対話的で深い学びの実現に向けた授業改善を通して、基礎的・基本的な知識及び技能を確実に習得させ、これらを活用して課題を解決するために必要な思考力、判断力、表現力等を育むことが求められている。

問3 check√ □□□
各教科等の指導に当たっては、生徒が環境問題や自然の大切さ、主体的に挑戦してみることや多様な他者と協働することの重要性などを実感しながら理解することができるよう、各教科等の特質に応じた体験活動を重視し、家庭や地域社会と連携しつつ体験的・継続的に実施できるよう工夫することに配慮する。

問4 check√ □□□
教育課程の編成及び実施に当たっては、学習や生活の基盤として、教師と生徒との師弟関係及び生徒相互のよりよい人間関係を育てるため、日頃から学級経営の充実を図ることに配慮する。

問5 check√ □□□
教育課程の編成及び実施に当たっては、生徒が、学ぶことと自己の将来とのつながりを見通しながら、社会的・職業的自立に向けて必要な基盤となる資質・能力を身に付けていくことができるよう、特別活動を要としつつ各教科等の特質に応じて、キャリア教育の充実を図ることに配慮する。

解答・解説

問1 ○
新学習指導要領（平成 29 年 3 月公示）の前文では、生徒に求められる資質・能力とは何かを社会と共有し連携する、「社会に開かれた教育課程」を重視する姿勢が打ち出されている。

問2 ○
新学習指導要領では、そのほかに、道徳教育や体験活動、多様な表現や鑑賞の活動等を通しての豊かな心や創造性の涵養や、健康で安全な生活と豊かなスポーツライフの実現が目指されている。

問3 ×
各教科等の指導に当たっては、生徒が生命の有限性や自然の大切さ、主体的に挑戦してみることや多様な他者と協働することの重要性などを実感しながら理解することができるよう、各教科等の特質に応じた体験活動を重視し、家庭や地域社会と連携しつつ体系的・継続的に実施できるよう工夫することに配慮しなければならない。

問4 ×
教育課程の編成及び実施に当たっては、学習や生活の基盤として、教師と生徒との信頼関係及び生徒相互のよりよい人間関係を育てるため、日頃から学級経営の充実を図ることに配慮しなければならない。

問5 ○
その中で、生徒が自らの生き方を考え主体的に進路を選択することができるよう、学校の教育活動全体を通じ、組織的かつ計画的な進路指導を行う。

教育原理　中学校学習指導要領 特別の教科 道徳

以下の記述を読み、正しいものには○、誤っているものには×をつけよ。

問 1
check√
□□□

道徳教育は、自己の生き方を考え、主体的な判断の下に行動し、自立した人間として他者と共によりよく生きるための基盤となる道徳性を養うことを目標としている。

問 2
check√
□□□

「内容」の「主として自分自身に関すること」のなかに、「望ましい生活習慣を身に付け、心身の健康の増進を図り、節度を守り節制に心掛け、安全で調和のある生活をすること」が挙げられている。

問 3
check√
□□□

「内容」の「主として人との関わりに関すること」のなかに、「礼儀の意義を理解し、時と場に応じた適切な行動をとること」が挙げられている。

問 4
check√
□□□

「内容」の「主として生命や自然、崇高なものとの関わりに関すること」のなかに、「人間には自らの弱さや醜さを克服する強さや気高く生きようとする心があることを理解し、人間として生きることに喜びを見いだすこと」が挙げられている。

問 5
check√
□□□

「内容」の「主として集団や社会との関わりに関すること」のなかに、「それぞれの正しさを重んじ、誰に対しても公平に接し、差別や偏見のない社会の実現に努めること」が挙げられている。

解答・解説

問 1 ×　中学校における道徳教育の目標は、「人間としての生き方を考え、主体的な判断の下に行動し、自立した人間として他者と共によりよく生きるための基盤となる道徳性を養うこと」である。「自己の生き方を考え」とあるのは、小学校における道徳教育の目標である。

問 2 ○　望ましい生活習慣を身に付け、心身の健康の増進を図り、節度を守り節制に心掛け、安全で調和のある生活をすることが内容に盛り込まれ、望ましい自己を形成し、自律的に行動することが求められている。

問 3 ○　礼儀の基本は、相手を一個の人格として認め、相手に対して敬愛する気持ちを具体的に示すことであり、具体的には言葉遣い、態度や動作として表現される。日常生活において、時と場に応じた適切な言動を体験的に学習するとともに、礼儀の形の根底に流れる意義を深く理解できるようにすることが大切である。

問 4 ○　中学生の時期は、人間が内に弱さや醜さをもつと同時に、強さや気高く生きようとする心を併せもつことを理解できるようになってくる。自分を含め、人は誰でも人間らしいよさをもっていることを認め、そのよさを見いだしていく態度を育てることが大切である。

問 5 ×　中学生になると、現実の社会がもつ矛盾や課題に気付き、理想を求める気持ちや正義感も強くなってくる反面、周囲の目を意識し、多くの意見や考えに左右されたり、自己中心的な考え方や行動をとったりしがちとなる。そのため、不正な行動や差別的言動が目の前で起こっても、勇気を出してそれを止めるなど、正義の実現に努めることに消極的になってしまうことも多い。「それぞれの正しさ」ではなく、「正義と公正さ」を重んじる姿勢が重要である。

中学校学習指導要領 総合的な学習の時間

以下の記述を読み、正しいものには○、誤っているものには×をつけよ。

問1 check√ □□□
総合的な学習の時間で育成することを目指す資質・能力の１つとして、実社会や実生活の中から問いを見いだし、自分で課題を立て、情報を集め、整理・分析して、まとめ・表現することができるようにすることが明示されている。

問2 check√ □□□
総合的な学習の時間で育成することを目指す資質・能力の１つとして、探究的な学習に主体的・協働的に取り組むとともに、互いのよさを生かしながら、積極的に学校生活に参画しようとする態度を養うことが明示されている。

問3 check√ □□□
指導計画の作成に当たっては、生徒の気質や能力に応じて、教科等の枠を超えた横断的・総合的な学習、探究的な学習、生徒の興味・関心等に基づく学習など創意工夫を生かした教育活動の充実を図ることに配慮する。

問4 check√ □□□
指導計画の作成に当たっては、他教科等及び総合的な学習の時間で身に付けた思考力・判断力を相互に関連付け、学習や生活において生かし、それらが総合的に働くようにすることに配慮する。

問5 check√ □□□
内容の取扱いについては、探究的な学習の過程においては、自ら主体的に考え問題を解決しようとする学習活動や、データにより分析し、まとめたり表現したりするなどの学習活動が行われるようにすることに配慮する。

問6 check√ □□□
内容の取扱いについては、学校図書館の活用、他の学校との連携、公民館、図書館、博物館等の社会教育施設や社会教育関係団体等の各種団体との連携、地域の教材や学習環境の積極的な活用などの工夫を行うことに配慮する。

問7 check√ □□□
内容の取扱いについては、職業や自己の将来に関する学習を行う際には、探究的な学習に取り組むことを通して、他者を理解し、社会貢献の態度を育てるなどの学習活動が行われるようにすることに配慮する。

解答・解説

問1 ○

総合的な学習の時間で育成することを目指す資質・能力については、総則に示された「知識及び技能」、「思考力、判断力、表現力等」、「学びに向かう力、人間性等」という３つの柱から明示されている。

問2 ×

探究的な学習に主体的・協働的に取り組むとともに、互いのよさを生かしながら、積極的に社会に参画しようとする態度を養うことである。自ら社会に関わり参画しようとする意志、社会を創造する主体としての自覚が、一人一人の生徒の中に徐々に育成されることが期待されている。

問3 ×

指導計画の作成に当たっては、地域や学校、生徒の実態等に応じて、教科等の枠を超えた横断的・総合的な学習、探究的な学習、生徒の興味・関心等に基づく学習など創意工夫を生かした教育活動の充実を図ることに配慮する。創意工夫は、独創的という意味ではなく、地域や学校、生徒の実態に応じることを表している。

問4 ×

指導計画の作成に当たっては、他教科等及び総合的な学習の時間で身に付けた資質・能力を相互に関連付け、学習や生活において生かし、それらが総合的に働くようにすることに配慮する。

問5 ×

探究的な学習の過程では、他者と協働して問題を解決しようとする学習活動や、言語により分析し、まとめたり表現したりするなどの学習活動が行われるようにすることに配慮する。

問6 ○

総合的な学習の時間では、自ら調べる学習が多くの場面で必要とされるため、学校図書館をはじめとする資料や情報を有する施設は欠かすことができない。

問7 ×

職業や自己の将来に関する学習を行う際には、探究的な学習に取り組むことを通して、自己を理解し、将来の生き方を考えるなどの学習活動が行われるようにすることに配慮する。キャリア教育とも関連し、進路を考えるきっかけともなる。

教育原理　中学校学習指導要領　特別活動

以下の記述を読み、正しいものには○、誤っているものには×をつけよ。

問１ check√ □□□
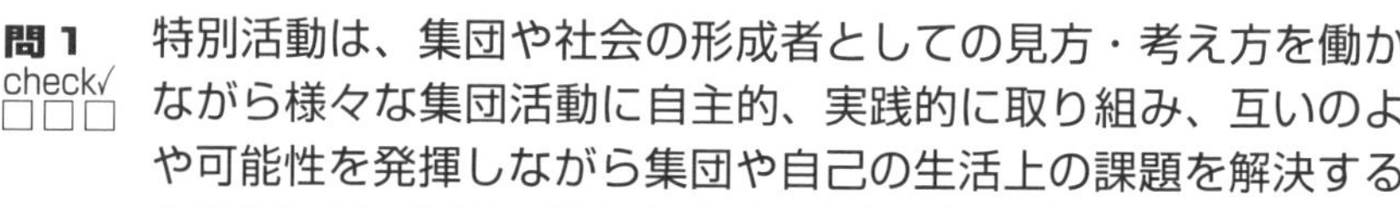
特別活動は、集団や社会の形成者としての見方・考え方を働かせながら様々な集団活動に自主的、実践的に取り組み、互いのよさや可能性を発揮しながら集団や自己の生活上の課題を解決することを通して、資質・能力を育むことを目指す教育活動である。

問２ check√ □□□
特別活動の活動種類は３つに分かれており、学級活動、生徒会活動、学校行事である。

問３ check√ □□□
学級活動の内容として、「学級や学校における生活づくりへの参画」、「日常の生活や学習への適応と自己の成長及び健康安全」、「一人一人のキャリア形成と自己実現」が示されている。

問４ check√ □□□
生徒会活動の内容として、「生徒会の組織づくりと生徒会活動の計画や運営」、「学校行事への協力」、「選挙活動などの社会参画」が示されている。

問５ check√ □□□
学校行事の内容として、文化的行事、健康安全・体育的行事、旅行・集団宿泊的行事、勤労生産・奉仕的行事の４つが示されている。

問６ check√ □□□
指導計画の作成に当たっては、特別活動の各活動及び学校行事を見通して、その中で育む資質・能力の育成に向けて、生徒の主体的・対話的で深い学びの実現を図るようにすることに配慮する。

解答・解説

問１
○
特別活動において育成することを目指す資質・能力や、それらを育成するための学習過程の在り方は、「人間関係形成」、「社会参画」、「自己実現」の３つの視点で整理されている。

問２
○
特別活動の活動種類は、学級活動、生徒会活動、学校行事の３つである。それぞれの内容もおさえておくこと。

問３
○
学級活動は、共に生活や学習に取り組む同年齢の生徒で構成される集団である「学級」において行われる活動である。学級生活の充実と向上に向けて自主的、実践的に取り組む活動により、現在及び将来の自己と集団との関わりを理解し、健全な生活や社会づくりの実践力を高めるものである。

問４
×
生徒会活動の内容として示されているのは、「生徒会の組織づくりと生徒会活動の計画や運営」、「学校行事への協力」、「ボランティア活動などの社会参画」である。

問５
×
学校行事の内容としては、儀式的行事、文化的行事、健康安全・体育的行事、旅行・集団宿泊的行事、勤労生産・奉仕的行事の５つが示されている。儀式的行事とは、入学式、卒業式、始業式、終業式、開校記念に関する儀式などである。

問６
○
また、生徒指導の機能を十分に生かすとともに、教育相談についても、生徒の家庭との連絡を密にし、適切に実施できるようにすることに配慮する。

教育原理 高等学校学習指導要領 総則

以下の記述を読み、正しいものには○、誤っているものには×をつけよ。

問1 check√ □□□
「第1款 高等学校教育の基本と教育課程の役割」において、「生徒の人間として調和のとれた育成を目指し、生徒の心身の発達の段階や特性等、課程や学科の特色及び学校や地域の実態を十分考慮して、適切な教育課程を編成するもの」としている。

問2 check√ □□□
学校の教育活動を進めるに当たっては、基礎的・基本的な知識及び技能を確実に習得させ、これらを活用して課題を解決するために必要な思考力、判断力、表現力等を育むとともに、主体的に学習に取り組む態度を養い、個性を生かし自己探求と自己実現を促す教育の充実に努める。

問3 check√ □□□
学校の教育活動を進めるにあたっては、道徳教育や体験活動、多様な表現や鑑賞の活動等を通して、豊かな心や創造性の涵養を目指した教育の充実に努める。

問4 check√ □□□
道徳教育は、生徒が自己探求と自己実現に努め国家・社会の一員としての自覚に基づき行為しうる発達の段階にあることを考慮し、人間としての在り方生き方を考え、客観的な判断の下に行動し、自立した人間として他者と共によりよく生きるための基盤となる道徳性を養うことを目標とする。

問5 check√ □□□
学校における体育・健康に関する指導を、主に学校の保健・体育の時間を通じて適切に行うことにより、健康で安全な生活と豊かなスポーツライフの実現を目指した教育の充実に努める。

問6 check√ □□□
学校においては、地域や学校の実態等に応じて、就業やボランティアに関わる体験的な学習の指導を適切に行うようにし、勤労の尊さや創造することの喜びを体得させ、望ましい人間観、自己認識の育成や社会奉仕の精神の涵養に資するものとする。

解答・解説

問１　○　高等学校教育の基本と教育課程の役割では、「生徒の人間として調和のとれた育成を目指し、生徒の心身の発達の段階や特性等、課程や学科の特色及び学校や地域の実態を十分考慮」するとしている。

問２　×　基礎的・基本的な知識及び技能を確実に習得させ、これらを活用して課題を解決するために必要な思考力、判断力、表現力等を育むとともに、主体的に学習に取り組む態度を養い、個性を生かし多様な人々との協働を促す教育の充実に努める。

問３　○　創造性とは、感性を豊かに働かせながら、思いや考えを基に構想し、新しい意味や価値を創造していく資質・能力であり、豊かな心の涵養と密接に関わるものとして捉えられている。

問４　×　道徳教育は、「主体的な判断の下に行動し、自立した人間として他者と共によりよく生きるための基盤となる道徳性を養う」ことを目標としている。高等学校の生徒は、生きる主体としての自己を確立し、主体性をもって生きたいという意欲を高めていく段階にあるからである。

問５　×　学校における体育・健康に関する指導は、教育活動全体を通じて適切に行う。

問６　×　学校においては、地域や学校の実態等に応じて、就業やボランティアに関わる体験的な学習の指導を適切に行うようにし、勤労の尊さや創造することの喜びを体得させ、望ましい勤労観、職業観の育成や社会奉仕の精神の涵養に資するものとする。就業体験やボランティアは、自分と社会の関わりに対する理解と認識を深め、生徒が自己の在り方生き方を考える上でも極めて重要である。

以下の記述を読み、正しいものには○、誤っているものには×をつけよ。

問 7 check√ □□□
単位については 1 単位時間を 50 分とし、30 単位時間の授業を 1 単位として計算することを標準とする。

問 8 check√ □□□
全日制の課程における各教科・科目及びホームルーム活動の授業は、年間 25 週行うことを標準とし、週当たりの授業時数は、30 単位時間を標準とする。

問 9 check√ □□□
定時制の課程において、特別の事情がある場合には、ホームルーム活動の授業時数の一部を減じ、又はホームルーム活動及び総合的な学習の時間の内容の一部を行わないものとすることができる。

問 10 check√ □□□
学校においては、キャリア教育及び職業教育を推進するために、生徒の特性や進路、学校や地域の実態等を考慮し、地域や産業界等との連携を図り、産業現場等における長期間の実習を取り入れるなどの就業体験活動の機会を積極的に設けるとともに、地域や産業界等の人々の協力を積極的に得るよう配慮する。

問 11 check√ □□□
職業に関する各教科・科目については、就業体験活動をもって実習に替えることができることに配慮する。

問 12 check√ □□□
各教科・科目等の指導に当たっては、生徒が生命の有限性や自然の大切さ、主体的に挑戦してみることや多様な他者と協働することの重要性などを実感しながら理解することができるよう、各教科・科目等の特質に応じた体験活動を重視し、家庭や地域社会と連携しつつ体系的・継続的に実施できるよう工夫することに配慮する。

問 13 check√ □□□
卒業までに修得させる単位数は、80 単位以上とする。

解答・解説

問7
×

1単位時間を50分とし、35単位時間の授業を1単位として計算することを標準とする。数字は正確に覚えること。

問8
×

全日制の課程における各教科・科目及びホームルーム活動の授業は、年間35週行うことを標準とし、週当たりの授業時数は、30単位時間を標準とする。

問9
×

定時制の課程において、特別の事情がある場合には、ホームルーム活動の授業時数の一部を減じ、又はホームルーム活動及び生徒会活動の内容の一部を行わないものとすることができる。定時制の場合は生徒の勤務形態や生活など、配慮する事項が多いため、ホームルームや生徒会活動をすべて行うことが難しい場合もある。

問10
○

現場実習は、実際的な知識や技術・技能に触れることが可能となるとともに、生徒が自己の職業適性や将来設計について考える機会となり、主体的な職業選択の能力や職業意識の育成が図られるなど、高い教育効果を有するものである。

問11
○

この場合、就業体験活動は、その各教科・科目の内容に直接関係があり、かつ、その一部としてあらかじめ計画し、評価されるものであることを要する。

問12
○

これからの学校教育には、生徒に知・徳・体のバランスのとれた資質・能力を育成することが一層重要であり、この資質・能力を偏りなく育成していくに当たり、「学びに向かう力、人間性等」を育む観点からは、体験活動の充実が重要であるとされている。

問13
×

卒業までに修得させる単位数は、74単位以上とする。

以下の記述を読み、正しいものには○、誤っているものには×をつけよ。

問1 check√ □□□
目標は、探究の見方・考え方を働かせ、横断的・総合的な学習を行うことを通して、自ら課題を見付け、主体的に判断し、よりよく課題を発見し解決していくための資質・能力を育成することである。

問2 check√ □□□
目標を実現するにふさわしい探究課題については、地域や学校の実態、生徒の特性等に応じて、例えば、国際理解、情報、環境、福祉・健康などの現代的な諸課題に対応する専門的・分析的な課題、地域や学校の特色に応じた課題、生徒の興味・関心に基づく課題、職業や自己の進路に関する課題などを踏まえて設定する。

問3 check√ □□□
全体計画及び年間指導計画の作成に当たっては、学校における全教育活動との関連の下に、目標及び内容、学習活動、指導方法や指導体制、学習の評価の計画などを示すことに配慮する。

問4 check√ □□□
探究の過程においては、自分で深く考えて解決法を見出そうとする学習活動や、言語により分析し、まとめたり表現したりするなどの学習活動が行われるようにすることに配慮する。

問5 check√ □□□
探究の過程においては、コンピュータや情報通信ネットワークなどを適切かつ効果的に活用して、情報を収集・整理・発信するなどの学習活動が行われるよう工夫する。

問6 check√ □□□
各学校において定める内容の取扱いについては、自然体験や就業体験活動、ボランティア活動などの社会体験、ものづくり、生産活動などの体験活動、観察・実験・実習、調査・研究、発表や討論などの学習活動を積極的に取り入れることに配慮する。

解答・解説

問1 × 目標は、探究の見方・考え方を働かせ、横断的・総合的な学習を行うことを通して、自己の在り方生き方を考えながら、よりよく課題を発見し解決していくための資質・能力を育成することである。

問2 × 目標を実現するにふさわしい探究課題については、地域や学校の実態、生徒の特性等に応じて、例えば、国際理解、情報、環境、福祉・健康などの現代的な諸課題に対応する横断的・総合的な課題、地域や学校の特色に応じた課題、生徒の興味・関心に基づく課題、職業や自己の進路に関する課題などを踏まえて設定する。

問3 ○ 総合的な探究の時間の目標を達成するためには、各教科、特別活動を含めた全教育活動における総合的な探究の時間の位置付けを明確にすることが重要であり、それぞれが適切に実施され、相互に関連し合うことで教育課程は機能を果たすこととなる。

問4 × 探究の過程においては、他者と協働して課題を解決しようとする学習活動や、言語により分析し、まとめたり表現したりするなどの学習活動が行われるようにする。自己が強調される場合と、他者との協働が強調される箇所をきちんと区別しよう。

問5 ○ その際、情報や情報手段を主体的に選択し、活用できるよう配慮する。

問6 ○ 自然体験や就業体験活動、ボランティア活動などの社会体験、ものづくり、生産活動などの体験活動、観察・実験・実習、調査・研究、発表や討論などの学習活動を積極的に取り入れる。総合的な探究の時間での学習活動法の種類を覚えておくこと。

以下の記述を読み、正しいものには○、誤っているものには×をつけよ。

問1 check√ □□□
目標には、「自主的、実践的な集団活動を通して身に付けたことを生かして、集団や社会における生活及び人間関係をよりよく形成するとともに、人間としての生き方についての考えを深め、自己実現を図ろうとする態度を養う」ことが挙げられている。

問2 check√ □□□
ホームルームや学校における生活づくりへの参画の指導に当たっては、集団としての意見をまとめる話合い活動など中学校の積み重ねや経験を生かし、それらを発展させることができるよう工夫する。

問3 check√ □□□
生徒会活動の内容は、「生徒会の計画や運営」、「異年齢集団による交流」、「生徒の諸活動についての連絡調整」、「学校行事への協力」、「ボランティア活動などの社会参画」の５つである。

問4 check√ □□□
学校行事の内容は、「儀式的行事」、「文化的行事」、「健康安全・体育的行事」、「旅行・集団宿泊的行事」、「勤労生産・奉仕的行事」の５つである。

問5 check√ □□□
指導計画の作成に当たっては、特別活動の各活動及び学校行事を見通して、その中で育む資質・能力の育成に向けて、生徒の主体的・対話的で深い学びの実現を図るように配慮する。

問6 check√ □□□
ホームルーム活動については、主としてホームルームごとにホームルーム担任の教師が指導することを原則とする。

解答・解説

問1 ×
問題文で挙げられているのは、中学校の目標である。高等学校では、「自主的、実践的な集団活動を通して身に付けたことを生かして、主体的に集団や社会に参画し、生活及び人間関係をよりよく形成するとともに、人間としての在り方生き方についての自覚を深め、自己実現を図ろうとする態度を養う」となっている。

問2 ○
ホームルームや学校における生活づくりへの参画の指導に当たっては、中学校の学級活動の積み重ねや経験を生かし、それらを発展させることが求められている。

問3 ×
問題に挙げられているのは、旧学習指導要領における内容である。新学習指導要領では、「生徒会の組織づくりと生徒会活動の計画や運営」、「学校行事への協力」、「ボランティア活動などの社会参画」の３つである。

問4 ○
小学校・中学校と同じく、学校行事の内容は、挙げられた５つである。なお、小・中・高ともに新学習指導要領では、「健康安全・体育的行事」の中に、「事件や事故、災害等から身を守る」という言葉が加えられた。

問5 ○
その際、よりよい人間関係の形成、よりよい集団生活の構築や社会への参画及び自己実現に資するよう、生徒が集団や社会の形成者としての見方・考え方を働かせ、様々な集団活動に自主的、実践的に取り組む中で、互いのよさや個性、多様な考えを認め合い、等しく合意形成に関わり役割を担うようにすることを重視する。

問6 ○
ホームルーム活動については、主としてホームルームごとにホームルーム担任の教師が指導することを原則とし、活動の内容によっては他の教師などの協力を得ることとする。

以下の記述を読み、正しいものには○、誤っているものには×をつけよ。

問1 check√ □□□
「第１節教育目標」においては、「小学部及び中学部における教育については、学校教育法第72条に定める目的を実現するために、児童及び生徒の障害の状態や特性及び心身の発達の段階等を十分考慮して、目標の達成に努めなければならない」とある。

問2 check√ □□□
目標の１つに、「小学部及び中学部を通じ、児童及び生徒の障害による不自由さを改善・克服し自立を図るために必要な知識、技能、態度及び習慣を養うこと」が挙げられている。

問3 check√ □□□
各学校においては、児童又は生徒の人間として生きる力の育成を目指し、児童又は生徒の障害の状態や特性及び心身の発達の段階等並びに学校や地域の実態を十分考慮して、適切な教育課程を編成するものとする。

問4 check√ □□□
道徳教育を進めるに当たっては、人間尊重の精神と生命に対する畏敬の念を家庭、学校、その他社会における具体的な生活の中に生かし、豊かな心をもち、伝統と文化を尊重し、それらを育んできた我が国と郷土を愛し、個性豊かな文化の創造を図ることに留意する。

問5 check√ □□□
学校における食育の推進並びに体力の向上に関する指導、安全に関する指導及び心身の健康の保持増進に関する指導については、小学部の体育科及び中学部の保健体育科の時間に行う。

問6 check√ □□□
学校における自立活動の指導は、障害による学習上又は生活上の困難を改善・克服し、自立し社会参加する資質を養うため、学校の教育活動全体を通じて適切に行うものとする。

解答・解説

問 1
○

学校教育法第 72 条には、「特別支援学校は、視覚障害者、聴覚障害者、知的障害者、肢体不自由者又は病弱者（身体虚弱者を含む。以下同じ。）に対して、幼稚園、小学校、中学校又は高等学校に準ずる教育を施すとともに、障害による学習上又は生活上の困難を克服し自立を図るために必要な知識技能を授けることを目的とする」とある。

問 2
×

目標の 1 つは、小学部及び中学部を通じ、児童及び生徒の障害による学習上又は生活上の困難を改善・克服し自立を図るために必要な知識、技能、態度及び習慣を養うことである。

問 3
×

各学校においては、児童又は生徒の人間として調和のとれた育成を目指し、児童又は生徒の障害の状態や特性及び心身の発達の段階等並びに学校や地域の実態を十分考慮して、適切な教育課程を編成するものとする。

問 4
○

同時にまた、平和で民主的な国家及び社会の形成者として、公共の精神を尊び、社会及び国家の発展に努め、他国を尊重し、国際社会の平和と発展や環境の保全に貢献し未来を拓く主体性のある日本人の育成に資することとなるよう留意する。

問 5
×

体育科や保健体育科だけではなく、小学部の家庭科（知的障害者である児童に対する教育を行う特別支援学校では生活科）、中学部の技術・家庭科（知的障害者である生徒に対する教育を行う特別支援学校では職業・家庭科）、特別活動、自立活動などでも、それぞれの特質に応じて適切に行うよう努める。

問 6
○

「自立し社会参加する資質」とは「児童生徒がそれぞれの障害の状態や発達の段階等に応じて、主体的に自己の力を可能な限り発揮し、よりよく生きていこうとすること、また、社会、経済、文化の分野の活動に参加することができるようにする資質」である。

以下の記述を読み、正しいものには○、誤っているものには×をつけよ。

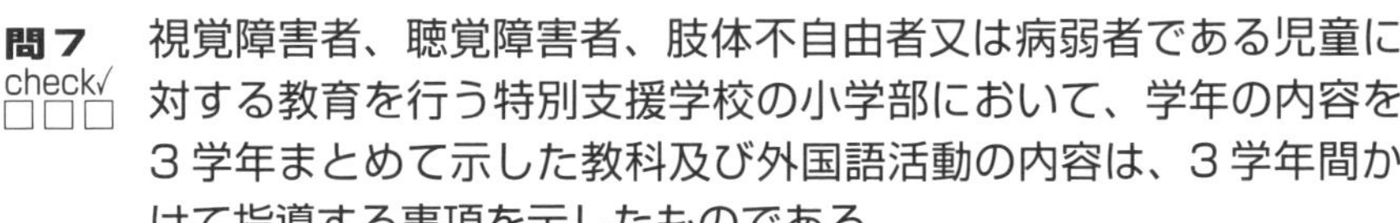

問 7 check√ □□□
視覚障害者、聴覚障害者、肢体不自由者又は病弱者である児童に対する教育を行う特別支援学校の小学部において、学年の内容を３学年まとめて示した教科及び外国語活動の内容は、３学年間かけて指導する事項を示したものである。

問 8 check√ □□□
視覚障害者、聴覚障害者、肢体不自由者又は病弱者である生徒に対する教育を行う特別支援学校の中学部においては、選択教科を開設し、生徒に履修させることができる。

問 9 check√ □□□
知的障害者である児童又は生徒に対する教育を行う特別支援学校において、各教科の指導に当たっては、各教科に示す内容を基に、児童又は生徒の能力や積極性に応じて、具体的に指導内容を設定する。

問 10 check√ □□□
小学部又は中学部の各教科等の授業は、年間 35 週（小学部第１学年については 34 週）以上にわたって行うよう計画し、週当たりの授業時数が児童又は生徒の負担過重にならないようにするものとする。

問 11 check√ □□□
小学部又は中学部の各学年の自立活動の時間に充てる授業時数は、児童又は生徒の障害の状態や特性及び心身の発達の段階等に応じて、適切に定める。

問 12 check√ □□□
複数の種類の障害を併せ有する児童又は生徒については、専門的な知識、技能を有する教師や特別支援学校間の協力の下に指導を行ったり、保護者も一緒に登校して児童を支援してもらったりするなどして、学習効果を一層高めるようにする。

問 13 check√ □□□
重複障害者のうち、障害の状態により特に必要がある場合には、各教科、道徳科、外国語活動若しくは総合的な学習の時間の目標及び内容に関する事項の一部又は各教科、総合的な学習の時間に替えて、特別活動を主として指導を行うことができる。

解答・解説

問 7 ×
特別支援学校の小学部において、学年の内容を２学年まとめて示した教科及び外国語活動の内容は、２学年間かけて指導する事項を示したものである。

問 8 ○
『特別支援学校学習指導要領解説編』によれば、選択教科は、各教科や総合的な学習の時間と密接な関連があるので、編成する際は、３学年間を見通しながら有機的な関連を図る必要がある。

問 9 ×
知的障害者である児童又は生徒に対する教育を行う特別支援学校において、各教科の指導に当たっては、各教科に示す内容を基に、児童又は生徒の知的障害の状態や経験等に応じて、具体的に指導内容を設定する。

問 10 ○
ただし、各教科等（中学部においては、特別活動を除く。）や学習活動の特質に応じ効果的な場合には、夏季、冬季、学年末等の休業日の期間に授業日を設定する場合を含め、これらの授業を特定の期間に行うことができる。

問 11 ○
小学部又は中学部の各学年の自立活動の時間に充てる授業時数は、児童又は生徒の障害の状態や特性及び心身の発達の段階等に応じて、適切に定める。

問 12 ×
複数の種類の障害を併せ有する児童又は生徒については、専門的な知識、技能を有する教師や特別支援学校間の協力の下に指導を行ったり、必要に応じて専門の医師やその他の専門家の指導・助言を求めたりするなどして、学習効果を一層高めるようにする。

問 13 ×
重複障害者のうち、障害の状態により特に必要がある場合には、各教科、道徳科、外国語活動もしくは特別活動の目標及び内容に関する事項の一部又は各教科、外国語活動もしくは総合的な学習の時間に替えて、自立活動を主として指導を行うことができる。

教育原理　特別支援学校小学部・中学部学習指導要領 自立活動

以下の記述を読み、正しいものには○、誤っているものには×をつけよ。

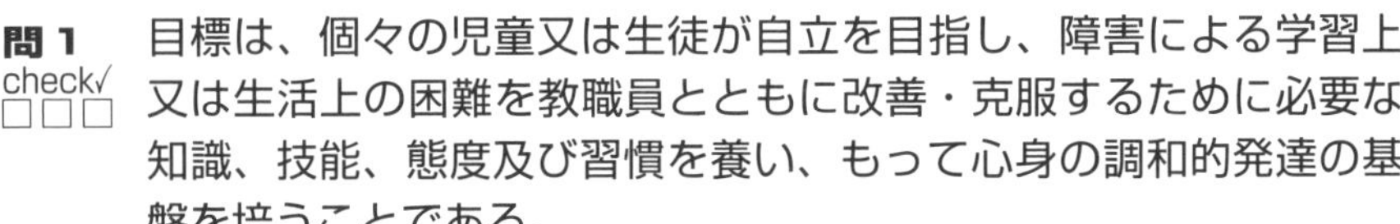

問1 check√ □□□
目標は、個々の児童又は生徒が自立を目指し、障害による学習上又は生活上の困難を教職員とともに改善・克服するために必要な知識、技能、態度及び習慣を養い、もって心身の調和的発達の基盤を培うことである。

問2 check√ □□□
内容は、6つに分かれており、「健康の保持」、「心理的な安定」、「支援体制の形成」、「環境の把握」、「身体の動き」、「コミュニケーション」である。

問3 check√ □□□
「健康の保持」については5項目あり、「生活のリズムや自己管理能力の形成に関すること」、「病気の状態の理解と生活管理に関すること」、「身体各部の状態の理解と養護に関すること」、「障害の特性の理解と生活環境の調整に関すること」、「健康状態の維持・改善に関すること」である。

問4 check√ □□□
個別の指導計画の作成に当たって配慮することの1つに、「個々の児童又は生徒について、障害の状態、発達や経験の程度、興味・関心、生活や学習環境などの実態を的確に把握すること」が挙げられている。

問5 check√ □□□
具体的な指導内容を設定する際には、児童又は生徒が、興味をもって主体的に取り組み、成就感を味わうとともに自己を客観的に捉えることができるような指導内容を取り上げることを考慮する。

問6 check√ □□□
指導計画の作成と内容の取扱いについては、児童又は生徒の障害の状態により、必要に応じて、保護者や保育者の指導・助言を求めるなどして、適切な指導ができるようにするものとする。

解答・解説

問1 ×
目標は、個々の児童又は生徒が自立を目指し、障害による学習上又は生活上の困難を主体的に改善・克服するために必要な知識、技能、態度及び習慣を養い、もって心身の調和的発達の基盤を培うことである。『学習指導要領解説』において、「自立」とは、「児童生徒がそれぞれの障害の状態や発達の段階等に応じて、主体的に自己の力を可能な限り発揮し、よりよく生きていこうとすること」という意味である。

問2 ×
内容には、「健康の保持」、「心理的な安定」、「人間関係の形成」、「環境の把握」、「身体の動き」、「コミュニケーション」の６項目がある。それぞれの項目を正確に覚えておくこと。

問3 ×
「健康の保持」については５項目あり、「生活のリズムや生活習慣の形成に関すること」、「病気の状態の理解と生活管理に関すること」、「身体各部の状態の理解と養護に関すること」、「障害の特性の理解と生活環境の調整に関すること」、「健康状態の維持・改善に関すること」である。

問4 ○
個々の児童又は生徒について、障害の状態、発達や経験の程度、興味・関心、生活や学習環境などの実態を的確に把握することに配慮する。実態の的確な把握は、個別の指導計画を作成するうえで特に重要である。

問5 ×
児童又は生徒が、興味をもって主体的に取り組み、成就感を味わうとともに自己を肯定的に捉えることができるような指導内容を取り上げることを考慮する。

問6 ×
児童又は生徒の障害の状態により、必要に応じて、専門の医師及びその他の専門家の指導・助言を求めるなどして、適切な指導ができるようにする。教師は日ごろから自立活動に関する専門的な知識や技能を幅広く身に付けておくとともに、関連のある専門家と連携のとれる体制を整えておくことが大切である。

特別支援学校高等部学習指導要領 総則

以下の記述を読み、正しいものには○、誤っているものには×をつけよ。

問 1 check√ □□□
学校の教育活動を進めるに当たっては、基礎的・基本的な知識及び技能を確実に習得させ、これらを活用して課題を解決するために必要な思考力、判断力、表現力等を育むとともに、主体的に学習に取り組む態度を養い、個性を生かし多様な人々との協働を促す教育の充実に努めることとされている。

問 2 check√ □□□
学校における道徳教育は、人間としての在り方生き方に関する教育を学校の教育活動全体を通じて行うことによりその充実を図るものとし、視覚障害者、聴覚障害者、肢体不自由者又は病弱者である生徒に対する教育を行う特別支援学校においては、特別の教科である道徳を要として、各教科、総合的な探究の時間、特別活動及び自立活動において、それぞれの特質に応じて、適切な指導を行わなければならない。

問 3 check√ □□□
学校における体育・健康に関する指導は、生徒の発達の段階を考慮して、学校の教育活動全体を通じて適切に行う。

問 4 check√ □□□
視覚障害者である生徒に対する教育を行う特別支援学校にあっては、主として専門学科において開設される教科として、「理容・美容」を設けることができる。

問 5 check√ □□□
視覚障害者、聴覚障害者、肢体不自由者又は病弱者である生徒に対する教育を行う特別支援学校における各教科等の総授業時数は、各学年とも 1,050 単位時間を標準とする。

問 6 check√ □□□
知的障害者である生徒に対する教育を行う特別支援学校における専門学科においては、専門教科について、すべての生徒に履修させる授業時数は、875 単位時間を下らないものとする。

解答・解説

問 1
○

その際、生徒の発達の段階を考慮して、生徒の言語活動など、学習の基盤をつくる活動を充実するとともに、家庭との連携を図りながら、生徒の学習習慣が確立するよう配慮することが求められている。

問 2
×

特別の教科である道徳が設けられているのは、知的障害者である生徒に対する教育を行う特別支援学校である。

問 3
○

学校における体育・健康に関する指導は、生徒の発達の段階を考慮して、学校の教育活動全体を通じて適切に行うことにより、健康で安全な生活と豊かなスポーツライフの実現を目指した教育の充実に努めることが求められている。

問 4
×

視覚障害者である生徒に対する教育を行う特別支援学校では「保健理療」という教科を設けることができる。「理容・美容」は聴覚障害者である生徒に対する教育を行う特別支援学校で設けることができる教科の１つである。

問 5
×

設問文にある規定は、知的障害者である生徒に対する教育を行う特別支援学校に関するものである。視覚障害者、聴覚障害者、肢体不自由者又は病弱者である生徒に対する教育を行う特別支援学校においては、各教科・科目等の単位数が定められている。

問 6
○

知的障害者である生徒に対する教育を行う特別支援学校における専門学科においては、専門教科について、すべての生徒に履修させる授業時数は、875 単位時間を下らないものとする。

教育原理　特別支援学校高等部学習指導要領　自立活動

以下の記述を読み、正しいものには○、誤っているものには×をつけよ。

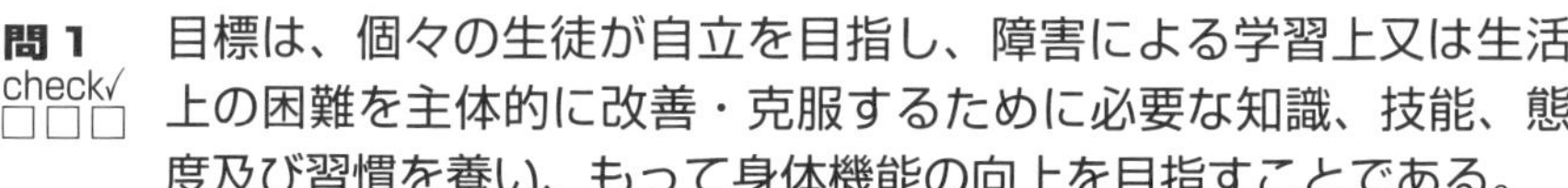

問 1 check√ □□□
目標は、個々の生徒が自立を目指し、障害による学習上又は生活上の困難を主体的に改善・克服するために必要な知識、技能、態度及び習慣を養い、もって身体機能の向上を目指すことである。

問 2 check√ □□□
内容の「心理的な安定」においては 3 項目あり、その 1 つに「状況の理解と変化への対応に関すること」がある。

問 3 check√ □□□
内容の「身体の動き」においては 5 項目あり、そのうち 2 つは、「姿勢と運動・動作の基本的技能に関すること」と「学習活動に必要な基本動作に関すること」である。

問 4 check√ □□□
個別の指導計画の作成に当たって配慮することの 1 つに、「実態把握に基づき、長期的な観点から指導の目標を設定し、それらを達成するために必要な指導内容を段階的に取り上げること」が挙げられる。

問 5 check√ □□□
個別の指導計画の作成に当たって配慮することの 1 つに、「個々の生徒の発達の遅れている側面への手厚い支援によって、進んでいる側面を更に伸ばすことができるような指導内容も取り上げること」が挙げられる。

問 6 check√ □□□
重複障害者のうち自立活動を主として指導を行うものについては、全人的な発達を促すために必要な基本的な指導内容を、個々の生徒の実態に応じて設定し、系統的な指導が展開できるようにする。

解答・解説

問 1
×

目標は、個々の生徒が自立を目指し、障害による学習上又は生活上の困難を主体的に改善・克服するために必要な知識、技能、態度及び習慣を養い、もって心身の調和的発達の基盤を培うことである。

問 2
○

「心理的な安定」においては３項目あり、それは「状況の理解と変化への対応に関すること」、「情緒の安定に関すること」と「障害による学習上又は生活上の困難を改善・克服する意欲に関すること」である。

問 3
×

「身体の動き」においては５項目あり、そのうち２つは、「姿勢と運動・動作の基本的技能に関すること」と「日常生活に必要な基本動作に関すること」である。他の３項目は、「姿勢保持と運動・動作の補助的手段の活用に関すること」、「身体の移動能力に関すること」、「作業に必要な動作と円滑な遂行に関すること」である。

問 4
×

実態把握に基づき、長期的及び短期的な観点から指導の目標を設定し、それらを達成するために必要な指導内容を段階的に取り上げることに配慮する。長期的な観点に立った目標とともに、当面の短期的な観点に立った目標を定めることが、自立活動の指導の効果を高めるために必要である。

問 5
×

個々の生徒の発達の進んでいる側面を更に伸ばすことによって、遅れている側面を補うことができるような指導内容も取り上げることに配慮する。発達の遅れている側面に目を向けがちだが、改善に時間がかかることで生徒の自信が低下し、自己を肯定的に捉えられなくなるおそれがある。

問 6
○

重複障害者のうち自立活動を主として指導を行うものについては、全人的な発達を促すために必要な基本的な指導内容を、個々の生徒の実態に応じて設定し、系統的な指導が展開できるようにする。

以下の記述を読み、正しいものには○、誤っているものには×をつけよ。

問 1 check√ □□□
教科カリキュラムとは、関連する複数の教科を関連付けて編成するカリキュラムで、教科そのものの独立性は保ったままで編成する。

問 2 check√ □□□
融合カリキュラムとは、中心となる教育課程と、それらに関連付けられる周辺課程から構成されるカリキュラムで、1930 年代のアメリカで生み出されたヴァージニア・プランがその代表である。

問 3 check√ □□□
教科カリキュラムとは、教育目的に応じて系統的に組織された教材のまとまりを学習する内容として編成するカリキュラムで、経験カリキュラムと対比的に取り上げられる。

問 4 check√ □□□
広領域カリキュラムとは、これまでの教科の枠組みをはずして、近接した内容の教科を融合し 1 つにすることで、新しい教科・科目や領域に再編成した教育課程である。

問 5 check√ □□□
経験カリキュラムとは、子どもの興味・関心を中心に子どもの生活経験や、子どもたちの生活に結びついた知識や技術を手がかりとしながら編成するカリキュラムで、子どもと教師との共同計画により展開される。

問 6 check√ □□□
広領域カリキュラムとは、融合カリキュラムをさらに大きな枠で捉えたもので、社会科と理科をあわせて「生活科」とするといった例がある。

問 7 check√ □□□
人間中心カリキュラムとは、スプートニク・ショックを受けてブルーナーが提唱したカリキュラムで、理科や数学を中心としながら学問理論に従って系統的に編成される。

解答・解説

問1 × 関連する複数の教科を関連付けて編成するカリキュラムで、教科そのものの独立性は保ったままで編成するのは、相関カリキュラムである。

問2 × 中心となる教育課程と、それらに関連付けられる周辺課程から構成されるカリキュラムは、コアカリキュラムである。1930年代のアメリカで生み出されたヴァージニア・プランがその代表である。

問3 ○ 教育目的に応じて系統的に組織された教材のまとまりを学習する内容として編成するカリキュラムで、経験カリキュラムと対比的に取り上げられるのは、教科カリキュラムである。伝統的な読み書き計算を中心とする教育課程である。

問4 × これまでの教科の枠組みをはずして、近接した内容の教科を融合し1つにすることで、新しい教科・科目や領域に再編成した教育課程は、融合カリキュラムである。

問5 ○ 子どもの興味・関心を中心に子どもの生活経験や、子どもたちの生活に結びついた知識や技術を手がかりとしながら編成するカリキュラムで、子どもと教師との共同計画により展開されるのは、経験カリキュラムである。経験カリキュラムは学習者の興味・関心から編成されるので、学ぶ過程で変化することがある。

問6 ○ 融合カリキュラムをさらに大きな枠で捉えたもので、社会科と理科をあわせて「生活科」とするといった例があるのは、広領域カリキュラムである。

問7 × スプートニク・ショックを受けてブルーナーが提唱したカリキュラムで、理科や数学を中心としながら学問理論に従って系統的に編成されるのは、学問中心カリキュラムである。人間中心カリキュラムは、学問中心カリキュラムの反省から生まれたもので、子どもの個性や内発的動機付けを重視して編成される。

以下の記述を読み、正しいものには○、誤っているものには×をつけよ。

問1 check√ □□□
中央教育審議会「児童生徒の学習評価の在り方について（報告）」（平成31年1月1日）では、「学習評価については、子供の学びの評価にとどまらず、「カリキュラム・マネジメント」の中で、教育課程や学習・指導方法の評価と結び付け、（略）学校教育全体のサイクルに位置付けていく」ことが必要だとしている。

問2 check√ □□□
中央教育審議会「児童生徒の学習評価の在り方について（報告）」（平成31年1月1日）において、「観点別評価については、（略）各教科を通じて、「知識・技能」「思考・判断・表現」「主体的に学習に取り組む態度」の３観点に整理することとし、指導要録の様式を改善する」ことが必要だとしている。

問3 check√ □□□
文部科学省「小学校、中学校、高等学校及び特別支援学校における児童生徒の学習評価及び指導要録の改善について（通知）」（平成31年3月29日）において、学習評価の改善の基本的な方向性として「教師の指導改善につながるものにしていくこと」など４つの考え方を提示している。

問4 check√ □□□
文部科学省「小学校、中学校、高等学校及び特別支援学校における児童生徒の学習評価及び指導要録の改善について（通知）」（平成31年3月29日）では、「主体的に学習に取り組む態度」について、児童生徒が学習に関する自己調整を行いながら、粘り強く知識・技能を獲得したり思考・判断・表現しようとしたりする意思的な側面を捉えて評価することが求められるとしている。

問5 check√ □□□
文部科学省「言語活動の充実に関する指導事例集【高等学校版】」において、高等学校段階にて重視されるのは、帰納・類推、演繹などの推論を用いて、説明し伝え合う活動を行うことである。

問6 check√ □□□
文部科学省が行う全国学力・学習状況調査の目的の１つは「義務教育の機会均等とその水準の維持向上の観点から、全国的な児童生徒の学力や学習状況を把握・分析することによって、国やすべての教育委員会における教育施策の成果と課題を分析し、その改善を図る」ことである。

解答・解説

問1 ○
学習評価については、子供の学びの評価にとどまらず、「カリキュラム・マネジメント」の中で、教育課程や学習・指導方法の評価と結び付け、授業や組織運営の改善に向けた学校教育全体のサイクルに位置付けていくことが必要であるとしている。

問2 ○
観点別評価は、目標に準拠した評価の実質化や、教科・校種を超えた共通理解に基づく組織的な取組を促す観点から、「知識・技能」「思考・判断・表現」「主体的に学習に取り組む態度」の３観点に整理し、指導要録の様式を改善することが必要であるとしている。また、資質・能力のバランスのとれた学習評価を行うため、多面的・多角的な評価を行うことが必要であるとしている。

問3 ×
学習評価の改善の基本的な方向性としては、「教師の指導改善につながるものにしていくこと」のほか、「児童生徒の学習改善につながるものにしていくこと」「これまで慣行として行われてきたことでも、必要性・妥当性が認められないものは見直していくこと」など、全部で３つの考え方を提示している。

問4 ○
「主体的に学習に取り組む態度」においては、児童生徒が学習に関する自己調整を行いながら、粘り強く知識・技能を獲得したり思考・判断・表現しようとしたりする意思的な側面を捉えて評価することが求められるとしている。

問5 ×
高等学校段階にて重視されるのは、「文字、音声、画像などのメディアによって表現された情報を、課題に応じて取捨選択してまとめる」ことである。「帰納・類推、演繹などの推論を用いて、説明し伝え合う活動を行う」のは、中学校において取り上げる言語活動である。

問6 ○
全国学力・学習状況調査の目的のうち、他の２つは、「学校における個々の児童生徒への教育指導や学習状況の改善・充実等に役立てる」、「そのような取組を通じて、教育に関する継続的な検証改善サイクルを確立する」ことである。

以下の記述を読み、正しいものには○、誤っているものには×をつけよ。

問1 check√ □□□
文部科学省の生徒指導提要（令和４年 12 月）において、生徒指導とは、児童生徒が、社会の中で自分らしく生きることができる存在へと、自発的・積極的に成長や発達する過程を支える教育活動のことであると定義されている。

問2 check√ □□□
文部科学省の生徒指導提要（令和４年 12 月）において、生徒指導は、児童生徒一人一人の個性の発見とよさや可能性の伸長と社会的資質・能力の発達を支えると同時に、自己の幸福追求と社会に受け入れられる自己実現を支えることを目的とする。

問3 check√ □□□
文部科学省の生徒指導提要（令和４年 12 月）において、生徒指導の目的を達成するためには、児童生徒一人一人が自己指導能力を身に付けることが重要であるとされている。

問4 check√ □□□
文部科学省の生徒指導提要（令和４年 12 月）において、発達支持的生徒指導は、深刻な課題を抱えている特定の児童生徒への指導・援助を行うものである。

問5 check√ □□□
文部科学省の生徒指導提要（令和４年 12 月）では、授業など集団で一斉に活動をしている場合において、個別の児童生徒の状況に応じて配慮することも個別指導と捉えられるとしている。

問6 check√ □□□
文部科学省「問題行動を起こす児童生徒に対する指導について」（平成 19 年２月）において、学校においては、日常的な指導の中で、児童生徒一人一人を把握し、性向等についての理解を深め、教員と児童生徒は指導者と学習者という立場を守り、すべての教育活動を通じてきめ細かな指導を行うとしている。

解答・解説

問1 ×
生徒指導とは、児童生徒が、社会の中で自分らしく生きることができる存在へと、自発的・主体的に成長や発達する過程を支える教育活動のことであると定義されている。

問2 ○
生徒指導は、児童生徒一人一人の個性の発見とよさや可能性の伸長と社会的資質・能力の発達を支えると同時に、自己の幸福追求と社会に受け入れられる自己実現を支えることを目的とする。

問3 ○
自己指導能力とは、児童生徒が、深い自己理解に基づき、「何をしたいのか」、「何をするべきか」、主体的に問題や課題を発見し、自己の目標を選択・設定して、この目標の達成のため、自発的、自律的、かつ、他者の主体性を尊重しながら、自らの行動を決断し、実行する力のことをいう。

問4 ×
発達支持的生徒指導は、すべての児童生徒の発達を支えるものである。深刻な課題を抱えている特定の児童生徒への指導・援助を行うのは、困難課題対応的生徒指導である。

問5 ○
個別指導には、集団から離れて行う指導と、集団指導の場面においても個に配慮することの２つの概念がある。

問6 ×
学校においては、日常的な指導の中で、児童生徒一人一人を把握し、性向等についての理解を深め、教師と児童生徒との信頼関係を築き、すべての教育活動を通じてきめ細かな指導を行う。

以下の記述を読み、正しいものには○、誤っているものには×をつけよ。

問7 check√ □□□
文部科学省の「体罰の禁止及び児童生徒理解に基づく指導の徹底について（通知)」（平成 25 年 3 月）において、「体罰は、教育基本法第 11 条において禁止されており、校長及び教員は、児童生徒への指導に当たり、いかなる場合も体罰を行ってはならない。体罰は、違法行為であるのみならず、児童生徒の心身に深刻な悪影響を与え、教員等及び学校への信頼を失墜させる行為である」としている。

問8 check√ □□□
文部科学省の「体罰の禁止及び児童生徒理解に基づく指導の徹底について（通知)」（平成 25 年 3 月）において懲戒として挙げているものは、児童生徒に肉体的苦痛を与えるものでない限り、注意、叱責、居残り、別室指導、起立、宿題、清掃、学校当番の割当て、文書指導などである。

問9 check√ □□□
文部科学省「出席停止制度の適切な運用について」において、「公立小学校及び中学校において、学校が最大限の努力をもって指導を行ったにもかかわらず、性行不良であって他の児童生徒の教育の妨げがあると認められる児童生徒があるときは、当学校の教職員が、その保護者に対して、児童生徒の出席停止を命ずることができる」としている。

問10 check√ □□□
文部科学省の「児童生徒の問題行動・不登校等生徒指導上の諸課題に関する調査」における「不登校」の定義は、「何らかの、病気、経済的な理由、身体的、あるいは社会的要因・背景により、児童生徒が登校しないあるいはしたくともできない状況にあることをいう」としている。

問11 check√ □□□
文部科学省の「児童生徒の問題行動等生徒指導上の諸課題に関する調査」における「暴力行為」では 3 形態に分けており、それぞれ「対教師暴力」、「生徒間暴力」、「対人暴力」である。

解答・解説

問7 × 体罰は、学校教育法第11条において禁止されており、校長及び教員は、児童生徒への指導に当たり、いかなる場合も体罰を行ってはならない。学校教育法第11条には「校長及び教員は、教育上必要があると認めるときは、文部科学大臣の定めるところにより、児童、生徒及び学生に懲戒を加えることができる。ただし、体罰を加えることはできない」とある。

問8 × 懲戒として挙げているものは、学校教育法施行規則に定める退学、停学、訓告、児童生徒に肉体的苦痛を与えるものでない限り、注意、叱責、居残り、別室指導、起立、宿題、清掃、学校当番の割当て、文書指導などである。具体的な行為における体罰と懲戒の違いをおさえておくこと。

問9 × 公立小学校及び中学校において、学校が最大限の努力をもって指導を行ったにもかかわらず、性行不良であって他の児童生徒の教育の妨げがあると認められる児童生徒があるときは、市町村教育委員会が、その保護者に対して、児童生徒の出席停止を命ずることができる。出席停止制度は、本人の懲戒という観点からではなく、学校の秩序を維持し、他の児童生徒の義務教育を受ける権利を保障するという観点から設けられている。

問10 × 不登校とは、何らかの、心理的、情緒的、身体的、あるいは社会的要因・背景により、児童生徒が登校しないあるいはしたくともできない状況にあることをいう。「病気」や「経済的な理由」による者は除かれる。不登校の定義はしっかりおさえておくこと。

問11 × 「暴力行為」では4形態に分けており、それぞれ「対教師暴力」、「生徒間暴力」、「対人暴力」、学校の施設や設備に対する「器物損壊」である。本調査は、学校の管理下、管理下以外のいずれで発生したかに関わらず計上している（器物損壊は学校の管理下のみ）。

以下の記述を読み、正しいものには○、誤っているものには×をつけよ。

問 12 check√ □□□
文部科学省「義務教育の段階における普通教育に相当する教育の機会の確保等に関する基本指針」（平成 29 年 3 月 31 日）では、不登校児童生徒等に対する教育機会の確保等のために実施する施策として、「児童生徒が安心して教育を受けられる魅力ある学校づくり」と「不登校児童生徒に対する効果的な支援の推進」の 2 つが掲げられている。

問 13 check√ □□□
いじめ防止対策推進法においては、「いじめ」の定義を「児童等に対して、当該児童等が在籍する学校に在籍している等当該児童等と一定の人的関係にある他の児童等が行う心理的又は物理的な影響を与える行為（インターネットを通じて行われるものを含む。）であって、当該行為の対象となった児童等が心身の苦痛を感じているもの」としている。

問 14 check√ □□□
いじめ防止対策推進法においては、その基本理念の 1 つに、「いじめの防止等のための対策は、いじめが全ての児童等に関係する問題であることに鑑み、児童等が安心して学習その他の活動に取り組むことができるよう、特に学校の内部においていじめが行われなくなるようにすることを旨として行われなければならない」がある。

問 15 check√ □□□
いじめ防止対策推進法第 15 条の「学校におけるいじめの防止」においては、「学校の設置者及びその設置する学校は、児童等の豊かな情操と道徳心を培い、心の通う対人交流の能力の素地を養うことがいじめの防止に資することを踏まえ、全ての教育活動を通じた道徳教育及び体験活動等の充実を図らなければならない」としている。

解答・解説

問 12 ○ 「義務教育の段階における普通教育に相当する教育の機会の確保等に関する法律」（平成 28 年 12 月 14 日公布）の制定を受けて策定された基本指針では、不登校児童生徒等に対する教育機会の確保等、夜間その他特別な時間において授業を行う学校における就学の機会の提供等、その他教育機会の確保等に関する施策を行うことが必要であるとされている。

問 13 ○ いじめ防止対策推進法 2 条 1 項では、「いじめ」とは、児童等に対して、当該児童等が在籍する学校に在籍している等当該児童等と一定の人的関係にある他の児童等が行う心理的又は物理的な影響を与える行為（インターネットを通じて行われるものを含む。）であって、当該行為の対象となった児童等が心身の苦痛を感じているものをいうとしている。インターネットを通じて行われるいじめにも触れている点に注意すること。

問 14 × いじめ防止対策推進法 3 条 1 項では、いじめの防止等のための対策は、いじめが全ての児童等に関係する問題であることに鑑み、児童等が安心して学習その他の活動に取り組むことができるよう、学校の内外を問わずいじめが行われなくなるようにすることを旨として行われなければならないとしている。他の 2 つの理念も確認しよう。

問 15 ○ また、同法 15 条 2 項には、「学校の設置者及びその設置する学校は、当該学校におけるいじめを防止するため、当該学校に在籍する児童等の保護者、地域住民その他の関係者との連携を図りつつ、いじめの防止に資する活動であって当該学校に在籍する児童等が自主的に行うものに対する支援、当該学校に在籍する児童等及びその保護者並びに当該学校の教職員に対するいじめを防止することの重要性に関する理解を深めるための啓発その他必要な措置を講ずるものとする」とある。

以下の記述を読み、正しいものには○、誤っているものには×をつけよ。

問1 check√ □□□
中央教育審議会「今後の学校におけるキャリア教育・職業教育の在り方について（答申）」（平成23年1月31日）において、キャリア教育の意義・効果として3つに整理しており、その1つに「学校教育が目指す全人的成長・発達を促すことができる」ことを挙げている。

問2 check√ □□□
中央教育審議会「今後の学校におけるキャリア教育・職業教育の在り方について（答申）」（平成23年1月31日）では、小学校でのキャリア教育推進のポイントとして、自発的・主体的な活動を促すこととしている。

問3 check√ □□□
中央教育審議会「今後の学校におけるキャリア教育・職業教育の在り方について（答申）」（平成23年1月31日）では、高等学校（特に普通科）におけるキャリア教育の推進方策を4つの観点に整理しており、その1つに「社会的・職業的自立に向けて必要な基盤となる能力や態度を育成すること」がある。

問4 check√ □□□
文部科学省「小学校キャリア教育の手引き（改訂版）」において、キャリア発達について高等学校段階を「現実的探索と暫定的選択の時期」としている。

問5 check√ □□□
文部科学省「中学校キャリア教育の手引き」において、中学校段階では社会における自らの役割や将来の生き方・働き方等を考えさせるとともに、目標を立てて計画的に取り組む態度の育成等について、体験を通じて理解を深めさせ、進路の選択・決定へと導くことが重要であるとしている。

解答・解説

問1 ○ キャリア教育の意義・効果を3つに整理しており、「学校教育が目指す全人的成長・発達を促すことができる」、「一人一人のキャリア発達や個人としての自立を促す視点から、学校教育を構成する理念方向性が示され、教育課程の改善が促進される」、「生徒・学生等の学習意欲を喚起する大切さが確認でき、学校が抱える問題に対処する活路を開ける」ことを挙げている。

問2 × 小学校でのキャリア教育推進のポイントとして、社会性、自主性・自律性、関心・意欲等を養うこととしている。「自発的・主体的な活動を促す」のは幼児期段階であり、小学校段階ではより発展的なものが求められる。

問3 ○ 他の3つの観点は、「キャリアを積み上げていく上で必要な知識等を、教科・科目等を通じて理解させること」、「卒業生・地域の職業人等とのインタビューや対話、職業体験活動等の体験的な学習の機会を、計画的・体系的なキャリア教育の一環として十分に提供し、これらの啓発的な経験を通して、進路を研究し、自己の適性の理解、将来設計の具体化を図らせること」、「これらの学習を通して、生徒が自らの価値観、とりわけ勤労観・職業観を形成・確立できるようにすること」である。

問4 × キャリア発達について高等学校段階を「現実的探索・試行と社会的移行準備の時期」としている。「現実的探索と暫定的選択の時期」は中学校の段階である。ちなみに、小学校段階は、「進路の探索・選択にかかる基盤形成の時期」である。

問5 ○ 中学校段階では社会における自らの役割や将来の生き方・働き方等を考えさせるとともに、目標を立てて計画的に取り組む態度の育成等について、体験を通じて理解を深めさせ、進路の選択・決定へと導くことが重要であるとしている。

以下の記述を読み、正しいものには○、誤っているものには×をつけよ。

問1 check√ □□□
自閉症とは、10歳位までに現れ、他人との社会的関係の形成の困難さ、言葉の発達の遅れ、興味や関心が狭く特定のものにこだわることを特徴とする行動の障害であり、中枢神経系に何らかの要因による機能不全があると推定される。

問2 check√ □□□
高機能自閉症とは、3歳位までに現れ、他人との社会的関係の形成の困難さ、身体の発達の遅れ、興味や関心が狭く特定のものにこだわることを特徴とする行動の障害である自閉症のうち、知的発達の遅れを伴わないものをいう。また、中枢神経系に何らかの要因による機能不全があると推定される。

問3 check√ □□□
学習障害（LD）とは、基本的には特定の分野の知的発達が遅れるというよりは、聞く、話す、読む、書く、計算する又は推論する能力全般の習得と使用に軽度の困難を示す様々な状態を指すものである。

問4 check√ □□□
注意欠陥・多動性障害（ADHD）とは、年齢あるいは発達に不釣り合いな不注意や衝動性、多動性を特徴とする行動の障害で、社会的な活動や学業の機能に支障をきたすものである。また、7歳以前に現れ、その状態が継続する。

問5 check√ □□□
文部科学省「特別支援教育の推進について（通知）」（平成19年4月1日）において、「特別支援教育コーディネーターは、各学校における特別支援教育の推進のため、主に、校内委員会・校内研修の企画・運営、関係諸機関・学校との連絡・調整、保護者からの相談窓口などの役割を担うこと」とある。

問6 check√ □□□
文部科学省「特別支援教育の推進について（通知）」（平成19年4月1日）において、「障害のある幼児児童生徒への支援に当たっては、障害種別の判断も重要であるが、当該幼児児童生徒が示す困難に、より重点を置いた対応を心がけること。また、医師等による障害の診断がなされている場合、教師は速やかにその指示に従った指導や支援をすること」としている。

解答・解説

問 1
×

自閉症とは、3歳位までに現れ、他人との社会的関係の形成の困難さ、言葉の発達の遅れ、興味や関心が狭く特定のものにこだわることを特徴とする行動の障害であり、中枢神経系に何らかの要因による機能不全があると推定される。

問 2
×

高機能自閉症とは、3歳位までに現れ、他人との社会的関係の形成の困難さ、言葉の発達の遅れ、興味や関心が狭く特定のものにこだわることを特徴とする行動の障害である自閉症のうち、知的発達の遅れを伴わないものをいう。

問 3
×

学習障害（LD）とは、基本的には全般的に知的発達が遅れるというよりは、聞く、話す、読む、書く、計算する又は推論する能力のうち、特定のものの習得と使用に著しい困難を示す状態を指すものである。

問 4
○

注意欠陥・多動性障害（ADHD）とは、年齢あるいは発達に不釣り合いな不注意や衝動性、多動性を特徴とする行動の障害で、社会的な活動や学業の機能に支障をきたすものである。また、7歳以前に現れ、その状態が継続する。

問 5
○

特別支援教育コーディネーターは、各学校における特別支援教育の推進のため、主に、校内委員会・校内研修の企画・運営、関係諸機関・学校との連絡・調整、保護者からの相談窓口などの役割を担う。各学校の校長は、このような役割を担う教員を「特別支援教育コーディネーター」に指名する。

問 6
×

障害のある幼児児童生徒への支援に当たっては、障害種別の判断も重要であるが、当該幼児児童生徒が示す困難に、より重点を置いた対応を心がける。また、医師等による障害の診断がなされている場合でも、教師はその障害の特徴や対応を固定的にとらえることのないよう注意するとともに、その幼児児童生徒のニーズに合わせた指導や支援を検討する。教師には柔軟な判断と支援が求められる。

教育原理 人権教育

以下の記述を読み、正しいものには○、誤っているものには×をつけよ。

問1 check√ □□□
人権教育・啓発に関する基本計画（平成 23 年 4 月 1 日閣議決定）では、様々な人権問題が生じている背景として、人々の中に見られる同質性・均一性を重視しがちな性向や非合理的な因習的意識の存在等が挙げられているが、個人主義化、市場主義化等の社会の急激な変化なども、その要因になっていると考えられる。

問2 check√ □□□
人権教育・啓発に関する基本計画において、人権教育とは、「人権尊重の精神の涵養を目的とする教育活動」を意味し、「国民が、その発達段階に応じ、人権尊重の理念に対する理解を深め、これを体得することができるよう」にすることを旨としている。

問3 check√ □□□
人権教育・啓発に関する基本計画において、学校教育は自ら学び自ら考える力や豊かな人間性などを培う教育活動を組織的・計画的に実施するものであり、こうした学校の教育活動全体を通じ、幼児児童生徒、学生の発達段階に応じて、他者を意識して思いやる教育を行うこととしている。

問4 check√ □□□
人権教育・啓発に関する基本計画では、小学校・中学校及び高等学校において、児童生徒の興味関心に合わせ、各教科、道徳、特別活動等のそれぞれの特質に応じて学校の教育活動全体を通じて人権尊重の意識を高める教育が行われているとしている。

問5 check√ □□□
人権教育・啓発に関する基本計画において人権啓発とは、「国民の間に人権尊重の理念を普及させ、及びそれに対する国民の理解を深めることを目的とする広報その他の啓発活動（人権教育を除く。）」を意味しており、「国民が、その発達段階に応じ、人権尊重の理念に対する理解を深め、これを体得することができるよう」にすることを旨としている。

問6 check√ □□□
世界人権宣言は、「すべての人民とすべての国とが達成すべき共通の基準」を宣言したものであり、1948 年 12 月 10 日に第 3 回国連総会において採択された。

解答・解説

問 1 ×

様々な人権問題が生じている背景として、人々の中に見られる同質性・均一性を重視しがちな性向や非合理的な因習的意識の存在等が挙げられているが、国際化、情報化、高齢化、少子化等の社会の急激な変化なども、その要因になっていると考えられる。

問 2 ○

人権教育とは、人権尊重の精神の涵養を目的とする教育活動を意味し、国民が、その発達段階に応じ、人権尊重の理念に対する理解を深め、これを体得することができるようにすることである。これは人権教育の定義であるので、しっかり覚えること。

問 3 ×

学校教育は自ら学び自ら考える力や豊かな人間性などを培う教育活動を組織的・計画的に実施するものであり、こうした学校の教育活動全体を通じ、幼児児童生徒、学生の発達段階に応じて、人権尊重の意識を高める教育を行う。

問 4 ×

人権教育・啓発に関する基本計画では、小学校・中学校及び高等学校において、児童生徒の発達段階に即し、各教科、道徳、特別活動等のそれぞれの特質に応じて学校の教育活動全体を通じて人権尊重の意識を高める教育が行われているとしている。

問 5 ○

人権教育・啓発に関する基本計画において人権啓発とは、国民の間に人権尊重の理念を普及させ、及びそれに対する国民の理解を深めることを目的とする広報その他の啓発活動を意味しており、国民が、その発達段階に応じ、人権尊重の理念に対する理解を深め、これを体得することができるようにすることを旨とする。

問 6 ○

世界人権宣言は、「すべての人民とすべての国とが達成すべき共通の基準」を宣言したものであり、1948 年 12 月 10 日に第 3 回国連総会において採択された。1950 年の第 5 回国連総会において、毎年 12 月 10 日を「人権デー」として、世界中で記念行事を行うことが決議された。

以下の記述を読み、正しいものには○、誤っているものには×をつけよ。

問 7 check√ □□□
児童の権利に関する条約は、第二次世界大戦後の1978（昭和53）年にポーランド政府を中心に草案が提出され、1990（平成2）年に発効した。特徴に、子どもを貧困や戦争から保護し、教育も含めた養護の必要性を盛り込んだ点が挙げられる。

問 8 check√ □□□
児童の権利に関する条約がそれぞれの国で十分に実施されているか審査するために、ユネスコには条約締結国の選挙で選出された18人の委員からなる「児童の権利に関する委員会」がある。

問 9 check√ □□□
人権教育のための国連10年は、1994（平成6）年12月の国連総会において、1996（平成8）年から2005（平成17）年までの10年間を「人権教育のための国連10年」とする決議が採択された。

問 10 check√ □□□
女子差別撤廃条約は、その以前から「経済的、社会的及び文化的権利に関する国際規約」や「市民的及び政治的権利に関する国際規約」、「婦人の参政権に関する条約」等があったにもかかわらず、依然として存在している女子に対する差別の撤廃のために、法的拘束力を有する新たな包括的な国際文書が必要だとして起草が始まった。

問 11 check√ □□□
日本国憲法の条文では、すべて国民は、法の下に平等であって、人種、信条、性別、社会的身分又は門地により、政治的、経済的又は社会的関係において、差別されないとしている。

解答・解説

問 7 × 児童の権利に関する条約は、第二次世界大戦後の1978（昭和53）年にポーランド政府を中心に草案が提出され、1990（平成2）年に発効した。特徴に、子どもを保護の対象ではなく、権利の主体としている点が挙げられる。わが国では1994（平成6）年4月22日に世界で158番目に批准し、同年5月22日に発効した。

問 8 × 児童の権利に関する条約がそれぞれの国で十分に実施されているか審査するために、国連には条約締結国の選挙で選出された18人の委員からなる「児童の権利に関する委員会」がある。

問 9 × 人権教育のための国連10年は、1994（平成6）年12月の国連総会において、1995（平成7）年から2004（平成16）年までの10年間を「人権教育のための国連10年」とする決議が採択された。

問 10 ○ 女子差別撤廃条約は、その以前から「経済的、社会的及び文化的権利に関する国際規約」や「市民的及び政治的権利に関する国際規約」、「婦人の参政権に関する条約」等があったにもかかわらず、依然として存在している女子に対する差別の撤廃のために、法的拘束力を有する新たな包括的な国際文書が必要だとして起草が始まった。1967（昭和42）年の国連総会において、「女子に対する差別の撤廃に関する宣言」が採択されている。本条約は、1979（昭和54）年の第34回国連総会において採択され、1981（昭和56）年に発効し、日本は1985（昭和60）年に締結した。

問 11 ○ 日本国憲法14条では、すべて国民は、法の下に平等であって、人種、信条、性別、社会的身分又は門地により、政治的、経済的又は社会的関係において、差別されないとしている。日本国憲法の条文は基本であるので、しっかり覚えておくこと。

環境教育／情報教育

以下の記述を読み、正しいものには○、誤っているものには×をつけよ。

問1 check√ □□□
小学校学習指導要領における「情報教育」に関わる内容の１つに、新学習指導要領では総則で「児童がコンピュータで文字を入力するなどの学習の基盤として必要となる情報手段の基本的な操作を習得するための学習活動」という項目が新たに加わった。

問2 check√ □□□
文部科学省及び日本ユネスコ国内委員会では、ユネスコスクールを持続可能な開発のための教育（ESD）の推進拠点と位置付け、加盟校増加に取り組んでいる。

問3 check√ □□□
平成 15 年に「環境の保全のための意欲の増進及び環境教育の推進に関する法律」が公布され、平成 23 年 6 月 15 日には改正法である「環境教育等による環境保全の取組の促進に関する法律」が公布され、平成 24 年 10 月 1 日に完全施行された。

問4 check√ □□□
文部科学省が作成した「教育の情報化に関する手引（令和元年 12 月）」では、教師あるいは児童生徒が ICT を活用して学ぶ場面を効果的に授業に取り入れることにより、児童生徒の学習に対する意欲や興味・関心を高め、「積極的・対話的で深い学び」を実現することが求められているとしている。

問5 check√ □□□
文部科学省の「教員の ICT 活用指導力チェックリスト」は、「A 教材研究・指導の準備・評価・校務などに ICT を活用する能力」、「B 授業に ICT を活用して指導する能力」、「C 児童生徒の ICT 活用を指導する能力」の３つの大項目から構成されている。

問6 check√ □□□
「情報モラル指導実践キックオフガイド」には、情報モラル教育の５つの柱を掲げていて、その１つは「公共的なネットワーク社会の構築」である。

解答・解説

問1 × 新学習指導要領では、総則において、「情報活用能力の育成を図るため、児童がプログラミングを体験しながら、コンピュータに意図した処理を行わせるために必要な論理的思考力を身に付けるための学習活動を計画的に実施する」いう項目が新たに加わった。「児童がコンピュータで文字を入力するなどの学習の基盤として必要となる情報手段の基本的な操作を習得するための学習活動」という項目は、同内容が旧指導要領にも記載されていた。

問2 ○ 文部科学省及び日本ユネスコ国内委員会では、ユネスコスクールを持続可能な開発のための教育（ESD）の推進拠点と位置付け、加盟校増加に取り組んでいる。ユネスコスクールは、ユネスコ憲章に示されたユネスコの理想を実現し、平和や国際的な連携を学校での実践を通じて促進することを目的としている。

問3 ○ 平成 15 年に「環境の保全のための意欲の増進及び環境教育の推進に関する法律」が公布され、平成 23 年 6 月 15 日には改正法である「環境教育等による環境保全の取組の促進に関する法律」が公布され、平成 24 年 10 月 1 日に完全施行された。

問4 × 文部科学省が作成した「教育の情報化に関する手引（令和元年 12 月）」では、教師あるいは児童生徒が ICT を活用して学ぶ場面を効果的に授業に取り入れることにより、「主体的・対話的で深い学び」を実現することが求められているとしている。

問5 × 文部科学省の「教員の ICT 活用指導力チェックリスト」は、問題文にある 3 つのほかに、「D 情報活用の基盤となる知識や態度について指導する能力」を加えた 4 つの大項目から構成されている。

問6 ○ 「情報モラル指導実践キックオフガイド」には、情報モラル教育の 5 つの柱を掲げていて、「公共的なネットワーク社会の構築」、「情報社会の倫理」、「法の理解と遵守」、「安全への知恵」、「情報セキュリティ」である。

以下の記述を読み、正しいものには○、誤っているものには×をつけよ。

問1 check√ □□□
文部科学省「学校評価ガイドライン［平成 28 年改訂］」（平成 28 年 3 月）では、学校評価の実施手法を 3 つ挙げているが、それは、各学校の教職員が行う「自己評価」、保護者や地域住民が行う「学校関係者評価」、学校内の学校運営に関する専門家が行う「第三者評価」である。

問2 check√ □□□
第 3 次学校安全の推進に関する計画（令和 4 年 3 月）において、学校安全の活動は、「校内安全」、「交通安全」、「災害安全」の各領域を通じて、自ら安全に行動したり、他の人や社会の安全のために貢献したりできるようにすることを目指す「安全教育」、児童生徒等を取り巻く環境を安全に整えることを目指す「安全管理」、これらの活動を円滑に進めるための「組織活動」という 3 つの主要な活動から構成されるとしている。

問3 check√ □□□
第 3 次学校安全の推進に関する計画（令和 4 年 3 月）において、取り組むべき施策の基本的な方向性の 1 つに、地域の多様な主体と密接に連携・協働し、子供の視点を加えた安全対策を推進することが挙げられている。

問4 check√ □□□
文部科学省「学校安全資料『生きる力』をはぐくむ学校での安全教育」（平成 31 年 3 月）において、学校安全の意義のポイントの 1 つとして、学校においては、幼児、児童及び生徒の安全を確保するだけでなく、児童生徒等が生涯にわたって健康・安全で幸福な生活を送るための基礎を培うとともに、進んで安全で安心な社会づくりに参加し貢献できるような資質・能力を育てることが重要であるとされている。

問5 check√ □□□
文部科学省「学校安全資料『生きる力』をはぐくむ学校での安全教育」（平成 31 年 3 月）において、学校安全の考え方のポイントの 1 つとして、学校における安全教育は、主に学習指導要領を踏まえ、学校の特別活動を通じて実施するとされている。

解答・解説

問1 × 学校評価の実施手法は3つあるが、各学校の教職員が行う「自己評価」、保護者や地域住民が行う「学校関係者評価」、外部の学校運営に関する専門家が行う「第三者評価」である。

問2 × 第3次学校安全の推進に関する計画（令和4年3月）において、学校安全の活動は、「生活安全」、「交通安全」、「災害安全」の各領域を通じて、自ら安全に行動したり、他の人や社会の安全のために貢献したりできるようにすることを目指す「安全教育」、児童生徒等を取り巻く環境を安全に整えることを目指す「安全管理」、これらの活動を円滑に進めるための「組織活動」という3つの主要な活動から構成されるとしている。

問3 ○ 施策の基本的な方向性としては、そのほかに、学校安全計画・危機管理マニュアルを見直すサイクルを構築し、学校安全の実効性を高めることなどが挙げられている。

問4 ○ 自他の生命尊重の理念を基盤として、生涯にわたって健康・安全で幸福な生活を送るための基礎を培うとともに、進んで安全で安心な社会づくりに参加し貢献できるような資質・能力を育てることは、学校教育の重要な目標の1つであるとしている。

問5 × 学校における安全教育は、主に学習指導要領を踏まえ、学校の教育活動全体を通じて実施するとされている。

問 1
check✓
□□□

文部科学省「小学校学習指導要領　第 6 章特別活動」の「第 2　各活動・学校行事の目標及び内容」における「学級活動」の内容でないものを、1 ～5のうちから一つ選びなさい。

1　学級や学校における生活上の諸問題の解決
2　学級内の組織づくりや役割の自覚
3　学校行事への協力
4　基本的な生活習慣の形成
5　現在や将来に希望や目標をもって生きる意欲や態度の形成

問 2
check✓
□□□

次の文章は、法務省「人権教育・啓発に関する基本計画」（平成 14 年 3 月策定、平成 23 年 4 月変更）の一部である。文中の（　ア　）～（　オ　）に当てはまる語句の組み合わせとして適当なものはどれか、1 ～5のうちから一つ選びなさい。

　人権尊重の理念として、人権とは、人間の尊厳に基づいて各人が持っている（　ア　）の権利であり、社会を構成するすべての人々が個人としての（　イ　）と自由を確保し、社会において（　ウ　）を営むために欠かすことのできない権利である。

（略）

　子どもたちに人権尊重の精神を涵養していくためにも、各学校が、人権に配慮した教育指導や学校運営に努める。特に、（　エ　）やいじめなどが憂慮すべき状況にある中、（　オ　）を培い、こうした行為が許されないという指導を徹底するなど子どもたちが安心して楽しく学ぶことのできる環境を確保する。

	ア	イ	ウ	エ	オ
1	特有	生存	幸福な生活	不登校	他者への尊厳
2	固有	生存	幸福な生活	校内暴力	規範意識
3	固有	権利	幸福な生活	不登校	他者への尊厳
4	固有	権利	健全な日常	校内暴力	他者への尊厳
5	特有	権利	健全な日常	不登校	規範意識

解答・解説

問1　正解 3

3は「児童会活動」における内容の1つである。
「学級活動」の他の内容は、「学校における多様な集団の生活の向上」、「よりよい人間関係の形成」、「心身ともに健康で安全な生活態度の形成」、「食育の観点を踏まえた学校給食と望ましい食習慣の形成」、「社会参画意識の醸成や働くことの意義の理解」、「主体的な学習態度の形成と学校図書館等の活用」である。新指導要領では、一人一人のキャリア形成と自己実現に向けた内容が盛り込まれた。
「児童会活動」の内容は、他に「児童会の組織づくりと児童会活動の計画や運営」、「異年齢集団による交流」が挙げられる。

問2　正解 2

「第3章　人権教育・啓発の基本的在り方」及び「第4章　人権教育・啓発の推進方策」からの抜粋である。
人権とは人間が固有に持っている権利で、生存と自由を確保し、幸福な生活を営むために不可欠な権利である。昨今では学校においても、いじめや校内暴力の問題を受けて、規範意識を培うような、人権に配慮した教育が行われるようになった。
ちなみに、「北朝鮮当局による拉致問題等」という事項の追加が、平成23年4月1日に閣議決定された。法務省のホームページで本文及び概要を確認しておくこと。

〔完成文〕
人権尊重の理念として、人権とは、人間の尊厳に基づいて各人が持っている固有の権利であり、社会を構成するすべての人々が個人としての生存と自由を確保し、社会において幸福な生活を営むために欠かすことのできない権利である。

（略）

子どもたちに人権尊重の精神を涵養していくためにも、各学校が、人権に配慮した教育指導や学校運営に努める。特に、校内暴力やいじめなどが憂慮すべき状況にある中、規範意識を培い、こうした行為が許されないという指導を徹底するなど子どもたちが安心して楽しく学ぶことのできる環境を確保する。

問3 check√ □□□

以下の、主に子どもの人権にかかわる出来事を古い年代順に並べたとき、適切なものは１～５のどれか選びなさい。

ア　世界人権宣言の採択
イ　ジュネーブ宣言の採択
ウ　児童の権利に関する条約の採択
エ　児童の権利に関する宣言の採択

1　ア　イ　エ　ウ
2　ア　ウ　イ　エ
3　ア　エ　ウ　イ
4　イ　ア　エ　ウ
5　イ　エ　ア　ウ

問4 check√ □□□

文部科学省「学校教育法第 11 条に規定する児童生徒の懲戒・体罰等に関する参考事例」において、以下の事例で「認められる懲戒」に当たるものを選び、その組み合わせとして正しいものを１～５のうちから選びなさい。

ア　放課後等に教室に残留させる
イ　児童が教員の指導に反抗して教員の足を蹴ったため、児童の背後に回り、体をきつく押さえる
ウ　宿題を忘れた児童に対して、教室の後方で正座で授業を受けるよう言い、児童が苦痛を訴えたが、そのままの姿勢を保持させた
エ　立ち歩きの多い生徒を叱ったが聞かず、席につかないため、頬をつねって席につかせる
オ　授業中、教室内に起立させる
カ　試合中に相手チームの選手とトラブルになり、殴りかかろうとする生徒を、押さえつけて制止させる

1　ア、イ
2　ウ、カ
3　イ、カ
4　エ、オ
5　ア、オ

解答・解説

問3　正解 4

ア「世界人権宣言」は、1948年に第3回国連総会にて採択された。人権及び自由を尊重し確保するために、「すべての人民とすべての国とが達成すべき共通の基準」を宣言したものである。

イ「ジュネーブ宣言」は、「児童の権利に関する宣言」とも呼ばれ、第一次大戦後に発足した国際連盟で1924年に採択された。

ウ「児童の権利に関する条約」は、1978年に草案が国連に提出され、1989年に国連総会にて全会一致で採択、1990年に国際発効に至った。

エ「児童の権利に関する宣言」は、第二次大戦後に国際連盟に代わって誕生した国際連合によって1959年に採択された。

子どもの権利条約締結に至るまでの人権運動の流れを年代とともに把握しておくこと。

したがって、古い順に並べると、イ→ア→エ→ウとなり、適切なものは4である。

問4　正解 5

認められる懲戒は、アとオである。**イ**と**カ**は、正当防衛や正統行為とされる正当な行為である。**イ**は児童生徒から教員等に対する暴力行為に対して、教員等が防衛のためにやむを得ずした有形力の行使の事例であり、**カ**は他の児童生徒に被害を及ぼすような暴力行為に対して、これを制止したり、目前の危険を回避するためにやむを得ずした有形力の行使の事例である。よってこれらは体罰には当たらない。**ウ**と**エ**は体罰である。**ウ**は、被罰者に肉体的苦痛を与えるものであり、**エ**は身体に対する侵害を内容とするものである。アとオは、学校教育法施行規則に定める退学・停学・訓告以外で認められる懲戒と考えられるものの例である。ただし、肉体的苦痛を伴わないものに限る。

問 5 check√ □□□

文部科学省「学校評価ガイドライン〔平成 28 年改訂〕」(平成 28 年 3 月)に関する記述として誤っているものは、次の 1 ～ 5 のうちどれか。

1　目標及び指標・評価項目の設定に当たって留意すべき事項として、義務教育学校においては、9 年間を見据えた目標を設定するとともに、学年段階の区切りに応じた目標を設定することを基本とすることが挙げられている。

2　自己評価を実施するに当たって留意すべき事項として、小中一貫型小学校及び小中一貫型中学校においては、接続する両校の教職員が連携して自己評価することが望ましいとされている。

3　学校関係者評価においては、その学校と直接関係のあるものを評価者とすることが適当であるが、保護者は児童生徒をめぐって利害関係にあるため、評価者として適当ではないとされている。

4　評価結果及びそれを踏まえた今後の改善方策の公表に当たっては、保護者や地域住民の立場から公表された情報を見て、学校に共感し一緒に努力していこうと思えるようなものとすることが期待されている。

5　第三者評価は、学校とその設置者が実施者となり、その責任の下で、第三者評価が必要であると判断した場合に行うものであり、法令上、実施義務や実施の努力義務を課すものではない。

解答・解説

問5　正解 3

1○　義務教育学校は、学校教育制度の多様化及び弾力化を推進するため、小学校から中学校までの義務教育を一貫して行う新たな学校の種類として規定された（学校教育法1条、平成28年4月1日施行）。9年間の義務教育を一貫して行うため、目標及び指標・評価項目の設定においても、9年間の学びを通じて達成すべき目標を設定した上で、学年段階の区切りに応じた目標を設定することが求められている。

2○　近年、各地で設置されている小中一貫校においては、両校の校長をはじめとする教職員が連携の上、学校評価を実施することや、評価委員会などを設ける場合には、両校横断的な組織とすることが望ましいとされている。

3×　学校関係者評価委員会の構成については、児童生徒を基点に学校と密接な関わりを有する保護者が、学校評価とそれを通じた学校運営の改善に参画することが重要であることから、その学校に在籍する児童生徒の保護者を評価者に加えることを基本とするとされている。

4○　評価結果及びそれを踏まえた今後の改善方策の公表は、学校の現状やこれまでの努力とその成果、さらにそれを踏まえた今後の改善方策について家庭・地域等に周知するものであり、また、今後の取組に向けて家庭・地域の理解や協力を求めていくための手段（ツール）である。

5○　第三者評価には、保護者や地域住民による評価とは異なる、学習指導や学校のマネジメント等について専門性を有する者による専門的視点からの評価や、各学校と直接の関係を有しない者による、当該学校の教職員や保護者等とは異なる立場からの評価が期待されているが、実施が義務付けられている自己評価（学校教育法施行規則66条）や、実施が努力義務となっている学校関係者評価（同67条）とは異なり、法令に規定されているものではない。

問6 check√ □□□

次の文章は、中央教育審議会「今後の学校におけるキャリア教育・職業教育の在り方について（答申）」（平成23年1月31日）からの抜粋である。文中の（　ア　）～（　エ　）に入る語句の組み合わせとして正しいものを、あとの1～5のうちから一つ選びなさい。

「キャリア教育」とは、「一人一人の（　ア　）に向け、必要な基盤となる能力や態度を育てることを通して、キャリア発達を促す教育」である。キャリア教育は、特定の活動や指導方法に限定されるものではなく、様々な教育活動を通して実践されるものであり、一人一人の（　イ　）や社会人・職業人としての自立を促す視点から、学校教育を構成していくための理念と方向性を示すものである。

「職業教育」とは、「一定又は特定の職業に従事するために必要な（　ウ　）や態度を育てる教育」である。専門的な知識・技能の育成は、学校教育のみで完成するものではなく、（　エ　）の観点を踏まえた教育の在り方を考える必要がある。

	ア	イ	ウ	エ
1	精神的・金銭的自立	興味関心	コミュニケーション能力	生涯学習
2	社会的・職業的自立	興味関心	コミュニケーション能力	社会教育
3	精神的・金銭的自立	興味関心	知識、技能、能力	生涯学習
4	社会的・職業的自立	発達	知識、技能、能力	生涯学習
5	精神的・金銭的自立	発達	知識、技能、能力	社会教育

問６　正解 4

「第１章　キャリア教育・職業教育の課題と基本的方向性」の冒頭からの抜粋である。

キャリア教育は、社会的・職業的自立を目指して、一人一人の発達などをもとに学校教育を構成する。また職業教育は、ある職業に必要な知識、技能、能力や態度を育てる。これらの教育は学校で完結するものではなく、就職してからも教育を受けたり自分で学び続けるものであるため、生涯学習として捉える必要がある。

就業構造が急激に変化しているうえに、職業に必要な知識や技能が複雑化・多様化・専門化している現況を受け、学校においても職業教育の充実を図らねばならない。また、社会や経済が不安定な時代を生きる児童生徒にとって、自分の将来を不安に思う者も少なくない。よって、キャリア教育は、将来どのような困難が待ち受けている可能性があり、リスクをどのように回避するかなど、現実的に自分の未来を考えさせる役割も担っている。

キャリア教育については、「今後の学校におけるキャリア教育・職業教育の在り方について（答申）」からの問題が頻出であるので、文部科学省のホームページで確認しておくこと。

〔完成文〕

「キャリア教育」とは、「一人一人の社会的・職業的自立に向け、必要な基盤となる能力や態度を育てることを通して、キャリア発達を促す教育」である。キャリア教育は、特定の活動や指導方法に限定されるものではなく、様々な教育活動を通して実践されるものであり、一人一人の発達や社会人・職業人としての自立を促す視点から、学校教育を構成してくための理念と方向性を示すものである。

「職業教育」とは、「一定又は特定の職業に従事するために必要な知識、技能、能力や態度を育てる教育」である。専門的な知識・技能の育成は、学校教育のみで完成するものではなく、生涯学習の観点を踏まえた教育の在り方を考える必要がある。

問７ check√ □□□　次の文は、文部科学省「特別支援教育の推進について（通知）」（平成19年４月１日）の「1．特別支援教育の理念」からの抜粋である。文中の（　ア　）～（　エ　）に入る語句の組み合わせとして正しいものを、あとの１～５から一つ選びなさい。

特別支援教育は、障害のある幼児児童生徒の自立や社会参加に向けた主体的な取組を支援するという視点に立ち、幼児児童生徒一人一人の（　ア　）を把握し、生活や学習上の困難を（　イ　）するため、適切な指導及び必要な支援を行うものである。

また、特別支援教育は、これまでの特殊教育の対象の障害だけでなく、（　ウ　）発達障害も含めて、特別な支援を必要とする幼児児童生徒が在籍する全ての学校において実施されるものである。

さらに、特別支援教育は、障害のある幼児児童生徒への教育にとどまらず、障害の有無やその他の（　エ　）を認識しつつ様々な人々が生き生きと活躍できる共生社会の形成の基礎となるものであり、我が国の現在及び将来の社会にとって重要な意味を持っている。

	ア	イ	ウ	エ
1	教育的ニーズ	理解且つ解消	知的な遅れのない	個性や特質
2	心身の発達	理解且つ解消	知的な遅れのない	個々の違い
3	教育的ニーズ	改善又は克服	知的な遅れのない	個々の違い
4	心身の発達	改善又は克服	身体的な遅れのない	個々の違い
5	教育的ニーズ	改善又は克服	身体的な遅れのない	個性や特質

問７　正解 3

「特別支援教育の推進について（通知）」には、特別支援教育が法的に位置付けられた改正学校教育法が施行されるにあたり、各学校において行う特別支援教育について、基本的な考え方、留意事項等がまとめて示されている。

特別支援教育では、これまで特殊教育の対象となっていた幼児児童生徒に加え、学習障害（LD）・注意欠陥多動性障害（ADHD）・高機能自閉症等の幼児児童生徒も対象になる。

特別支援教育を受ける児童生徒たちは、個別性が強く、それぞれの教育的ニーズが全く異なるため、困難を改善または克服するために、教職員は個々の違いを見極めたうえで指導方法を工夫する必要がある。また、特殊教育から特別支援教育への転換は、通常学級に在籍していても、一斉指導の中では十分に応じきれない知的な遅れのない発達障害を持つ子どもに対して、「機会の保障」ではなく、「内容の保障」を行う発想への転換を表している。

〔完成文〕

特別支援教育は、障害のある幼児児童生徒の自立や社会参加に向けた主体的な取組を支援するという視点に立ち、幼児児童生徒一人一人の教育的ニーズを把握し、生活や学習上の困難を改善又は克服するため、適切な指導及び必要な支援を行うものである。

また、特別支援教育は、これまでの特殊教育の対象の障害だけでなく、知的な遅れのない発達障害も含めて、特別な支援を必要とする幼児児童生徒が在籍する全ての学校において実施されるものである。

さらに、特別支援教育は、障害のある幼児児童生徒への教育にとどまらず、障害の有無やその他の個々の違いを認識しつつ様々な人々が生き生きと活躍できる共生社会の形成の基礎となるものであり、我が国の現在及び将来の社会にとって重要な意味を持っている。

教育法規

教育法規について

教育法規では、教育公務員として知っておかなければならない教育関連の法令知識が問われる。出題される法令は、日本国憲法、教育基本法、学校教育法、同法施行規則、地方公務員法、教育公務員特例法、教育職員免許法、地方教育行政の組織及び運営に関する法律、学校保健安全法、同法施行規則を中心に、学校給食法、著作権法、児童福祉法、児童虐待防止法、児童権利条約、人権教育及び人権啓発の推進に関する法律、男女共同参画社会基本法など幅広く出題される。教職教養のなかでもウェイトが高く、しっかり対策を立てる必要がある。

傾向と対策

教育法規のなかで最も出題数が多い法律は学校教育法である。なかでも体罰は頻出であり、どのような事例が体罰にあたるのかしっかり押さえる。日本国憲法では教育を受ける権利を中心に、人権をまんべんなく押さえておくこと。教育基本法では教育の目標（同法２条）が、地方公務員法では職員の職務の制約（同法 32 ～ 38 条）がポイントである。教育法規は条文知識を問う問題が大半であり、出題される条文もほぼ限られている。よく出題される条文だけ別にノートにまとめておき、重要と思われる語句にマーキングをすると効果的である。

教育法規 日本国憲法

以下の記述を読み、正しいものには○、誤っているものには×をつけよ。

問1 check√ □□□
憲法前文は、「日本国民は、正当に選挙された国会における代表者を通じて行動し、われらとわれらの子孫のために、諸国民との協和による成果と、わが国全土にわたつて自由のもたらす恩恵を確保し、政府の決定によつて再び戦争の惨禍が起ることのないやうにすることを決意し、ここに主権が国民に存することを確認し、この憲法を確定する。」と規定している。

問2 check√ □□□
憲法によると、日本国民たる要件は、法律によって定められる。

問3 check√ □□□
憲法第 11 条は、「国民は、すべての人権の享有を妨げられない。この憲法が国民に保障する人権は、侵すことのできない永久の権利として、現在及び将来の国民に与へられる。」と規定している。

問4 check√ □□□
憲法が国民に保障する自由及び権利は、国民の不断の努力によって保持しなければならないとされる一方で、国民はこれを濫用してはならず、常に公共の福祉のためにこれを利用する責任を負うと憲法に規定されている。

問5 check√ □□□
憲法第 13 条前段は、すべて国民は、人として尊重される旨を規定している。

問6 check√ □□□
憲法 13 条後段は、生命、自由及び幸福追求に対する国民の権利については、公共の福祉に反しない限り、立法その他の国政の上で、最大の尊重を必要とする旨を規定している。

問7 check√ □□□
憲法は、「すべて人は、法律の範囲内において平等であって、人種、信条、性別、社会的身分または門地により、政治的、経済的または社会的関係において、差別されない。」と規定している。

解答・解説

問 1
×

憲法前文は、「日本国民は、正当に選挙された国会における代表者を通じて行動し、われらとわれらの子孫のために、諸国民との協和による成果と、わが国全土にわたつて自由のもたらす恵沢を確保し、政府の行為によつて再び戦争の惨禍が起ることのないやうにすることを決意し、ここに主権が国民に存することを宣言し、この憲法を確定する」と規定している。

問 2
○

憲法 10 条である。この規定を受けて、日本国民たる要件を定める法律として国籍法が定められている。

問 3
×

憲法 11 条に規定されている文言は、「基本的人権の享有」である。

問 4
○

憲法 12 条のとおりである。この憲法 12 条等を根拠として、憲法が国民に保障している権利・自由は、公共の福祉によって制限される場合があると解されている。

問 5
×

憲法 13 条前段は、すべて国民は、個人として尊重されるという個人の尊重（個人の尊厳ともいう）の原則を定めている。

問 6
○

憲法 13 条後段は、いわゆる幸福追求権を定めている。この規定を根拠として、名誉権、プライバシー権などの新しい人権が認められると解されている。

問 7
×

憲法 14 条は、「すべて国民は、法の下に平等であつて、人種、信条、性別、社会的身分または門地により、政治的、経済的または社会的関係において、差別されない」と規定している。差別が許されないのが法律の範囲内だけであれば、法律がない事項についてはどのような差別も許されることになりかねない。

教育法規　日本国憲法

以下の記述を読み、正しいものには○、誤っているものには×をつけよ。

問 8　check√ □□□
最高裁判所の判例は、国会議員の定数の配分が選挙人の人口に比例して定められていないときは、その定めは憲法に反して無効であるとしている。

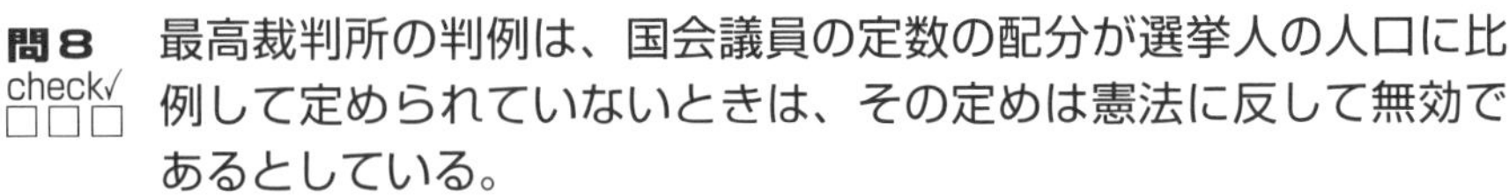

問 9　check√ □□□
憲法は、公務員の選定及び罷免について、国民固有の権利であると規定しているが、ここでいう公務員は、国会議員など選挙によって選ばれる者とは限らず、選挙によって選ばれない者も含まれる。

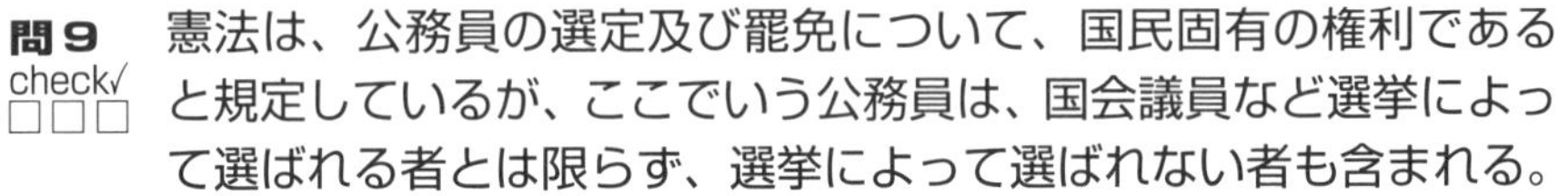

問 10　check√ □□□
公務員の政治的中立性を損なうおそれのある公務員の政治的行為を禁止することは、合理的で必要やむを得ない限度にとどまるものである限り、許容されると解されている。

問 11　check√ □□□
憲法第 15 条は、公務員の選挙に関して、普通選挙と直接選挙の原則を規定している。

問 12　check√ □□□
憲法は、損害の救済、公務員の罷免、法律、命令または規則の制定、廃止または改正その他の事項について国民の請願権を規定しているが、この権利は参政権の一手段であるから、選挙権をもたない 18 歳未満の者は、請願することができない。

問 13　check√ □□□
憲法第 17 条は、「何人も、公務員の違法行為により、損害を受けたときは、立法の定めるところにより、国又は公共団体に、その賠償を求めることができる。」と規定している。

解答・解説

問 8
×

最高裁は、投票価値の平等は、①投票価値の不平等が国会において通常考慮しうる諸般の要素を斟酌してもなお、一般的に合理性を有するとは到底考えられない程度に達しているときで、かつ、②人口の変動の状態を考慮して合理的期間内における是正が憲法上要求されていると考えられるのにそれが行われない場合には、違憲になるとした（最大判昭 51.4.14）。したがって、定数配分が人口に比例していないからといって、直ちに違憲と判断されるわけではない。

問 9
○

最高裁判所裁判官は国民の選挙によって選ばれない公務員である（憲法 6 条 2 項など）が、国民審査によって罷免されることがある（同法 79 条 3 項）。

問 10
○

最高裁は、公務員は全体の奉仕者であって、一部の奉仕者ではないと規定されていること（憲法 15 条 2 項）などを根拠に、公務員の政治的中立性を損なうおそれのある公務員の政治的行為を禁止することは、それが合理的で必要やむを得ない限度にとどまる限り、憲法に反せず許されるとした（猿払事件、最大判昭 49.11.6）。

問 11
×

憲法 15 条は普通選挙の原則は規定している（同条 3 項）が、直接選挙の原則は規定していない。直接選挙の原則は、地方公共団体の住民による地方議会議員選挙（93 条 2 項）以外、憲法では規定されていない。

問 12
×

請願権は「何人も」なしうるものであり（憲法 16 条）、18 歳未満の者のほか、外国人も請願することが認められる。

問 13
×

国家賠償請求権を定めた憲法 17 条は、「何人も、公務員の不法行為により、損害を受けたときは、法律の定めるところにより、国又は公共団体に、その賠償を求めることができる」と規定している。

日本国憲法

以下の記述を読み、正しいものには○、誤っているものには×をつけよ。

問14 check√ □□□
公務員の採用に関し、「憲法を尊重し擁護する」旨の宣誓を課すことは、憲法で保障されている思想及び良心の自由を侵害しない。

問15 check√ □□□
公立学校において、宗教の社会生活上の意義に触れ、宗教的寛容を養うことを目的とする教育を行うことは、憲法が禁じている国及びその機関による宗教的活動にあたり、許されない。

問16 check√ □□□
憲法は、すべての国民は、いかなるときも、居住、移転及び職業選択の自由を有する旨を規定している。

問17 check√ □□□
学問の自由は、学問研究の自由ばかりでなくその結果を教授する自由も含まれており、教授の自由は、大学教員のみならず初等中等教育機関の教員にも完全に認められると解されている。

問18 check√ □□□
憲法は「学問の自由は、法律の定めるところにより、これを保障する。」と規定している。

問19 check√ □□□
憲法は「配偶者の選択、財産権、相続、住居の選定、離婚並びに婚姻及び家族に関するその他の事項に関しては、法律は、個人の尊厳と両性の本質的平等に立脚して、制定されなければならない。」と規定している。

解答・解説

問 14 ○ 公務員には憲法尊重擁護義務があることから（憲法 99 条）、公務員の採用に関し「憲法を尊重し擁護する」旨の宣誓を課したとしても、思想及び良心の自由を侵害しないと解されている。

問 15 × 最高裁は、憲法 20 条 3 項によって禁じられる国及びその機関による宗教的活動とは、その目的が宗教的意義を持ち、その効果が宗教に対する援助、助長、促進または圧迫、干渉等になるような行為をいうとした（津地鎮祭事件、最大判昭 52.7.13）。本問の教育は宗教に対する援助、助長、促進または圧迫、干渉等になるような行為にはあたらないので、憲法上も許される。

問 16 × 憲法 22 条 1 項は、「何人も、公共の福祉に反しない限り、居住、移転及び職業選択の自由を有する」と、居住・移転の自由及び職業選択の自由が、特に公共の福祉による制限に服する旨を規定している。

問 17 × 最高裁は、学問の自由は、学問研究の自由ばかりでなくその結果を教授する自由も含まれているとする一方で、大学教育の場合と異なり、普通教育においては、教師に完全な教授の自由を認めることは許されないと判示した（旭川学テ事件、最大判昭 51.5.21）。

問 18 × 憲法 23 条はシンプルに、「学問の自由は、これを保障する」と規定している。学問の自由が「法律の定めるところにより」保障されているとすると、法律によりさえすればいくらでも同自由を制限することが許されることになりかねないからである。

問 19 ○ 憲法 24 条 2 項のとおりである。また、同条 1 項でも、「婚姻は、両性の合意のみに基いて成立し、夫婦が同等の権利を有することを基本として、相互の協力により、維持されなければならない。」として、両性の平等を謳っている。

以下の記述を読み、正しいものには○、誤っているものには×をつけよ。

問20 check√ □□□
憲法によって、すべての国民は、健康で文化的な最低限度の生活を営む権利を保障されている。

問21 check√ □□□
教育を受ける権利については、すべて国民は、法律の定めるところにより、ひとしく保障されると規定されている一方で、各人の能力の違いに応じて異なった内容の教育をすることは許される。

問22 check√ □□□
憲法において、義務教育についてはこれを無償とすることが規定されているが、無償とされる範囲は授業料、教科書代に限られ、学用品その他の教育に必要な一切の費用が無償とされているわけではないと解されている。

問23 check√ □□□
「すべて国民は、法律の定めるところにより、その保護する子女に普通教育を受けさせる義務を負ふ。」と憲法に規定されているが、病弱等やむを得ない事由がある場合は、就学義務を免除されることがある。

問24 check√ □□□
憲法は、「公立学校は、これを無償とする。」と規定している。

問25 check√ □□□
憲法は「すべて国民は、勤労の権利を有し、義務を負ふ。」と規定しているが、児童・生徒については、保護者の了解があっても、時間外労働や深夜労働等成人と同一の条件で労働させることが許されない場合がある。

問26 check√ □□□
憲法第28条で規定されている労働者の団体行動権に関し、正当な争議行為に対しては、刑事責任は課されないが、民事責任は課されることがある。

解答・解説

問20 ○ 憲法25条は、生存権を保障している。なお最高裁判例は、生存権を保障した憲法25条の規定は、すべての国民が健康で文化的な最低限度の生活を営み得るように国政を運営すべきことを国の責務として宣言したにとどまり、直接個々の国民に対して具体的権利を賦与したものではない、いわゆるプログラム規定であるとしている（朝日訴訟、最大判昭42.5.24)。

問21 ○ 憲法26条1項は、「すべて国民は、法律の定めるところにより、その能力に応じて、ひとしく教育を受ける権利を有する」と規定しており、各人の能力の違いに応じた異なった内容の教育をすることを認めている。

問22 × 憲法26条2項によって義務教育は無償とされているが、無償の範囲は授業料に限られ、教科書、学用品その他一切の費用まで無償としなければならないわけではないというのが、最高裁判例である（最大判昭39.2.26)。

問23 ○ 病弱等やむを得ない事由がある場合に就学義務を免除することは、義務教育を定めた憲法26条2項に反しないとされている。

問24 × 憲法26条2項は、義務教育の無償を規定しているが、憲法は公立学校を無償とすることまでは定めていない。

問25 ○ 憲法27条3項は、「児童は、これを酷使してはならない」と定めており、これを受けて労働基準法56条は、児童の時間外労働や深夜労働について厳しく制限している。この制限は保護者の了解があっても変わらないものである。

問26 × 憲法28条は労働基本権の1つとして団体行動権（争議権）を保障している。労働者の正当な争議行為は憲法で保障された権利の行使として、刑事責任は課されず（労働組合法1条2項)、また、民事責任も免除される（同法7条、8条)。

以下の記述を読み、正しいものには○、誤っているものには×をつけよ。

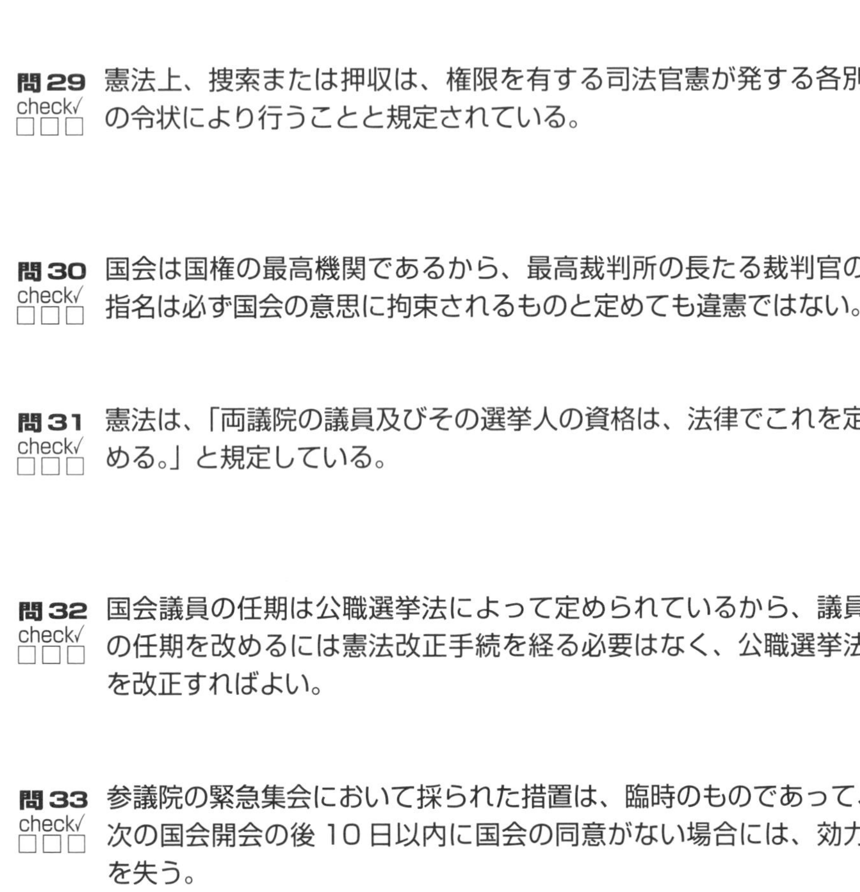

問27 check√ □□□
憲法上、国民は、法律の定めるところにより、納税の義務を負うと規定されている。

問28 check√ □□□
憲法によると、何人も、現行犯として逮捕される場合を除いては、権限を有する司法官憲が発し、且つ理由となっている犯罪を明示する令状によらなければ、逮捕されない。

問29 check√ □□□
憲法上、捜索または押収は、権限を有する司法官憲が発する各別の令状により行うことと規定されている。

問30 check√ □□□
国会は国権の最高機関であるから、最高裁判所の長たる裁判官の指名は必ず国会の意思に拘束されるものと定めても違憲ではない。

問31 check√ □□□
憲法は、「両議院の議員及びその選挙人の資格は、法律でこれを定める。」と規定している。

問32 check√ □□□
国会議員の任期は公職選挙法によって定められているから、議員の任期を改めるには憲法改正手続を経る必要はなく、公職選挙法を改正すればよい。

問33 check√ □□□
参議院の緊急集会において採られた措置は、臨時のものであって、次の国会開会の後 10 日以内に国会の同意がない場合には、効力を失う。

解答・解説

問 27 ○ 憲法 30 条は、国民の納税の義務を定めている。

問 28 ○ 令状主義である（憲法 33 条）。同主義によって、外国人も含む何人も、司法官憲（裁判官）の発付した令状がなければ逮捕されないことが保障されている。不当な身柄拘束が行われることを防ぐためである。ただし、現行犯の場合は不当な身柄拘束が行われるおそれが低いため、令状主義の例外とされた。

問 29 ○ 憲法 35 条 2 項である。逮捕（33 条）と同様、捜索・押収についても令状主義が妥当する。捜査機関による不当な捜索が行われることを防止するため、捜索・押収には司法官憲（裁判官）の発付する令状を要するとしたものである。

問 30 × 最高裁判所長官の指名は内閣の専権である（憲法 6 条 2 項）。指名が必ず国会の意思に拘束されるものとすることは、この内閣の専権を侵すものであり、違憲である。

問 31 ○ 憲法 44 条本文である。同条但書は、両議院の議員及びその選挙人の資格を法律で定める際には、「人種、信条、性別、社会的身分、門地、教育、財産又は収入によつて差別してはならない」と規定している。

問 32 × 憲法は国会議員の任期について、衆議院議員は 4 年（ただし、衆議院解散の場合にはその期間満了前に終了）、参議院議員は 6 年（3 年ごとに半数改選）と定めている（45 条、46 条）。したがって、議員の任期を改めるには憲法改正手続を経る必要がある。

問 33 × 参議院の緊急集会において採られた措置は、臨時のものであって、次の国会開会の後 10 日以内に衆議院の同意がない場合には効力を失う（憲法 54 条 3 項）。

教育法規　日本国憲法

以下の記述を読み、正しいものには○、誤っているものには×をつけよ。

問34 check√ □□□
衆参両議院は、各々その総議員の４分の１以上の出席がなければ、議事を開き議決することができない。

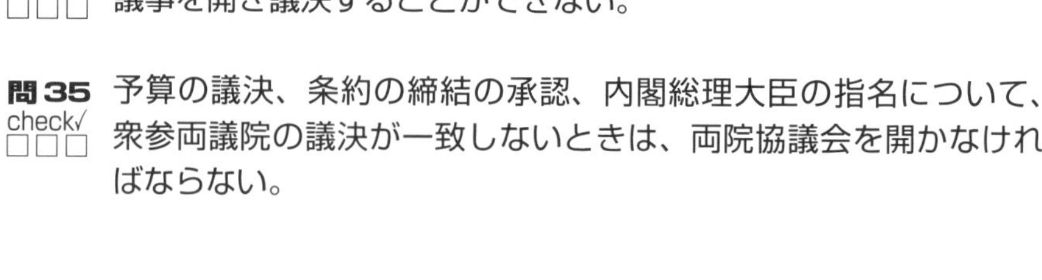

問35 check√ □□□
予算の議決、条約の締結の承認、内閣総理大臣の指名について、衆参両議院の議決が一致しないときは、両院協議会を開かなければならない。

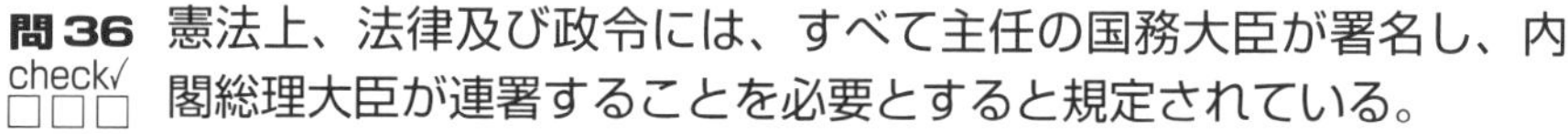

問36 check√ □□□
憲法上、法律及び政令には、すべて主任の国務大臣が署名し、内閣総理大臣が連署することを必要とすると規定されている。

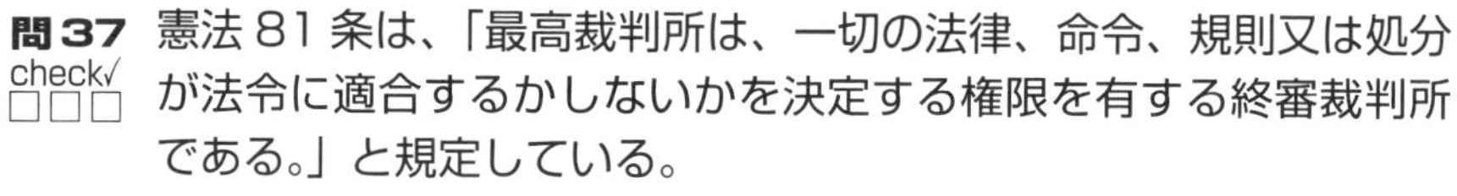

問37 check√ □□□
憲法８１条は、「最高裁判所は、一切の法律、命令、規則又は処分が法令に適合するかしないかを決定する権限を有する終審裁判所である。」と規定している。

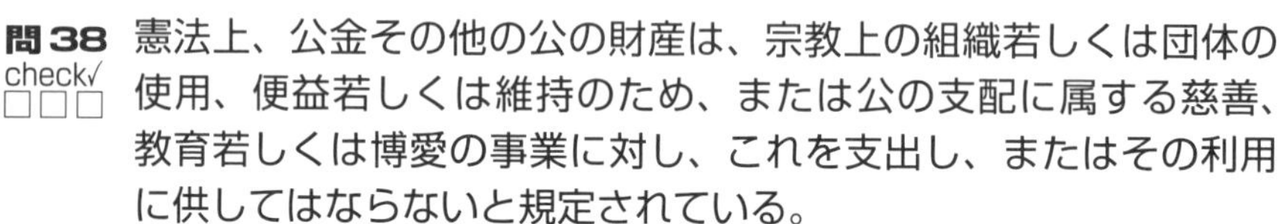

問38 check√ □□□
憲法上、公金その他の公の財産は、宗教上の組織若しくは団体の使用、便益若しくは維持のため、または公の支配に属する慈善、教育若しくは博愛の事業に対し、これを支出し、またはその利用に供してはならないと規定されている。

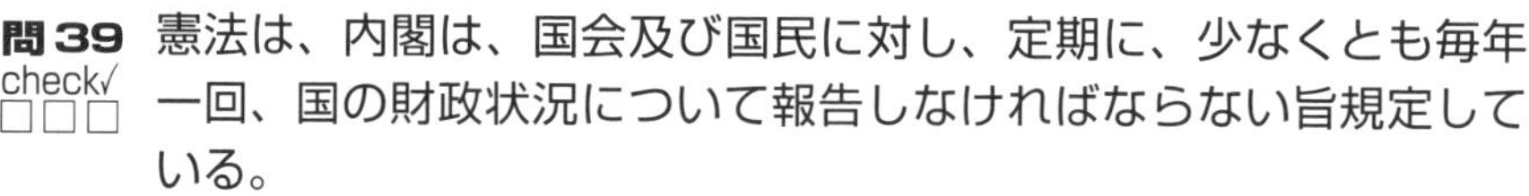

問39 check√ □□□
憲法は、内閣は、国会及び国民に対し、定期に、少なくとも毎年一回、国の財政状況について報告しなければならない旨規定している。

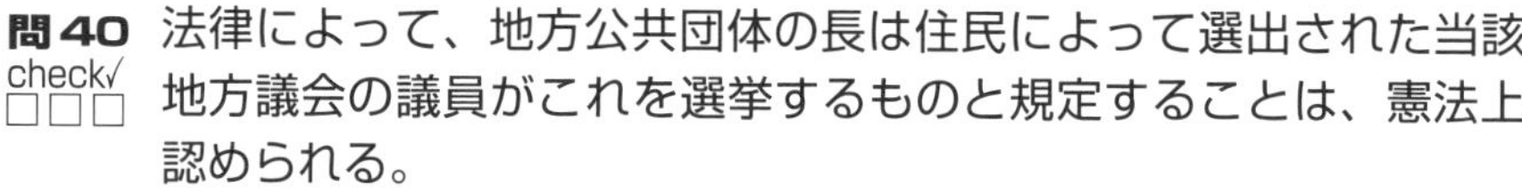

問40 check√ □□□
法律によって、地方公共団体の長は住民によって選出された当該地方議会の議員がこれを選挙するものと規定することは、憲法上認められる。

問 34 ×

衆参両議院が議事を開き議決するために必要な定足数は、各々総議員の３分の１以上である（憲法 56 条１項）。

問 35 ○

憲法 60 条２項、61 条、67 条２項のとおりである。両院協議会を開いても意見が一致しないときは、衆議院の議決が国会の議決となる。なお、法律案について衆参両議院の議決が一致しないときは、衆議院の求めにより両院協議会を開くことができる（59 条３項）。予算の議決、条約の締結承認、内閣総理大臣の指名については開会が必要的であるのに対し、法律案については開会が任意的であるという違いがある。

問 36 ○

憲法 74 条のとおりである。法律及び政令に、主任の大臣による署名及び内閣総理大臣の連署が求められているのは、法令の執行責任を明らかにするためである。

問 37 ×

憲法 81 条は、「最高裁判所は、一切の法律、命令、規則又は処分が憲法に適合するかしないかを決定する権限を有する終審裁判所である」と、最高裁の違憲審査権を規定している。

問 38 ×

憲法 89 条は、公金その他の公の財産は、宗教上の組織もしくは団体の使用、便益もしくは維持のため、または公の支配に属しない慈善、教育もしくは博愛の事業に対し、これを支出し、またはその利用に供してはならないと規定している。

問 39 ○

憲法 91 条のとおりである。いわゆる財政民主主義の現れの規定である。

問 40 ×

憲法 93 条２項は、地方公共団体の長は住民の直接選挙によって選出されることを規定している。地方議会の議員が長を選出することは複選制にあたり、直接選挙の原則に反するので、憲法上認められない。

教育法規　教育基本法

以下の記述を読み、正しいものには○、誤っているものには×をつけよ。

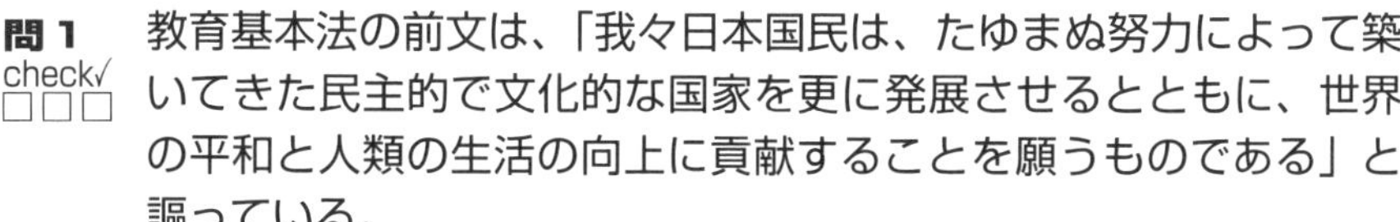

問1 check√ □□□
教育基本法の前文は、「我々日本国民は、たゆまぬ努力によって築いてきた民主的で文化的な国家を更に発展させるとともに、世界の平和と人類の生活の向上に貢献することを願うものである」と謳っている。

問2 check√ □□□
教育基本法の前文は、「我々は、この理想を実現するため、個人の尊厳を重んじ、真理と正義を希求し、公共の精神を尊び、豊かな感性と創造性を備えた人間の育成を期するとともに、伝統を継承し、新しい文化の創造を目指す教育を推進する」と謳っている。

問3 check√ □□□
教育基本法は、教育は、人間の完成を目指し、平和で民主的な国家及び社会の形成者として必要な資質を備えた心身ともに健康な国民の育成を期して行われなければならないと規定している。

問4 check√ □□□
教育基本法は、小学校は、心身の発達に応じて、義務教育として行われる普通教育のうち基礎的なものを施すことを目的とする旨を規定している。

問5 check√ □□□
教育基本法は、教育の目標として、幅広い知識と教養を身に付け、真理を求める態度を養い、豊かな情操と道徳心を培うとともに、健やかな身体を養うことを掲げている。

問6 check√ □□□
教育基本法は、教育の目標として、個人の意思を尊重して、その能力を伸ばし、創造性を培い、自主及び自律の精神を養うとともに、職業及び生活との関連を重視し、勤労を重んずる態度を養うことを掲げている。

問7 check√ □□□
教育基本法は、教育の目標として、正義と責任、男女の平等、自他の敬愛と協力を重んずるとともに、個の尊重の精神に基づき、主体的に社会の形成に参画し、その発展に寄与する態度を養うことを掲げている。

解答・解説

問1 ×

教育基本法の前文第１文では、「我々日本国民は、たゆまぬ努力によって築いてきた民主的で文化的な国家を更に発展させるとともに、世界の平和と人類の福祉の向上に貢献することを願うものである」と謳われている。

問2 ×

教育基本法の前文第２文では、「我々は、この理想を実現するため、個人の尊厳を重んじ、真理と正義を希求し、公共の精神を尊び、豊かな人間性と創造性を備えた人間の育成を期するとともに、伝統を継承し、新しい文化の創造を目指す教育を推進する」と謳われている。

問3 ×

教育基本法１条は教育の目的を、「教育は、人格の完成を目指し、平和で民主的な国家及び社会の形成者として必要な資質を備えた心身ともに健康な国民の育成を期して行われなければならない」と規定している。

問4 ×

設問文の内容は、教育基本法ではなく、学校教育法 29 条である。

問5 ○

教育基本法２条１号のとおりである。「豊かな情操と道徳心を培う」ことが教育の目標の１つとされた。

問6 ×

教育基本法２条２号は、教育の目標として、「個人の価値を尊重して、その能力を伸ばし、創造性を培い、自主及び自律の精神を養うとともに、職業及び生活との関連を重視し、勤労を重んずる態度を養うこと」を掲げている。

問7 ×

教育基本法２条３号は、教育の目標として、「正義と責任、男女の平等、自他の敬愛と協力を重んずるとともに、公共の精神に基づき、主体的に社会の形成に参画し、その発展に寄与する態度を養うこと」を掲げている。

以下の記述を読み、正しいものには○、誤っているものには×をつけよ。

問 8 check√ □□□
教育基本法は、教育の目標として、生命を尊び、自然を大切にし、環境の保全に寄与する態度を養うことを掲げている。

問 9 check√ □□□
教育基本法は、教育の目標として、伝統と文化を尊重し、それらをはぐくんできた我が国と郷土を愛するとともに、自国を尊重し、国際社会の平和と発展に寄与する態度を養うことを掲げている。

問 10 check√ □□□
教育基本法は、男女は互いに敬重し、協力し合わなければならないものであって、教育上男女の共学は認められなければならないと規定している。

問 11 check√ □□□
教育基本法は、国民一人一人が、自己の能力を高め、豊かな人生を送ることができるよう、その生涯にわたって、あらゆる機会に、あらゆる場所において学習することができ、その成果を適切に生かすことのできる社会の実現が図られなければならないと規定している。

問 12 check√ □□□
教育基本法は、すべて国民は、ひとしく、その資質に応じた教育を受ける機会を与えられなければならず、人種、信条、性別、社会的身分、経済的地位又は門地によって、教育上差別されないと規定している。

問 13 check√ □□□
教育基本法は、国及び地方公共団体は、障害のある者がその障害の状態に応じ十分な教育を受けられるよう、教育上必要な支援を講じなければならないと規定している。

問 14 check√ □□□
教育基本法は、中学校は、小学校における教育の基礎の上に、心身の発達に応じて、義務教育として行われる普通教育を施すことを目的とする旨を規定している。

解答・解説

問 8 ○ 教育基本法２条４号のとおりである。「環境の保全に寄与する態度を養うこと」が教育の目標の１つとされている。

問 9 × 教育基本法２条５号は、教育の目標として、「伝統と文化を尊重し、それらをはぐくんできた我が国と郷土を愛するとともに、他国を尊重し、国際社会の平和と発展に寄与する態度を養うこと」を掲げている。

問 10 × 問題文は旧教育基本法５条であり、現行法では削除された。代りに現行法では、２条３号に、「男女の平等」が掲げられている。

問 11 × 教育基本法３条は、「国民一人一人が、自己の人格を磨き、豊かな人生を送ることができるよう、その生涯にわたって、あらゆる機会に、あらゆる場所において学習することができ、その成果を適切に生かすことのできる社会の実現が図られなければならない」と規定している。

問 12 × 教育基本法４条１項は、「すべて国民は、ひとしく、その能力に応じた教育を受ける機会を与えられなければならず、人種、信条、性別、社会的身分、経済的地位又は門地によって、教育上差別されない」と規定している。なお、この教育基本法４条１項は、「すべて国民は、法律の定めるところにより、その能力に応じて、ひとしく教育を受ける権利を有する」と規定した憲法26条１項を受けたものである。どちらも「能力」という文言が入っていることに注意しよう。

問 13 ○ 教育基本法４条２項のとおりである。平成18年の教育基本法改正に伴い新設された規定で、障害をもった者の教育について国と地方公共団体に対し、支援を行うことを義務付けている。

問 14 × 設問文の内容は、学校教育法45条である。教育基本法には、中学校に関する規定はない。

教育法規　教育基本法

以下の記述を読み、正しいものには○、誤っているものには×をつけよ。

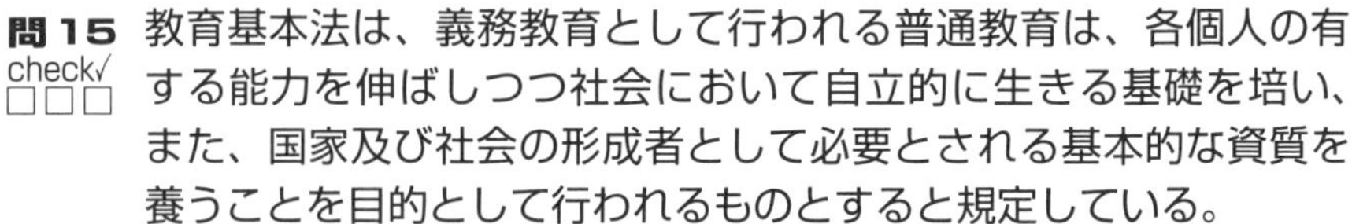

問15 check√ □□□
教育基本法は、義務教育として行われる普通教育は、各個人の有する能力を伸ばしつつ社会において自立的に生きる基礎を培い、また、国家及び社会の形成者として必要とされる基本的な資質を養うことを目的として行われるものとすると規定している。

問16 check√ □□□
教育基本法は、国民は、その保護する子に、別に法律で定めるところにより、普通教育を受けさせる責任を負うと規定している。

問17 check√ □□□
教育基本法は、法律に定める学校は公の性質を有するものであって、国、地方公共団体のみがこれを設置することができると規定している。

問18 check√ □□□
教育基本法は、学校においては、教育の目標が達成されるよう、教育を受ける者の能力に応じて、体系的な教育が組織的に行われなければならないと規定している。

問19 check√ □□□
学校において、体系的な教育が組織的に行われる場合には、教育を受ける者が、学校生活を営む上で必要な規律を重んずるとともに、自ら進んで学習に取り組む意欲を高めることを重視して行われなければならない。

問20 check√ □□□
教育基本法は、学校の教員は、自己の教育の目標を深く自覚し、絶えず人格の研鑽に励み、その職責の遂行に努めなければならないと規定している。

問21 check√ □□□
教育基本法は、学校の教員については、その使命と職責の重要性にかんがみ、その身分は尊重され、待遇の適正が期せられるとともに、養成と研修の充実が図られなければならないと規定している。

解答・解説

問15 ○ 教育基本法5条2項のとおりである。義務教育の目的として、①社会で自立的に生きる基礎を培うこと、②国家及び社会の形成者として必要とされる基本的資質を養うこと、を規定している。

問16 × 教育基本法5条1項は、「国民は、その保護する子に、別に法律で定めるところにより、普通教育を受けさせる義務を負う」と規定している。同規定は、憲法26条2項の「すべて国民は、法律の定めるところにより、その保護する子女に普通教育を受けさせる義務を負ふ」を受けたものである。

問17 × 教育基本法6条1項は、「法律に定める学校は、公の性質を有するものであって、国、地方公共団体及び法律に定める法人のみが、これを設置することができる」と規定している。国、地方公共団体ばかりでなく法律に定める法人も学校を設置することができる。

問18 × 教育基本法6条2項前段は、「学校においては、教育の目標が達成されるよう、教育を受ける者の心身の発達に応じて、体系的な教育が組織的に行われなければならない」と規定している。

問19 ○ 教育基本法6条2項後段のとおりである。6条は1項・2項とも頻出条文なので、覚えておこう。

問20 × 教育基本法9条1項は、「学校の教員は、自己の崇高な使命を深く自覚し、絶えず研究と修養に励み、その職責の遂行に努めなければならない」と規定している。

問21 ○ 教育基本法9条2項のとおりである。教員の身分尊重、待遇の適正、養成と研修の充実がうたわれている。

以下の記述を読み、正しいものには○、誤っているものには×をつけよ。

問22 check√ □□□
教育基本法は、父母その他の保護者は、子の教育について第一義的責任を有するものであって、生活のために必要な習慣を身に付けさせるとともに、自立心を育成し、心身の調和のとれた発達を図らなければならないと規定している。

問23 check√ □□□
教育基本法は、国及び地方公共団体は、学校教育の自主性を尊重しつつ、保護者に対する学習の機会及び情報の提供その他の学校教育を支援するために必要な施策を講ずるよう努めなければならないと規定している。

問24 check√ □□□
教育基本法は、国及び地方公共団体は、幼児の健やかな成長に資する良好な環境の整備その他適当な方法によって、幼児教育の振興に努めなければならないと規定している。

問25 check√ □□□
教育基本法は、個人の要望や学校の要請に応えた学校教育は、国及び地方公共団体によって奨励されなければならないと規定している。

問26 check√ □□□
教育基本法は、国及び地方公共団体は、図書館、博物館、公民館その他の社会教育施設の設置、学校の施設の利用、学習の機会及び情報の提供その他の適当な方法によって社会教育の振興に努めなければならないと規定している。

問27 check√ □□□
教育基本法は、学校、家庭及び地域住民その他の関係者は、教育におけるそれぞれの役割と責任を自覚するとともに、相互の連携及び協力に努めるものとする。

問28 check√ □□□
教育基本法は、良識ある公民として必要な政治的教養は、教育上尊重されなければならないと規定している。

解答・解説

問 22 ×
教育基本法 10 条 1 項は、「父母その他の保護者は、子の教育について第一義的責任を有するものであって、生活のために必要な習慣を身に付けさせるとともに、自立心を育成し、心身の調和のとれた発達を図るよう努めるものとする」と規定している。

問 23 ×
教育基本法 10 条 2 項は、「国及び地方公共団体は、家庭教育の自主性を尊重しつつ、保護者に対する学習の機会及び情報の提供その他の家庭教育を支援するために必要な施策を講ずるよう努めなければならない」と規定している。

問 24 ○
教育基本法第 11 条は、「幼児期の教育は、生涯にわたる人格形成の基礎を培う重要なものであることにかんがみ、国及び地方公共団体は、幼児の健やかな成長に資する良好な環境の整備その他適当な方法によって、その振興に努めなければならない」と規定している。

問 25 ×
教育基本法 12 条 1 項は、「個人の要望や社会の要請にこたえ、社会において行われる教育は、国及び地方公共団体によって奨励されなければならない」と規定している。

問 26 ○
教育基本法12条2項のとおりである。2項の義務は1項と異なり、努力義務であることに注意。

問 27 ○
教育基本法 13 条のとおりである。同条は、学校・家庭及び地域住民等の相互の連携協力について定めている。

問 28 ○
教育基本法 14 条 1 項のとおりである。14 条は 1 項と 2 項からなり、政治教育について定めている。

教育法規　教育基本法

以下の記述を読み、正しいものには○、誤っているものには×をつけよ。

問29 check√ □□□
教育基本法は、学校は、特定の政党について、これを支持又は反対するための政治教育をしてはならないことを規定している。

問30 check√ □□□
教育基本法は、宗教に関する寛容の態度、宗教に関する一般的な教養及び宗教の社会生活における地位は、教育上尊重されなければならないと規定している。

問31 check√ □□□
教育基本法は、全ての学校について、宗教的中立性の原則を規定している。

問32 check√ □□□
教育基本法は、教育は、不当な支配に服することなく、この法律及び他の法律の定めるところにより行われるべきものであり、教育行政は、国と地方公共団体との適切な役割分担及び相互の協力の下、公正かつ適正に行われなければならないと規定している。

問33 check√ □□□
教育基本法は、国は全国的な教育の機会均等と教育水準の維持向上を図るため、教育に関する施策を総合的に策定し、実施するよう努めるものとすると規定している。

問34 check√ □□□
教育基本法は、政府は、教育の普及に関する施策の総合的かつ計画的な推進を図るため、教育の普及に関する施策についての基本的な方針及び講ずべき施策その他必要な事項について、基本的な計画を定め、これを国会に報告するとともに、公表しなければならないと規定している。

問35 check√ □□□
教育基本法は、地方公共団体は、政府による教育振興基本計画を参酌し、その地域の実情に応じ、当該地方公共団体における教育の振興のための施策に関する基本的な計画を定めるよう努めなければならないと規定している。

解答・解説

問 29 ○ 教育基本法 14 条 2 項は、「法律に定める学校は、特定の政党を支持し、又はこれに反対するための政治教育その他政治的活動をしてはならない」と規定している。

問 30 ○ 教育基本法 15 条 1 項のとおりである。旧教育基本法では教育上尊重しなければならない対象として、「宗教に関する寛容の態度」と「宗教の社会生活における地位」のみ挙げられていたが、新法ではこれに「宗教に関する一般的な教養」が加えられた。

問 31 × 教育基本法 15 条 2 項は、「国及び地方公共団体が設置する学校は、特定の宗教のための宗教教育その他宗教的活動をしてはならない」と規定している。15 条は 1 項・2 項とも頻出である。

問 32 ○ 教育基本法 16 条 1 項のとおりである。「不当な支配」「教育行政」「国と地方公共団体との適切な役割分担及び相互の協力」がよく問われるキーワードなので、覚えておこう。

問 33 × 教育基本法 16 条 2 項は、「国は、全国的な教育の機会均等と教育水準の維持向上を図るため、教育に関する施策を総合的に策定し、実施しなければならない」と規定している。

問 34 × 教育基本法 17 条 1 項は、「政府は、教育の振興に関する施策の総合的かつ計画的な推進を図るため、教育の振興に関する施策についての基本的な方針及び講ずべき施策その他必要な事項について、基本的な計画を定め、これを国会に報告するとともに、公表しなければならない」と規定している。17 条は教育振興基本計画に関する規定である。覚えておこう。

問 35 ○ 教育基本法 17 条 2 項のとおりである。地方公共団体も、地域の実情に応じ、教育振興基本計画を策定する努力義務を課せられている。

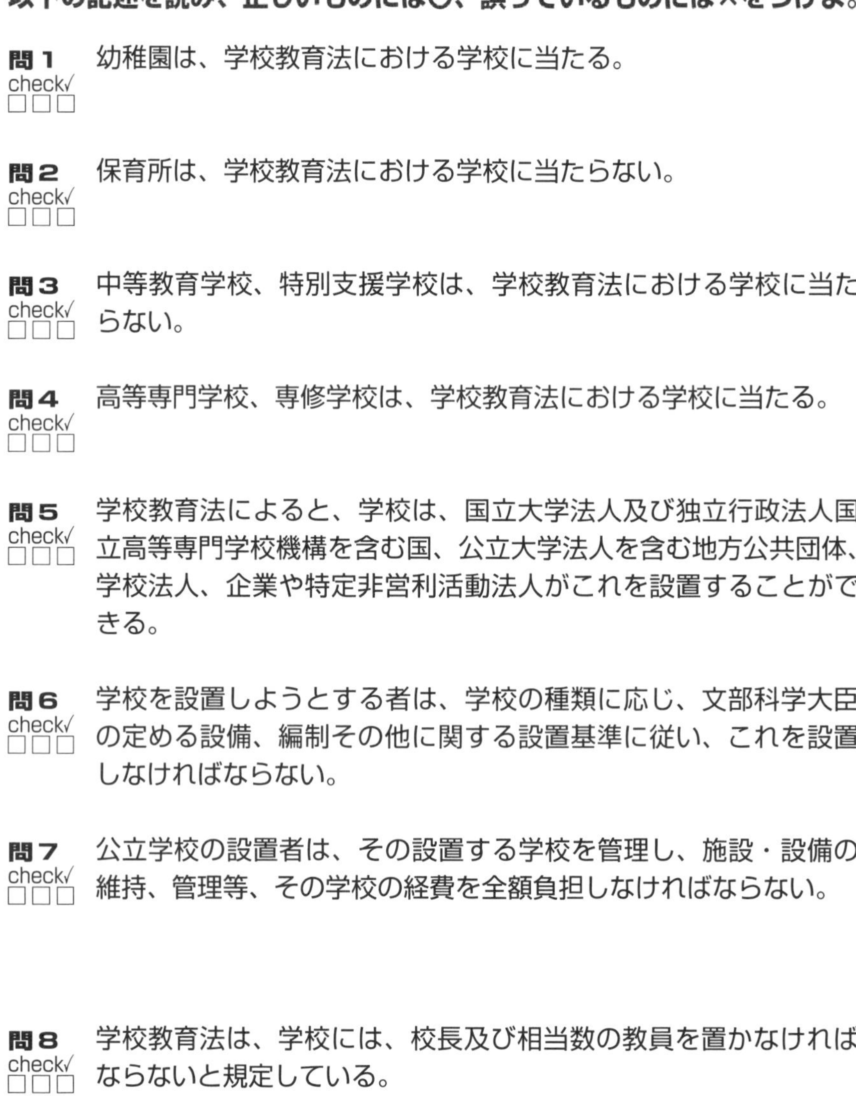

教育法規　学校教育法

以下の記述を読み、正しいものには○、誤っているものには×をつけよ。

問1 check√ □□□
幼稚園は、学校教育法における学校に当たる。

問2 check√ □□□
保育所は、学校教育法における学校に当たらない。

問3 check√ □□□
中等教育学校、特別支援学校は、学校教育法における学校に当たらない。

問4 check√ □□□
高等専門学校、専修学校は、学校教育法における学校に当たる。

問5 check√ □□□
学校教育法によると、学校は、国立大学法人及び独立行政法人国立高等専門学校機構を含む国、公立大学法人を含む地方公共団体、学校法人、企業や特定非営利活動法人がこれを設置することができる。

問6 check√ □□□
学校を設置しようとする者は、学校の種類に応じ、文部科学大臣の定める設備、編制その他に関する設置基準に従い、これを設置しなければならない。

問7 check√ □□□
公立学校の設置者は、その設置する学校を管理し、施設・設備の維持、管理等、その学校の経費を全額負担しなければならない。

問8 check√ □□□
学校教育法は、学校には、校長及び相当数の教員を置かなければならないと規定している。

解答・解説

問1 ○ 学校教育法1条は、幼稚園も学校と規定している。

問2 ○ 保育所は厚生労働省管轄の児童福祉施設であり、学校教育法における学校ではない。

問3 × 学校教育法1条は、中等教育学校、特別支援学校も学校と規定している。

問4 × 学校教育法1条によると、高等専門学校は学校に当たるが、専修学校は学校に当たらない。

問5 × 学校教育法2条1項によると、学校を設置することができるのは国立大学法人及び独立行政法人国立高等専門学校機構を含む国、公立大学法人を含む地方公共団体、学校法人であり、企業や特定非営利活動法人（NPO法人）は学校を設置できない。

問6 ○ 学校教育法3条のとおりである。学校設置の主管大臣は文部科学大臣である。

問7 × 学校教育法5条は、「学校の設置者は、その設置する学校を管理し、法令に特別の定のある場合を除いては、その学校の経費を負担する」と規定している。学校の設置者は、法律に特別の定めがある場合は経費の負担を免れる。

問8 ○ 学校教育法7条のとおりである。学校に校長及び相当数の教員を置くことが義務付けられている。

以下の記述を読み、正しいものには○、誤っているものには×をつけよ。

問 9 check√ □□□
未成年者は、校長又は教員になることができない。

問 10 check√ □□□
授業中、児童生徒を教室内に起立させることは、肉体的苦痛を与えるものでない限り、通常体罰に当たらない。

問 11 check√ □□□
携帯電話を児童生徒が学校に持ち込み、授業中にメール等を行い、学校の教育活動全体に悪影響を及ぼすような場合、保護者等と連携を図り、一時的にこれを預かり置くことは教育上必要な措置として差し支えない。

問 12 check√ □□□
懲戒の手段として、授業中、児童生徒を教室内に入れず又は教室から退去させることは、どんな場合であっても許されない。

問 13 check√ □□□
体罰は原則として禁止されるが、文部科学大臣の定めた場合に限り、例外的に体罰を加えることが許される。

問 14 check√ □□□
児童・生徒に対する懲戒は、校長だけでなく、教員も加えることができる。

解答・解説

問 9　×
学校教育法９条は、校長又は教員の欠格事由として、①禁錮以上の刑に処せられた者、②教育職員免許法の規定により免許状がその効力を失い、当該失効の日から３年を経過しない者、③教育職員免許法の規定により免許状取上げの処分を受け、３年を経過しない者、④日本国憲法又はその下に成立した政府を暴力で破壊することを主張する政党その他の団体を結成し、又これに加入した者を挙げている。未成年者や成年被後見人又は被保佐人は欠格事由とされていない。

問 10　○
文部科学省が 2007 年に出した「学校教育法第 11 条に規定する児童生徒の懲戒・体罰に関する考え方」によると、肉体的苦痛を与えるものでない限り、体罰には当たらないとされている。

問 11　○
学校教育法 11 条のいう懲戒として正当である。ただし、預かった携帯電話は児童生徒に返還しなければならない。

問 12　×
当該授業の間、その児童生徒のために当該授業に代わる指導が別途行われるのであれば、児童生徒を教室内に入れず又は教室から退去させることも、懲戒の手段として許される。

問 13　×
学校教育法 11 条但書は、「体罰を加えることはできない」と規定しており、これはいかなる場合でも体罰は許されないことを定めたものと解釈されている。

問 14　○
学校教育法 11 条本文は、「校長及び教員は、教育上必要があると認めるときは、文部科学大臣の定めるところにより、児童、生徒及び学生に懲戒を加えることができる」と、教員も懲戒を加えることができることを規定している。

教育法規　学校教育法

以下の記述を読み、正しいものには○、誤っているものには×をつけよ。

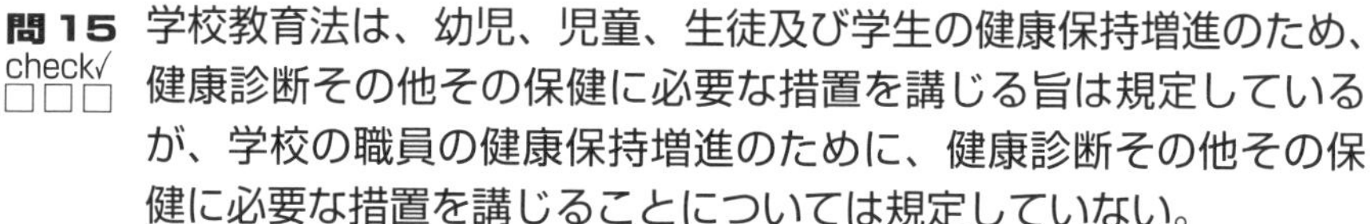

問 15 check√ □□□
学校教育法は、幼児、児童、生徒及び学生の健康保持増進のため、健康診断その他その保健に必要な措置を講じる旨は規定しているが、学校の職員の健康保持増進のために、健康診断その他その保健に必要な措置を講じることについては規定していない。

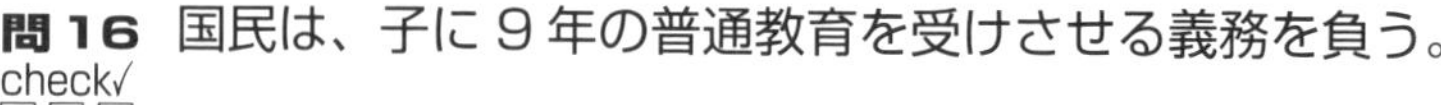

問 16 check√ □□□
国民は、子に９年の普通教育を受けさせる義務を負う。

問 17 check√ □□□
保護者が子を小学校の課程、義務教育学校の前期課程又は特別支援学校の小学部に就学させる義務は、子が満 12 歳に達した日の属する学年の終わりまでにその課程を修了しないときは、満 15 歳に達した日の属する学年の終わりまでとされている。

問 18 check√ □□□
保護者は、子が小学校の課程、義務教育学校の前期課程又は特別支援学校の小学部の課程を修了した日の翌日以後における最初の学年の初めから、中学校３年生まで、これを中学校、義務教育学校の後期課程、中等教育学校の前期課程又は特別支援学校の中学部に就学させる義務を負う。

問 19 check√ □□□
就学の義務を猶予又は免除することのできる理由に、経済的理由は含まれない。

問 20 check√ □□□
学校教育法は、経済的理由によって、就学困難と認められる学齢児童又は学齢生徒の保護者に対しては、国は、必要な援助を与えなければならないと規定している。

解答・解説

問 15
×

学校教育法 12 条は、「学校においては、別に法律で定めるところにより、幼児、児童、生徒及び学生並びに職員の健康の保持増進を図るため、健康診断を行い、その他その保健に必要な措置を講じなければならない」と、幼児、児童、生徒及び学生だけでなく学校職員についても、その健康保持増進のため、健康診断その他その保健に必要な措置を講じる旨規定している。

問 16
×

学校教育法 16 条は、「保護者は…子に 9 年の普通教育を受けさせる義務を負う」と規定している。子の就学義務を負うのは「保護者」である。

問 17
○

学校教育法 17 条 1 項は、子を小学校の課程、義務教育学校の前期課程又は特別支援学校の小学部に就学させる義務について、原則として満 12 歳に達した日の属する学年の終わりまで、子が満 12 歳に達した日の属する学年の終わりまでにその課程を修了しないときは満 15 歳に達した日の属する学年の終わりまでと規定している。

問 18
×

学校教育法 17 条 2 項は、「保護者は、子が小学校の課程、義務教育学校の前期課程又は特別支援学校の小学部の課程を修了した日の翌日以後における最初の学年の初めから、満 15 歳に達した日の属する学年の終わりまで、これを中学校、義務教育学校の後期課程、中等教育学校の前期課程又は特別支援学校の中学部に就学させる義務を負う」と定めている。

問 19
○

学校教育法 18 条が就学義務の猶予又は免除の理由として規定しているのは、「病弱、発育不完全その他やむを得ない事由」であり、経済的理由は含まれない。

問 20
×

学校教育法 19 条は、「経済的理由によつて、就学困難と認められる学齢児童又は学齢生徒の保護者に対しては、市町村は、必要な援助を与えなければならない」と定めている。援助を与えなければならないと定められているのは、国ではなく市町村である。

教育法規　学校教育法

以下の記述を読み、正しいものには○、誤っているものには×をつけよ。

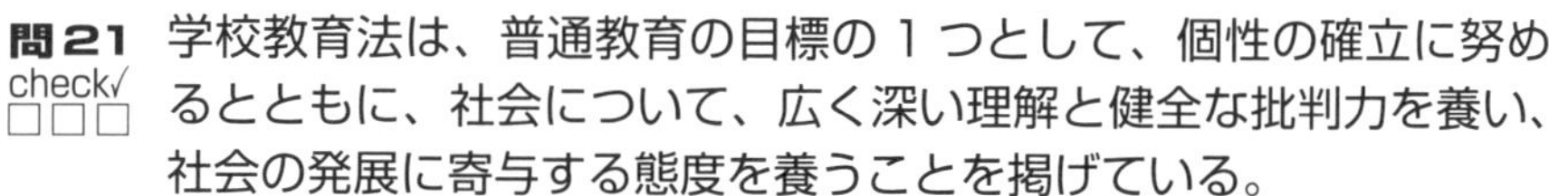

問21 check√ □□□
学校教育法は、普通教育の目標の１つとして、個性の確立に努めるとともに、社会について、広く深い理解と健全な批判力を養い、社会の発展に寄与する態度を養うことを掲げている。

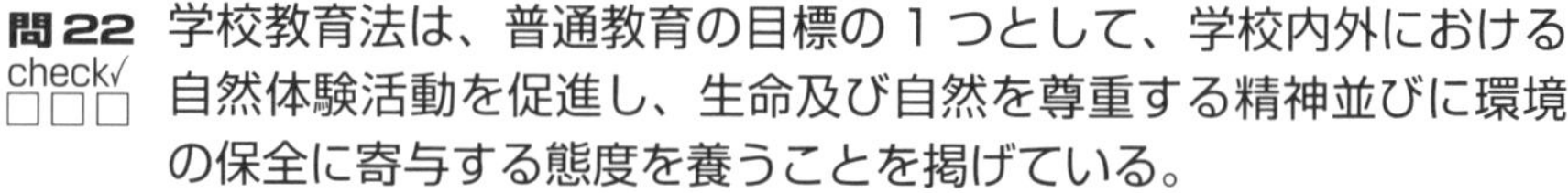

問22 check√ □□□
学校教育法は、普通教育の目標の１つとして、学校内外における自然体験活動を促進し、生命及び自然を尊重する精神並びに環境の保全に寄与する態度を養うことを掲げている。

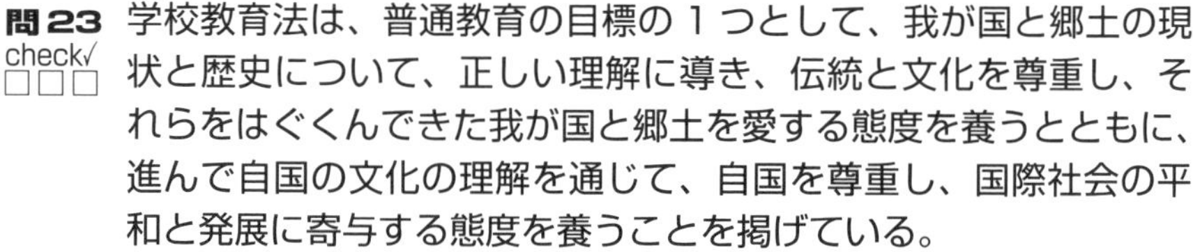

問23 check√ □□□
学校教育法は、普通教育の目標の１つとして、我が国と郷土の現状と歴史について、正しい理解に導き、伝統と文化を尊重し、それらをはぐくんできた我が国と郷土を愛する態度を養うとともに、進んで自国の文化の理解を通じて、自国を尊重し、国際社会の平和と発展に寄与する態度を養うことを掲げている。

問24 check√ □□□
学校教育法は、普通教育の目標の１つとして、家庭における父親と母親の役割、生活に必要な衣、食、住、情報、産業その他の事項について基礎的な理解と技能を養うことを掲げている。

問25 check√ □□□
学校教育法は、普通教育の目標の１つとして、読書に親しませ、生活に必要な国語を正しく理解し、使用する基礎的な能力を養うことを掲げている。

問26 check√ □□□
学校教育法は、普通教育の目標の１つとして、生活に必要な数量的な関係を正しく理解し、処理する実践的かつ発展的な能力を養うことを掲げている。

問27 check√ □□□
学校教育法は、普通教育の目標の１つとして、生活にかかわる自然現象について、観察及び実験を通じて、科学的に理解し、処理する基礎的な能力を養うことを掲げている。

解答・解説

問21 ×
学校教育法21条1号は、普通教育の目標の1つとして、「学校内外における社会的活動を促進し、自主、自律及び協同の精神、規範意識、公正な判断力並びに公共の精神に基づき主体的に社会の形成に参画し、その発展に寄与する態度を養うこと」を掲げている。設問文のいう「個性の確立に努めるとともに、社会について、広く深い理解と健全な批判力を養い、社会の発展に寄与する態度」は高等学校教育の目標である（51条3号）。

問22 ○
学校教育法21条2号のとおりである。普通教育の目標の1つとして、生命及び自然を尊重する精神ならびに環境保全に寄与する態度の涵養が掲げられている。

問23 ×
学校教育法21条3号は、普通教育の目標の1つとして、「我が国と郷土の現状と歴史について、正しい理解に導き、伝統と文化を尊重し、それらをはぐくんできた我が国と郷土を愛する態度を養うとともに、進んで外国の文化の理解を通じて、他国を尊重し、国際社会の平和と発展に寄与する態度を養うこと」を掲げている。

問24 ×
学校教育法21条4号は、普通教育の目標の1つとして、「家族と家庭の役割、生活に必要な衣、食、住、情報、産業その他の事項について基礎的な理解と技能を養うこと」を掲げている。

問25 ○
学校教育法21条5号のとおりである。国語教育の必要性を規定している。

問26 ×
学校教育法21条6号は、普通教育の目標の1つとして、「生活に必要な数量的な関係を正しく理解し、処理する基礎的な能力を養うこと」を掲げている。

問27 ○
学校教育法21条7号のとおりである。理科教育の必要性を規定している。

教育法規　学校教育法

以下の記述を読み、正しいものには○、誤っているものには×をつけよ。

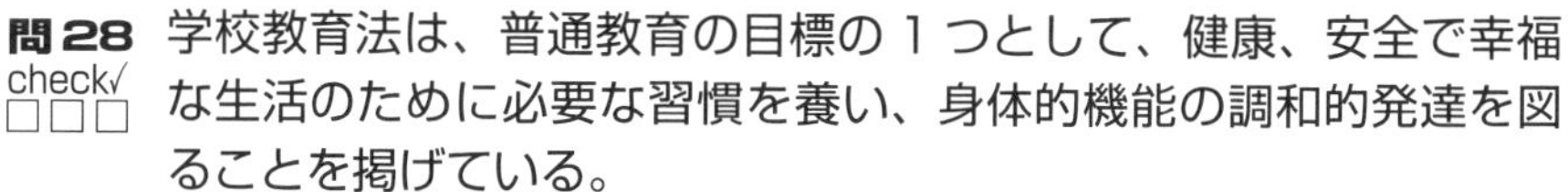

問28 check√ □□□
学校教育法は、普通教育の目標の１つとして、健康、安全で幸福な生活のために必要な習慣を養い、身体的機能の調和的発達を図ることを掲げている。

問29 check√ □□□
学校教育法は、普通教育の目標の１つとして、生活を明るく豊かにする調理、工作その他の技術について基礎的な理解と技能を養うことを掲げている。

問30 check√ □□□
学校教育法は、普通教育の目標の１つとして、職業についての基礎的な知識と技能、勤労を重んずる態度及び個性に応じて将来の進路を選択する能力を養うことを掲げている。

問31 check√ □□□
学校教育法は、普通教育の目標の１つとして、学校の教育活動全体を通じて、道徳的な心情、判断力、実践意欲と態度などの道徳性を養うことを掲げている。

問32 check√ □□□
幼稚園の目的は、義務教育及びその後の教育の基礎を培うものとして、幼児を保育し、幼児の健やかな成長のために適当な環境を与えて、その心身の発達を助長することとされている。

問33 check√ □□□
学校教育法は、幼稚園教育の目標の１つとして、健康、安全で幸福な生活のために必要な基本的な習慣を養い、身体諸機能の調和的発達を図ることを掲げている。

問34 check√ □□□
学校教育法は、幼稚園教育の目標の１つとして、社会生活を通じて、喜んでこれに参加する態度を養うとともに家族や身近な人への信頼感を深め、自主、自律及び協同の精神並びに規範意識の芽生えを養うことを掲げている。

問 28
×
学校教育法 21 条 8 号は、普通教育の目標の 1 つとして、「健康、安全で幸福な生活のために必要な習慣を養うとともに、運動を通じて体力を養い、心身の調和的発達を図ること」を掲げている。

問 29
×
学校教育法 21 条 9 号は、普通教育の目標の 1 つとして、「生活を明るく豊かにする音楽、美術、文芸その他の芸術について基礎的な理解と技能を養うこと」を掲げている。

問 30
○
学校教育法 21 条 10 号のとおりである。普通教育の目標の 1 つとして、職業についての基礎的知識と技能、勤労を重んずる態度及び個性に応じて将来の進路を選択する能力を養うことを掲げている。

問 31
×
設問文は小学校及び中学校学習指導要領の第 3 章道徳の記述であり、普通教育の目標として学校教育法に道徳教育は掲げられていない。

問 32
○
学校教育法 22 条は、「幼稚園は、義務教育及びその後の教育の基礎を培うものとして、幼児を保育し、幼児の健やかな成長のために適当な環境を与えて、その心身の発達を助長することを目的とする」と規定している。

問 33
○
学校教育法23条1号のとおりである。「基本的な習慣を養うこと」「身体諸機能の調和的発達を図ること」がキーワードである。

問 34
×
学校教育法 23 条 2 号は、幼稚園教育の目標の 1 つとして、「集団生活を通じて、喜んでこれに参加する態度を養うとともに家族や身近な人への信頼感を深め、自主、自律及び協同の精神並びに規範意識の芽生えを養うこと」を掲げている。

以下の記述を読み、正しいものには○、誤っているものには×をつけよ。

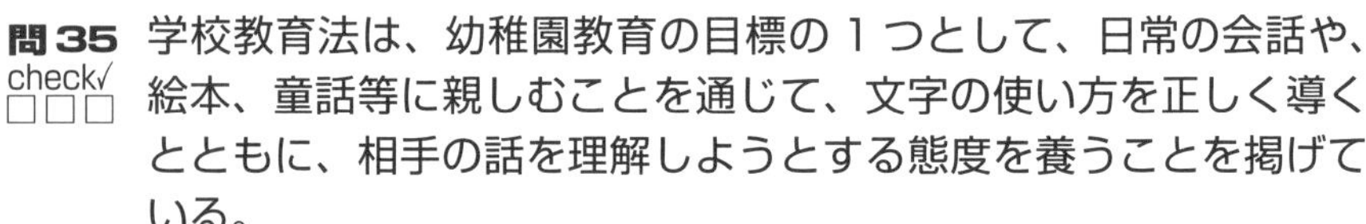
問35 check√ □□□
学校教育法は、幼稚園教育の目標の１つとして、日常の会話や、絵本、童話等に親しむことを通じて、文字の使い方を正しく導くとともに、相手の話を理解しようとする態度を養うことを掲げている。

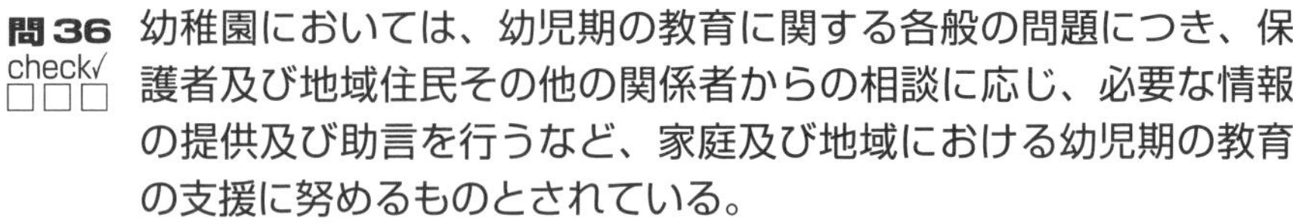
問36 check√ □□□
幼稚園においては、幼児期の教育に関する各般の問題につき、保護者及び地域住民その他の関係者からの相談に応じ、必要な情報の提供及び助言を行うなど、家庭及び地域における幼児期の教育の支援に努めるものとされている。

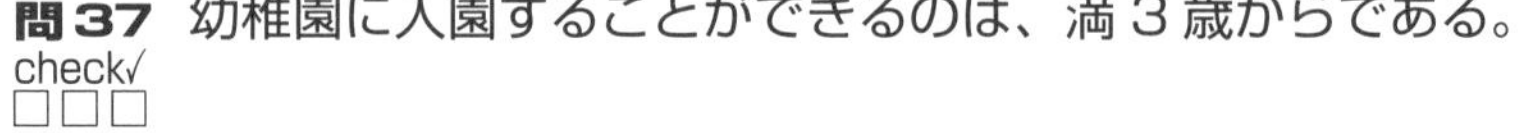
問37 check√ □□□
幼稚園に入園することができるのは、満３歳からである。

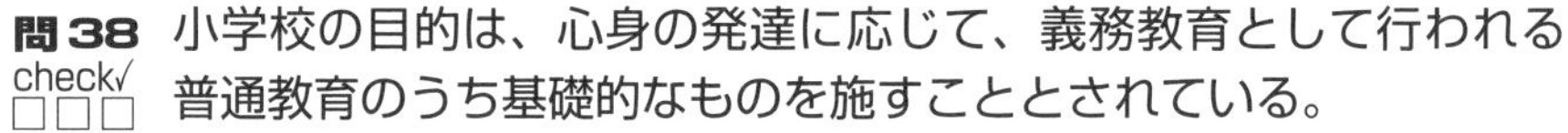
問38 check√ □□□
小学校の目的は、心身の発達に応じて、義務教育として行われる普通教育のうち基礎的なものを施すこととされている。

問39 check√ □□□
学校教育法は、小学校における教育について、生涯にわたり学習する基本が培われるよう、基礎的な知恵及び技術を習得させることに、意を用いなければならないと規定している。

問40 check√ □□□
学校教育法は、小学校における教育について、問題を解くために必要な思考力、判断力、表現力その他の能力をはぐくみ、積極的に学習に取り組む態度を養うことに、特に意を用いなければならないと規定している。

問41 check√ □□□
小学校における教育指導に当たっては、児童の体験的な学習活動、特にボランティア活動など社会奉仕体験活動、自然体験活動その他の体験活動の充実に努めなければならない。

解答・解説

問 35
×
学校教育法 23 条 4 号は、幼稚園教育の目標の 1 つとして「日常の会話や、絵本、童話等に親しむことを通じて、言葉の使い方を正しく導くとともに、相手の話を理解しようとする態度を養うこと」を掲げている。

問 36
○
学校教育法 24 条のとおりである。同条は幼稚園に対し、家庭及び地域における幼児期教育を支援する努力義務を課している。

問 37
○
学校教育法 26 条により、幼稚園に入園することのできる者は満 3 歳から小学校就学の始期に達するまでの幼児とされている。

問 38
○
学校教育法 29 条は、「小学校は、心身の発達に応じて、義務教育として行われる普通教育のうち基礎的なものを施すことを目的とする」と規定している。

問 39
×
学校教育法 30 条 2 項前段は、小学校における教育について、「生涯にわたり学習する基盤が培われるよう、基礎的な知識及び技能を習得させる」ことと定めている。

問 40
×
学校教育法 30 条 2 項後段は、小学校における教育について、「基礎的な知識及び技能（中略）を活用して課題を解決するために必要な思考力、判断力、表現力その他の能力をはぐくみ、主体的に学習に取り組む態度を養うことに、特に意を用いなければならない」と定めている。

問 41
○
学校教育法 31 条のとおりである。同条は、社会奉仕体験活動、自然体験活動その他の体験活動を進めるに当たっては、社会教育関係団体その他の関係団体及び関係機関との連携に十分配慮しなければならない旨も規定している。

教育法規　学校教育法

以下の記述を読み、正しいものには○、誤っているものには×をつけよ。

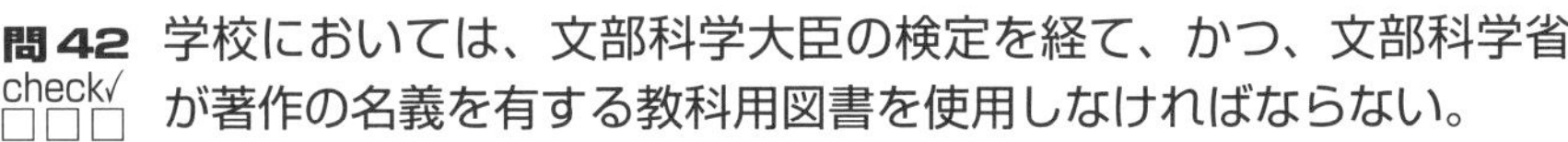

問42 check√ □□□
学校においては、文部科学大臣の検定を経て、かつ、文部科学省が著作の名義を有する教科用図書を使用しなければならない。

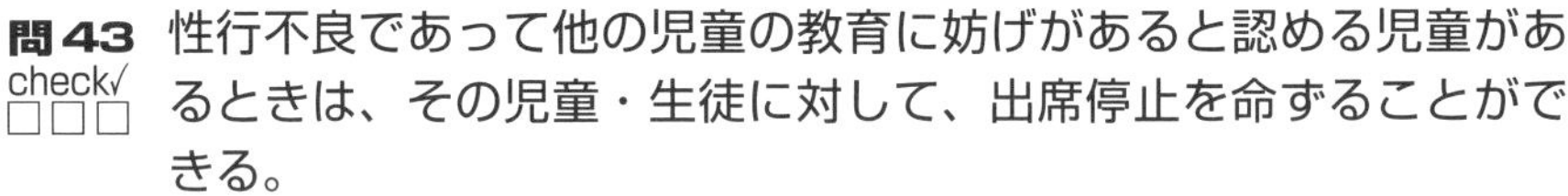

問43 check√ □□□
性行不良であって他の児童の教育に妨げがあると認める児童があるときは、その児童・生徒に対して、出席停止を命ずることができる。

問44 check√ □□□
校長は、児童・生徒の出席停止を命じることができない。

問45 check√ □□□
施設又は設備を損壊する行為を繰り返し行うことは、児童・生徒の出席停止の理由となりうる。

問46 check√ □□□
児童・生徒の出席停止の措置を講ずる場合、「授業その他の教育活動の実施を妨げる行為」は必ずしも適用要件ではない。

問47 check√ □□□
市町村の教育委員会は、児童・生徒の出席停止を命じた場合には、遅滞なく保護者の意見を聴取するとともに、理由及び期間を記載した文書を交付しなければならない。

解答・解説

問42 × 学校教育法34条1項によると、学校においては、文部科学大臣の検定を経た教科用図書又は文部科学省が著作の名義を有する教科用図書を使用しなければならない。なお、2019年4月1日施行の改正により、必要に応じて「デジタル教科書」を紙の教科書に代えて使用することができるようになった。

問43 × 出席停止を命じる相手は児童・生徒ではなく、その保護者である(学校教育法35条1項)。

問44 ○ 児童・生徒の出席停止を命じることができるのは市町村の教育委員会であり、校長は命じることができない(学校教育法35条1項)。

問45 ○ 学校教育法35条1項3号は、出席停止の理由の1つとして、「施設又は設備を損壊する行為」を挙げている。

問46 ○ 学校教育法35条1項は、出席停止の適用要件として、①他の児童に傷害、心身の苦痛又は財産上の損失を与える行為、②職員に傷害又は心身の苦痛を与える行為、③施設又は設備を損壊する行為、④授業その他の教育活動の実施を妨げる行為の1又は2以上を繰り返し行う等性行不良であって、他の児童の教育に妨げがあると認められることを挙げている。④授業その他の教育活動の実施を妨げる行為がなくても、①〜③の行為のいずれかがあれば、出席停止の対象となる。

問47 × 学校教育法35条2項は、「市町村の教育委員会は、前項の規定により出席停止を命ずる場合には、あらかじめ保護者の意見を聴取するとともに、理由及び期間を記載した文書を交付しなければならない」と規定している。保護者の意見は「遅滞なく」(事後に)ではなく、「あらかじめ」(事前に)聴取しなければならない。

以下の記述を読み、正しいものには○、誤っているものには×をつけよ。

問48 check√ □□□
学齢に達しない子であっても、市町村の教育委員会が特に認めた場合には、小学校に入学させることができる。

問49 check√ □□□
小学校には、副校長を置かなければならない。

問50 check√ □□□
小学校には、養護教諭を置かなければならない。

問51 check√ □□□
教頭は、校長に事故があるときはその職務を代理し、校長が欠けたときはその職務を行う。

問52 check√ □□□
主幹教諭は、校長及び教頭を助け、命を受けて校務をつかさどる。

問53 check√ □□□
国は、学齢児童を就学させるに必要な小学校を設置しなければならない。

問54 check√ □□□
学校教育法は、小学校は、当該教育委員会の定めるところにより当該小学校の教育活動その他の学校運営の状況について評価を行い、その結果に基づき学校運営の改善を図るため必要な措置を講ずることにより、その教育水準の向上に努めなければならないと規定している。

解答・解説

問48 × 学校教育法36条は、「学齢に達しない子は、小学校に入学させることができない」と規定している。

問49 × 小学校に副校長を置くことは任意である（学校教育法37条2項）。

問50 ○ 小学校には養護教諭のほか、校長、教頭、教諭、事務職員を置かなければならない（学校教育法37条1項）。

問51 ○ 学校教育法37条8項のとおりである。副校長も同様の職務を行う（同条6項）。なお、副校長を置く小学校にあっては、校長及び副校長に事故があるときは教頭が校長及び副校長の職務を代理し、校長及び副校長が欠けたときは教頭が校長及び副校長の職務を行う（同条8項）。

問52 × 主幹教諭の職務は、校長及び教頭を助け、命を受けて校務の一部を整理し、並びに児童の教育をつかさどることである（学校教育法37条9項）。校長を助け、命を受けて校務をつかさどるのは、副校長である（同条5項）。

問53 × 学校教育法38条は、「市町村は、その区域内にある学齢児童を就学させるに必要な小学校を設置しなければならない」と規定している。ただし、教育上有益かつ適切であると認めるときには、小学校に代えて義務教育学校を設置することもできる。

問54 × 学校教育法42条は、「小学校は、文部科学大臣の定めるところにより当該小学校の教育活動その他の学校運営の状況について評価を行い、その結果に基づき学校運営の改善を図るため必要な措置を講ずることにより、その教育水準の向上に努めなければならない」と定めている。

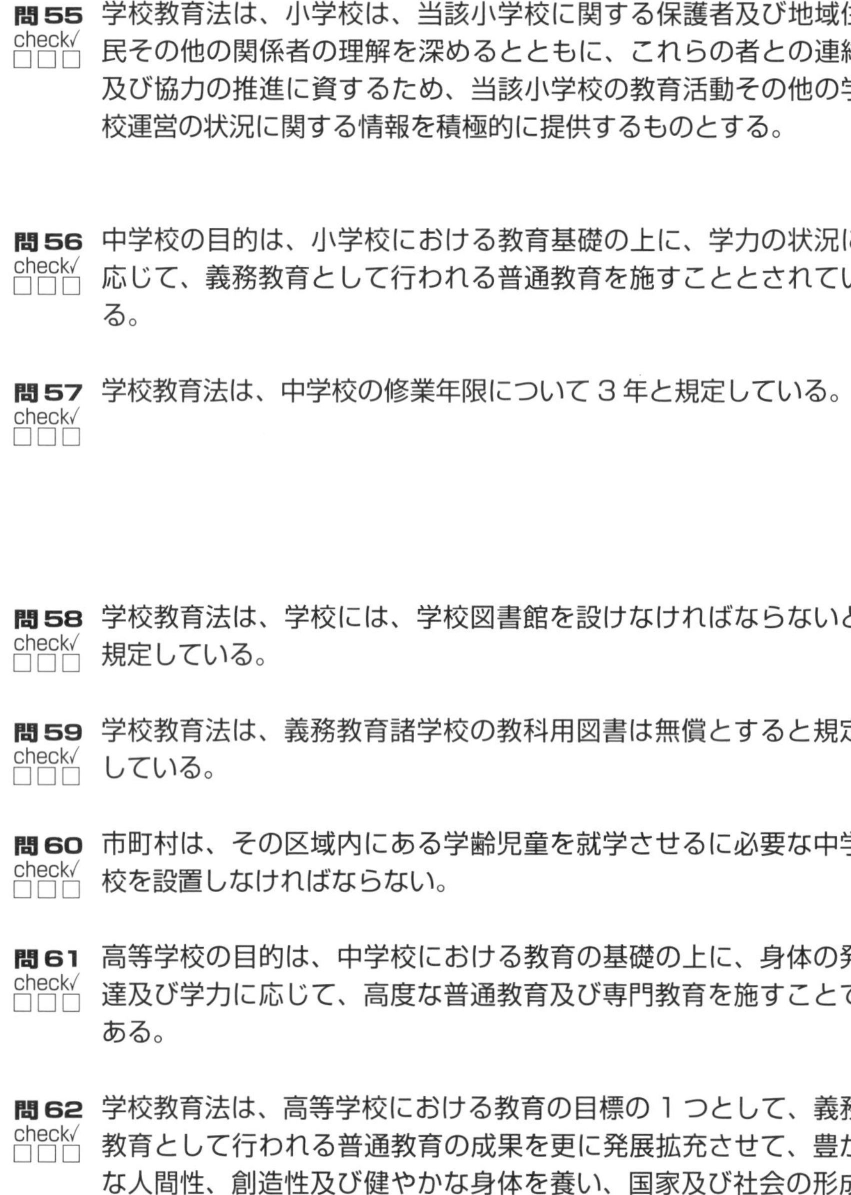

以下の記述を読み、正しいものには○、誤っているものには×をつけよ。

問55 check√ □□□
学校教育法は、小学校は、当該小学校に関する保護者及び地域住民その他の関係者の理解を深めるとともに、これらの者との連絡及び協力の推進に資するため、当該小学校の教育活動その他の学校運営の状況に関する情報を積極的に提供するものとする。

問56 check√ □□□
中学校の目的は、小学校における教育基礎の上に、学力の状況に応じて、義務教育として行われる普通教育を施すこととされている。

問57 check√ □□□
学校教育法は、中学校の修業年限について３年と規定している。

問58 check√ □□□
学校教育法は、学校には、学校図書館を設けなければならないと規定している。

問59 check√ □□□
学校教育法は、義務教育諸学校の教科用図書は無償とすると規定している。

問60 check√ □□□
市町村は、その区域内にある学齢児童を就学させるに必要な中学校を設置しなければならない。

問61 check√ □□□
高等学校の目的は、中学校における教育の基礎の上に、身体の発達及び学力に応じて、高度な普通教育及び専門教育を施すことである。

問62 check√ □□□
学校教育法は、高等学校における教育の目標の１つとして、義務教育として行われる普通教育の成果を更に発展拡充させて、豊かな人間性、創造性及び健やかな身体を養い、国家及び社会の形成者として必要な資質を養うことを掲げている。

解答・解説

問 55 × 学校教育法 43 条は、「小学校は、当該小学校に関する保護者及び地域住民その他の関係者の理解を深めるとともに、これらの者との連携及び協力の推進に資するため、当該小学校の教育活動その他の学校運営の状況に関する情報を積極的に提供するものとする」と定めている。

問 56 × 学校教育法 45 条は、「中学校は、小学校における教育基礎の上に、心身の発達に応じて、義務教育として行われる普通教育を施すことを目的とする」と規定している。

問 57 ○ 学校教育法 47 条のとおりである。そのほか学校教育法は学校の修業年限として、小学校が 6 年（32 条）、義務教育学校が 9 年（49 条の 4）、高等学校が全日制課程については 3 年、定時制課程及び通信制課程については 3 年以上（56 条）、中等教育学校が 6 年（65 条）、大学が 4 年（87 条）、短期大学が 2 年又は 3 年（108 条 2 項）、高等専門学校が 5 年と定めている。

問 58 × 学校には学校図書館を設けなければならないと規定しているのは、学校図書館法である。

問 59 × 義務教育諸学校における教科用図書の無償を規定しているのは、義務教育諸学校の教科用図書の無償措置に関する法律である。

問 60 ○ 学校教育法 49 条、38 条により正しい。中学校の設置主体は市町村であることに注意。

問 61 × 学校教育法 50 条は、高等学校の目的として、「中学校における教育の基礎の上に、心身の発達及び進路に応じて、高度な普通教育及び専門教育を施すこと」と規定している。

問 62 ○ 学校教育法 51 条 1 号により正しい。「義務教育として行われる普通教育の成果の発展拡充」「豊かな人間性、創造性及び健やかな身体」がキーワードである。

教育法規　学校教育法

以下の記述を読み、正しいものには○、誤っているものには×をつけよ。

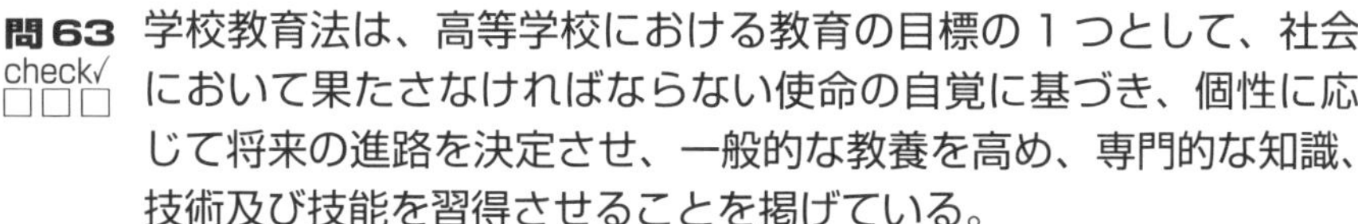

問63 check√ □□□
学校教育法は、高等学校における教育の目標の１つとして、社会において果たさなければならない使命の自覚に基づき、個性に応じて将来の進路を決定させ、一般的な教養を高め、専門的な知識、技術及び技能を習得させることを掲げている。

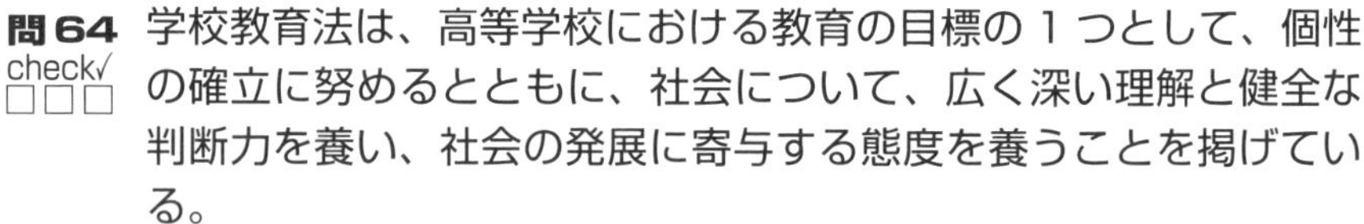

問64 check√ □□□
学校教育法は、高等学校における教育の目標の１つとして、個性の確立に努めるとともに、社会について、広く深い理解と健全な判断力を養い、社会の発展に寄与する態度を養うことを掲げている。

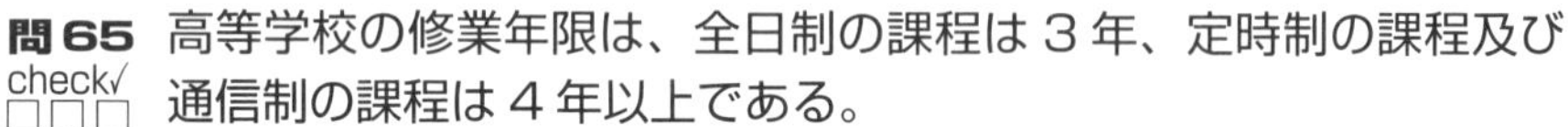

問65 check√ □□□
高等学校の修業年限は、全日制の課程は３年、定時制の課程及び通信制の課程は４年以上である。

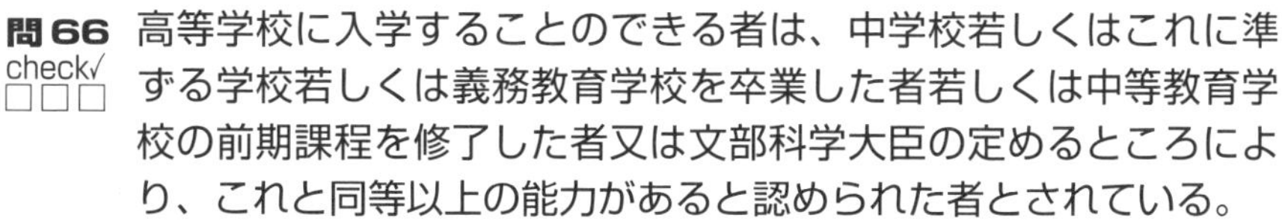

問66 check√ □□□
高等学校に入学することのできる者は、中学校若しくはこれに準ずる学校若しくは義務教育学校を卒業した者若しくは中等教育学校の前期課程を修了した者又は文部科学大臣の定めるところにより、これと同等以上の能力があると認められた者とされている。

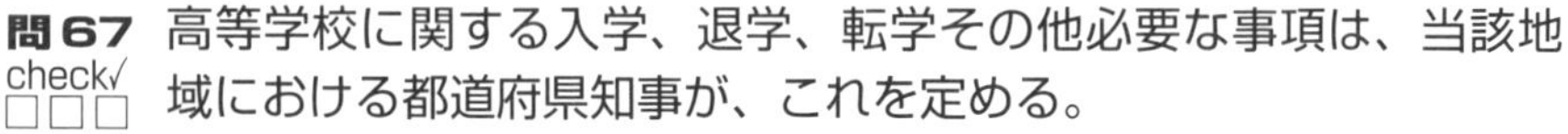

問67 check√ □□□
高等学校に関する入学、退学、転学その他必要な事項は、当該地域における都道府県知事が、これを定める。

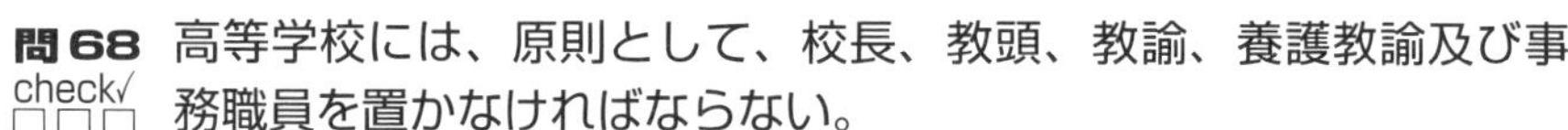

問68 check√ □□□
高等学校には、原則として、校長、教頭、教諭、養護教諭及び事務職員を置かなければならない。

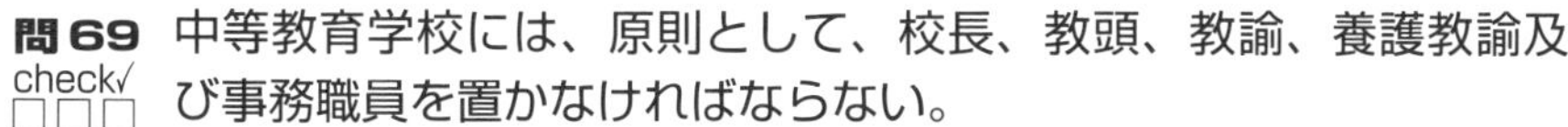

問69 check√ □□□
中等教育学校には、原則として、校長、教頭、教諭、養護教諭及び事務職員を置かなければならない。

解答・解説

問 63
○

学校教育法 51 条 2 号のとおりである。平成 19 年の法改正前は、同規定の後半は単に「専門的な技能に習熟させること」とされていたが、「専門的な知識、技術及び技能を習得させること」に改められた。

問 64
×

学校教育法 51 条 3 号は、高等学校における教育の目標の 1 つとして、「個性の確立に努めるとともに、社会について、広く深い理解と健全な批判力を養い、社会の発展に寄与する態度を養うこと」を掲げている。

問 65
×

学校教育法 56 条は高等学校の修業年限について、全日制は 3 年、定時制及び通信制は 3 年以上としている。

問 66
×

学校教育法 57 条は、「高等学校に入学することのできる者は、中学校若しくはこれに準ずる学校若しくは義務教育学校を卒業した者若しくは中等教育学校の前期課程を修了した者又は文部科学大臣の定めるところにより、これと同等以上の学力があると認められた者とする」と規定している。

問 67
×

学校教育法 59 条は、「高等学校に関する入学、退学、転学その他必要な事項は、文部科学大臣が、これを定める」と規定している。

問 68
×

高等学校には養護教諭を置かなくてもよい（学校教育法 60 条 1 項参照）。

問 69
○

学校教育法 69 条 1 項のとおりである。なお、副校長を置くときは教頭を、養護をつかさどる主幹教諭を置くときは養護教諭を、それぞれ置かないことができる（同条 3 項）。

教育法規 学校教育法

以下の記述を読み、正しいものには○、誤っているものには×をつけよ。

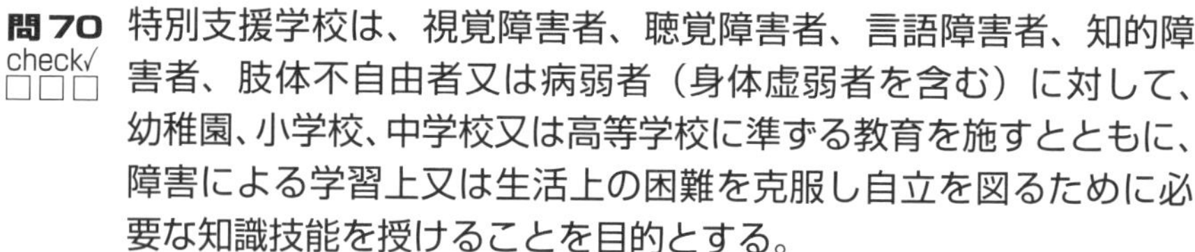
問70 check√ □□□
特別支援学校は、視覚障害者、聴覚障害者、言語障害者、知的障害者、肢体不自由者又は病弱者（身体虚弱者を含む）に対して、幼稚園、小学校、中学校又は高等学校に準ずる教育を施すとともに、障害による学習上又は生活上の困難を克服し自立を図るために必要な知識技能を授けることを目的とする。

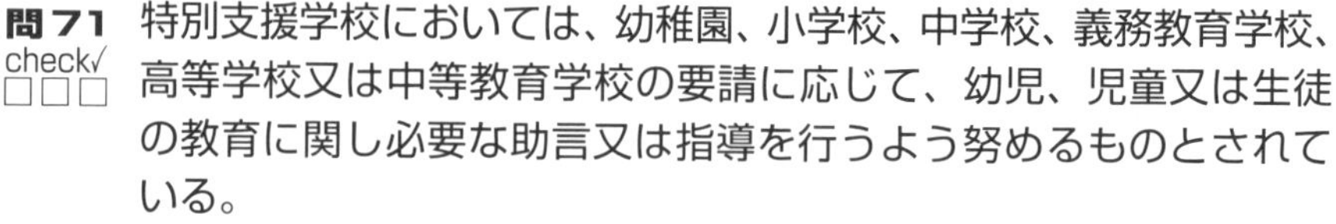
問71 check√ □□□
特別支援学校においては、幼稚園、小学校、中学校、義務教育学校、高等学校又は中等教育学校の要請に応じて、幼児、児童又は生徒の教育に関し必要な助言又は指導を行うよう努めるものとされている。

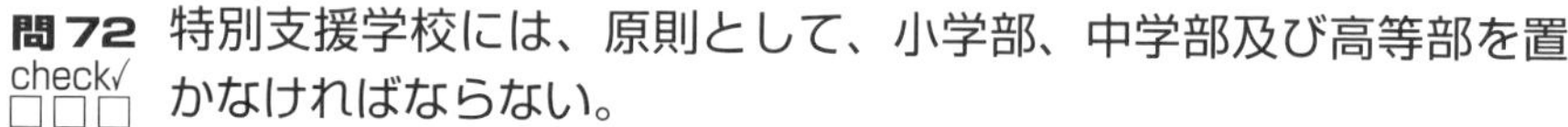
問72 check√ □□□
特別支援学校には、原則として、小学部、中学部及び高等部を置かなければならない。

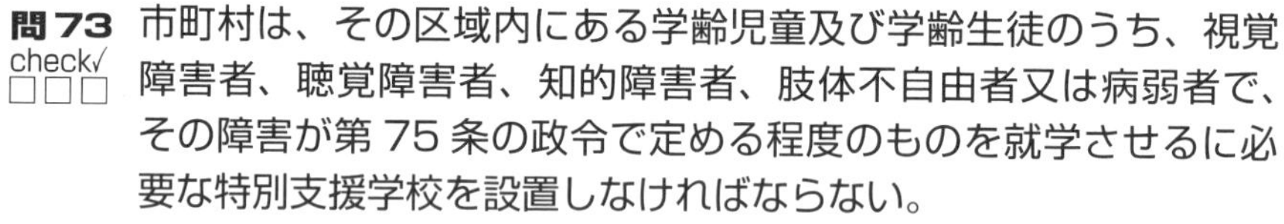
問73 check√ □□□
市町村は、その区域内にある学齢児童及び学齢生徒のうち、視覚障害者、聴覚障害者、知的障害者、肢体不自由者又は病弱者で、その障害が第75条の政令で定める程度のものを就学させるに必要な特別支援学校を設置しなければならない。

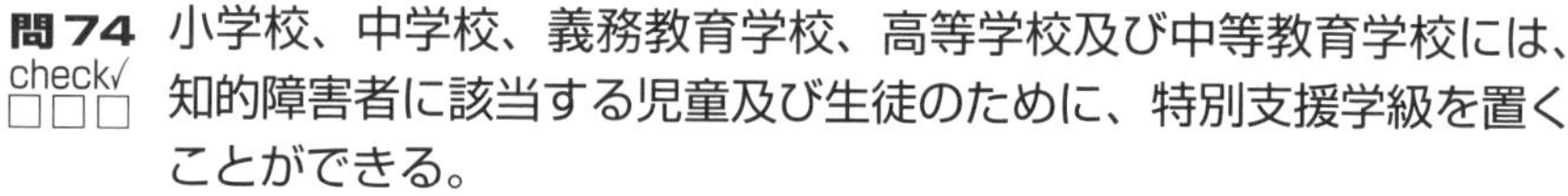
問74 check√ □□□
小学校、中学校、義務教育学校、高等学校及び中等教育学校には、知的障害者に該当する児童及び生徒のために、特別支援学級を置くことができる。

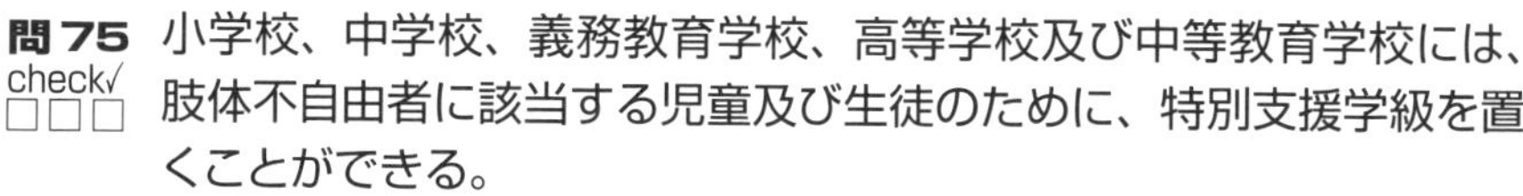
問75 check√ □□□
小学校、中学校、義務教育学校、高等学校及び中等教育学校には、肢体不自由者に該当する児童及び生徒のために、特別支援学級を置くことができる。

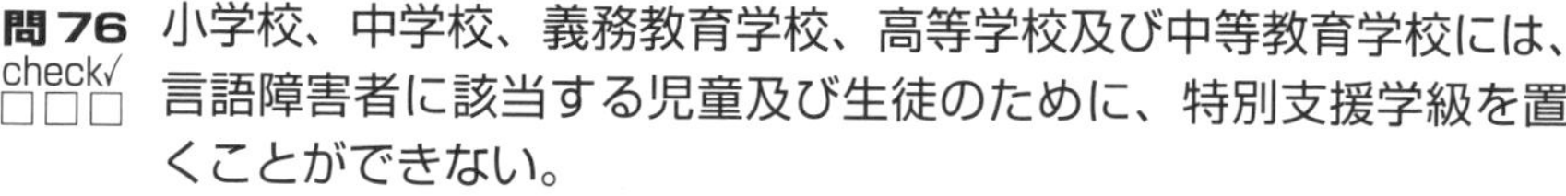
問76 check√ □□□
小学校、中学校、義務教育学校、高等学校及び中等教育学校には、言語障害者に該当する児童及び生徒のために、特別支援学級を置くことができない。

解答・解説

問 70 ×

特別支援学校の対象となるのは、視覚障害者、聴覚障害者、知的障害者、肢体不自由者又は病弱者（身体虚弱者を含む）であり、言語障害者は対象に含まれていない（学校教育法 72 条）。

問 71 ×

学校教育法 74 条は、「特別支援学校においては…、幼稚園、小学校、中学校、義務教育学校、高等学校又は中等教育学校の要請に応じて、第 81 条第 1 項に規定する幼児、児童又は生徒の教育に関し必要な助言又は援助を行うよう努めるものとする」と規定している。

問 72 ×

特別支援学校に原則として必ず置かなければならないのは、小学部及び中学部であり（学校教育法 76 条 1 項）、高等部を置くことは任意である（同条 2 項）。

問 73 ×

学校教育法 80 条は、「都道府県は、その区域内にある学齢児童及び学齢生徒のうち、視覚障害者、聴覚障害者、知的障害者、肢体不自由者又は病弱者で、その障害が第 75 条の政令で定める程度のものを就学させるに必要な特別支援学校を設置しなければならない」と規定している。

問 74 ○

学校教育法 81 条 2 項 1 号のとおりである。特別支援学級の対象となる児童生徒の種類をしっかり押さえておこう。

問 75 ○

学校教育法 81 条 2 項 2 号は、特別支援学級の対象として肢体不自由者を規定している。

問 76 ×

学校教育法 81 条 2 項 1 号～ 5 号は、特別支援学級の対象として言語障害者を規定していないが、同条項 6 号の「その他障害のある者で、特別支援学級において教育を行うことが適当なもの」として、言語障害者も特別支援学級の対象となりうる。

以下の記述を読み、正しいものには○、誤っているものには×をつけよ。

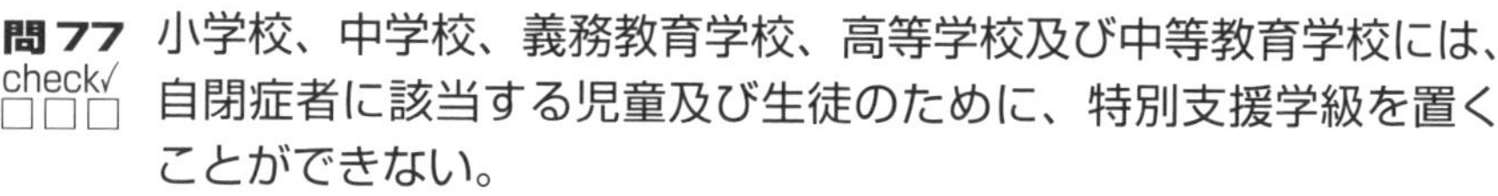

問 77 check√
小学校、中学校、義務教育学校、高等学校及び中等教育学校には、自閉症者に該当する児童及び生徒のために、特別支援学級を置くことができない。

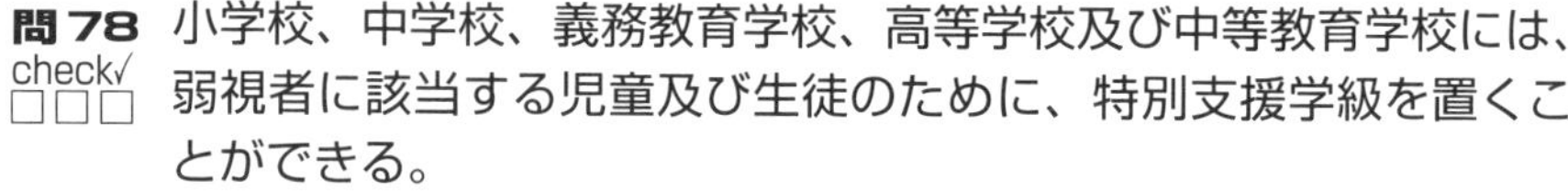

問 78 check√
小学校、中学校、義務教育学校、高等学校及び中等教育学校には、弱視者に該当する児童及び生徒のために、特別支援学級を置くことができる。

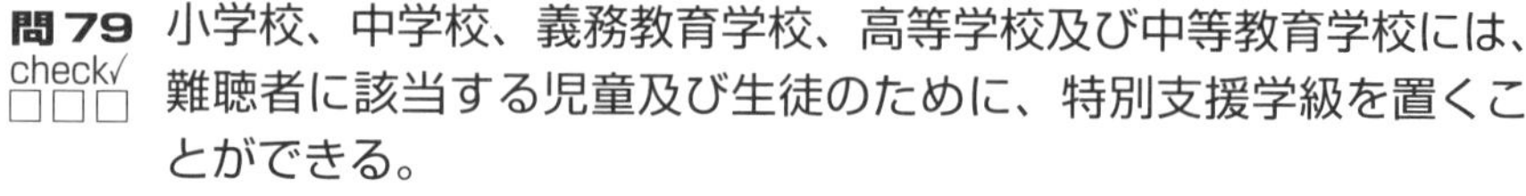

問 79 check√
小学校、中学校、義務教育学校、高等学校及び中等教育学校には、難聴者に該当する児童及び生徒のために、特別支援学級を置くことができる。

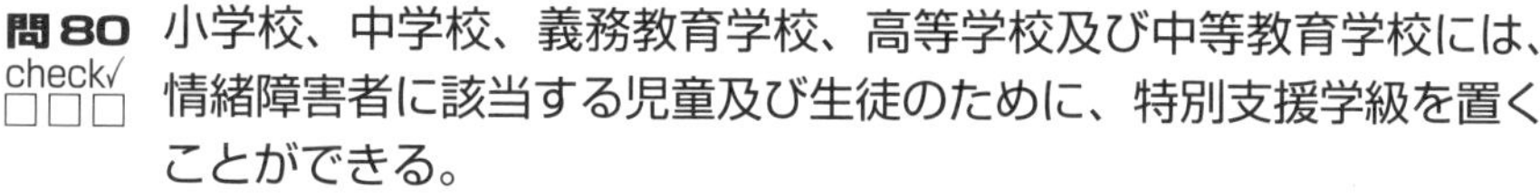

問 80 check√
小学校、中学校、義務教育学校、高等学校及び中等教育学校には、情緒障害者に該当する児童及び生徒のために、特別支援学級を置くことができる。

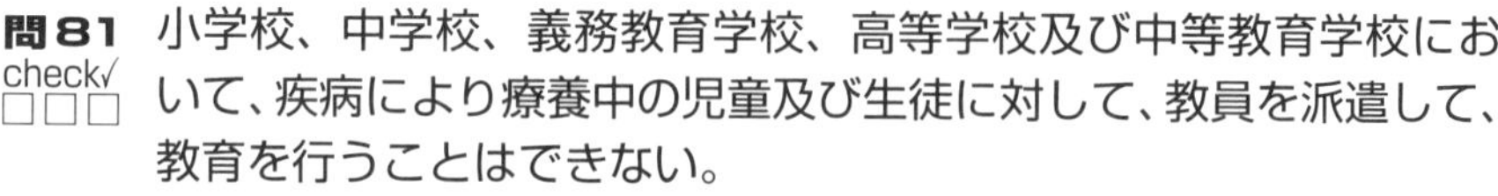

問 81 check√
小学校、中学校、義務教育学校、高等学校及び中等教育学校において、疾病により療養中の児童及び生徒に対して、教員を派遣して、教育を行うことはできない。

問 82 check√
市町村の教育委員会の許可を得て、学校には、社会教育に関する施設を附置し、又は学校の施設を社会教育その他公共のために利用させることができる。

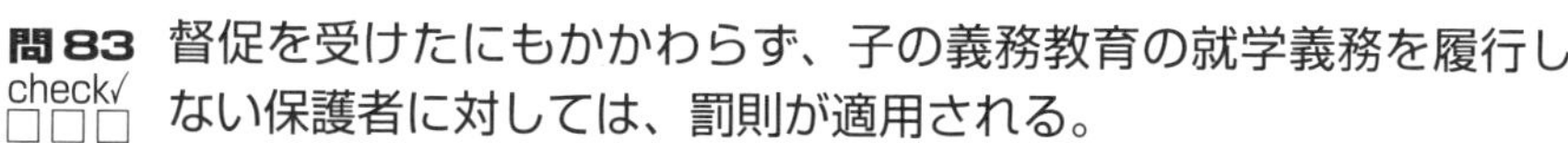

問 83 check√
督促を受けたにもかかわらず、子の義務教育の就学義務を履行しない保護者に対しては、罰則が適用される。

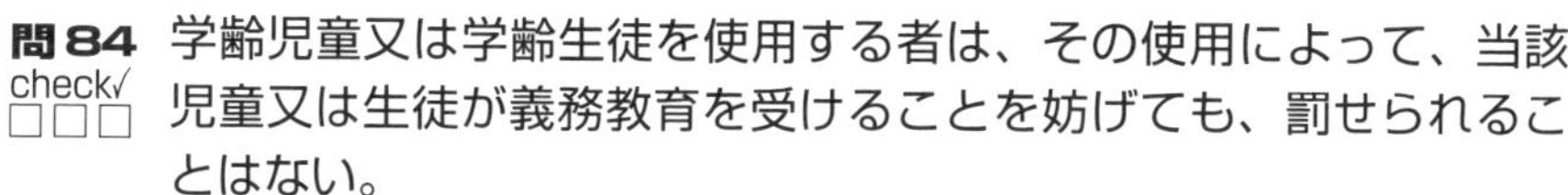

問 84 check√
学齢児童又は学齢生徒を使用する者は、その使用によって、当該児童又は生徒が義務教育を受けることを妨げても、罰せられることはない。

解答・解説

問77 × 学校教育法81条2項1号～5号は、特別支援学級の対象として自閉症者を特に規定していないが、言語障害者と同様、「その他障害のある者で、特別支援学級において教育を行うことが適当なもの」として、自閉症者も特別支援学級の対象となりうる。

問78 ○ 学校教育法81条2項4号のとおりである。弱視者は特別支援学級の対象となる。

問79 ○ 学校教育法81条2項5号のとおりである。難聴者も特別支援学級の対象となる。

問80 ○ 学校教育法81条2項1号～5号は、特別支援学級の対象として情緒障害者を規定していないが、同条項6号の「その他障害のある者で、特別支援学級において教育を行うことが適当なもの」として、情緒障害者も特別支援学級の対象となりうる。

問81 × 学校教育法81条3項は、疾病により療養中の児童及び生徒に対して、特別支援学級を設けることができるほか、教員を派遣して、教育を行うことができることも定めている。

問82 × 学校教育上支障のない限り、学校には、社会教育に関する施設を附置し、又は学校の施設を社会教育その他公共のために、利用させることができる（学校教育法137条）。市町村教育委員会の許可は不要である。

問83 ○ 就学義務を履行しない保護者は、10万円以下の罰金に処せられる（学校教育法144条1項）。

問84 × 学齢児童又は学齢生徒が義務教育を受けることを妨げる使用者は、10万円以下の罰金に処せられる（学校教育法145条）。

教育法規　学校教育法施行規則

以下の記述を読み、正しいものには○、誤っているものには×をつけよ。

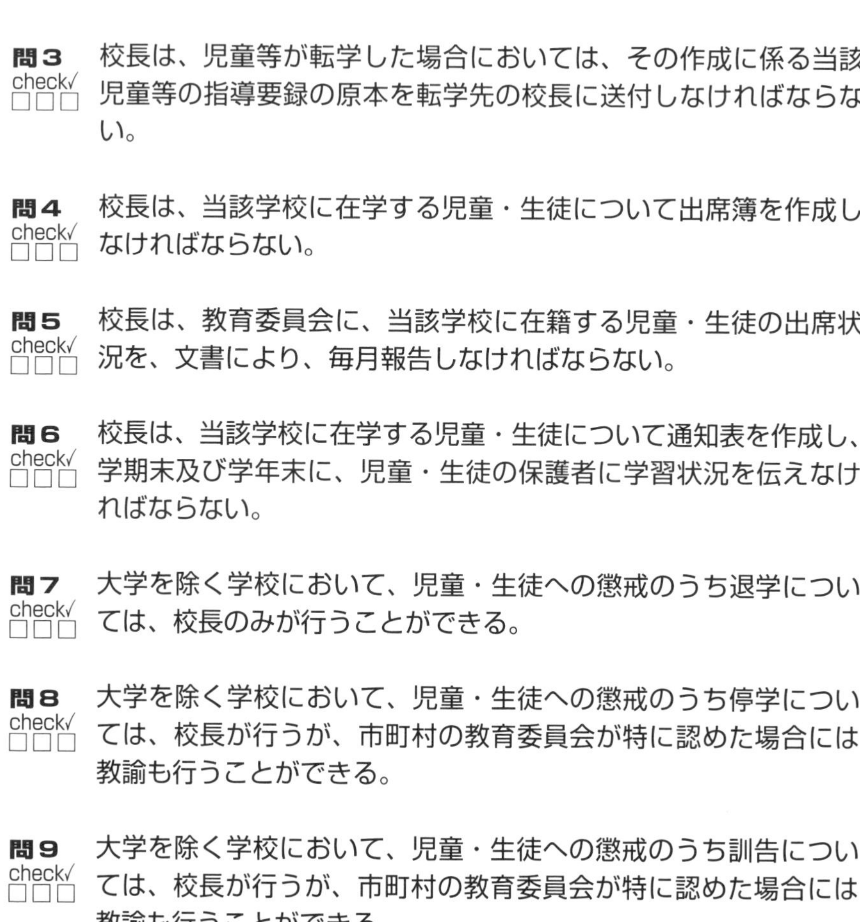

問1 check√ □□□
校長は、その学校に在学する児童・生徒の指導要録を作成しなければならない。

問2 check√ □□□
校長は、児童等が進学した場合においては、その作成に係る当該児童等の指導要録の原本を進学先の校長に送付しなければならない。

問3 check√ □□□
校長は、児童等が転学した場合においては、その作成に係る当該児童等の指導要録の原本を転学先の校長に送付しなければならない。

問4 check√ □□□
校長は、当該学校に在学する児童・生徒について出席簿を作成しなければならない。

問5 check√ □□□
校長は、教育委員会に、当該学校に在籍する児童・生徒の出席状況を、文書により、毎月報告しなければならない。

問6 check√ □□□
校長は、当該学校に在学する児童・生徒について通知表を作成し、学期末及び学年末に、児童・生徒の保護者に学習状況を伝えなければならない。

問7 check√ □□□
大学を除く学校において、児童・生徒への懲戒のうち退学については、校長のみが行うことができる。

問8 check√ □□□
大学を除く学校において、児童・生徒への懲戒のうち停学については、校長が行うが、市町村の教育委員会が特に認めた場合には教諭も行うことができる。

問9 check√ □□□
大学を除く学校において、児童・生徒への懲戒のうち訓告については、校長が行うが、市町村の教育委員会が特に認めた場合には教諭も行うことができる。

解答・解説

問1 ○ 学校教育法施行規則24条1項により、校長にはその学校に在学する児童等の指導要録の作成義務がある。

問2 × 学校教育法施行規則24条2項によると、児童等が進学した場合に校長が進学先の校長に送付しなければならないのは、当該児童等の指導要録の抄本又は写しである。

問3 × 学校教育法施行規則24条3項によると、児童等が転学した場合も、校長は転学先の校長に当該児童等の指導要録の抄本又は写しを送付しなければならない。

問4 ○ 学校教育法施行規則25条により、校長には出席簿の作成義務がある。

問5 × 児童・生徒の出席状況について、校長に教育委員会への報告義務はない。

問6 × 校長に通知表の作成義務はない。

問7 ○ 児童・生徒を退学させることができるのは、校長だけである（学校教育法施行規則26条2項）。

問8 × 児童・生徒を停学させることができるのも、校長だけである（学校教育法施行規則26条2項）。

問9 × 学校教育法施行規則26条2項にあるとおり、退学・停学・訓告を行うことができるのは、校長だけである。

教育法規　学校教育法施行規則

以下の記述を読み、正しいものには○、誤っているものには×をつけよ。

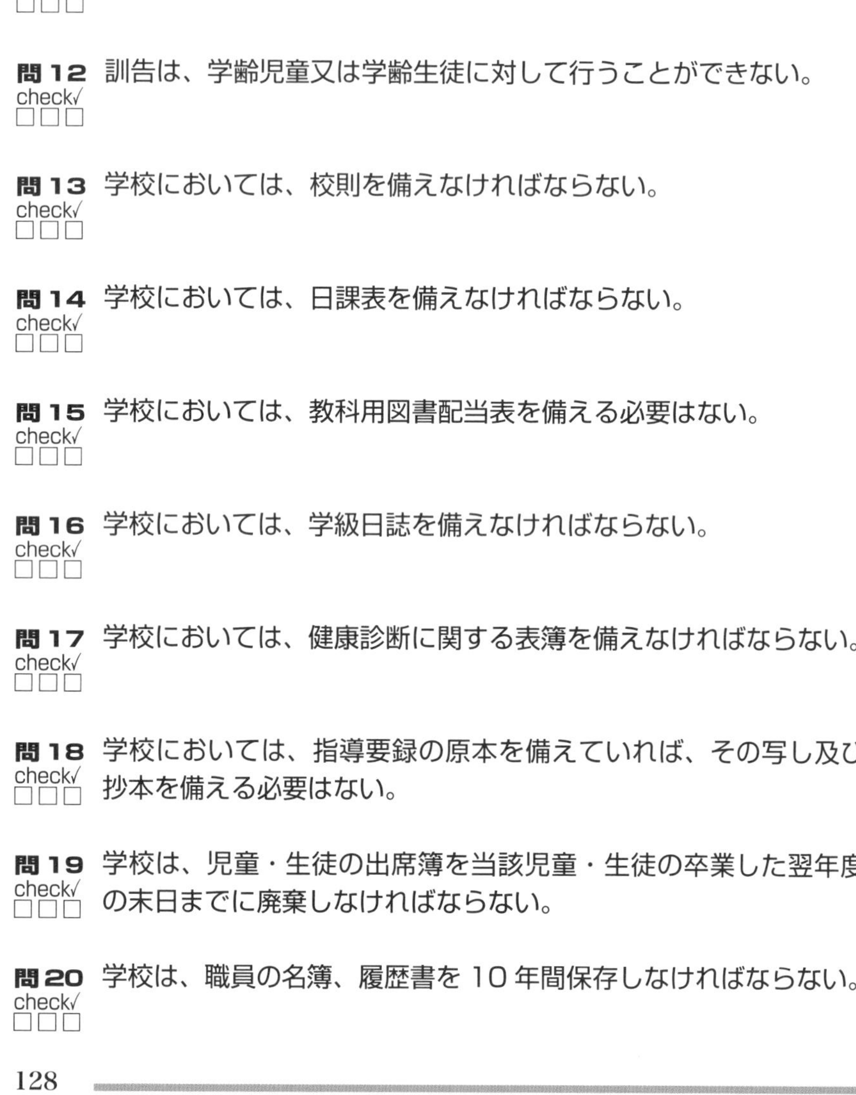

問10 check√ □□□
退学は、公立の小学校、中学校（併設型中学校を除く）、義務教育学校又は特別支援学校に在学する学齢児童又は学齢生徒に対して行うことができない。

問11 check√ □□□
停学は、学齢児童又は学齢生徒に対して行うことができない。

問12 check√ □□□
訓告は、学齢児童又は学齢生徒に対して行うことができない。

問13 check√ □□□
学校においては、校則を備えなければならない。

問14 check√ □□□
学校においては、日課表を備えなければならない。

問15 check√ □□□
学校においては、教科用図書配当表を備える必要はない。

問16 check√ □□□
学校においては、学級日誌を備えなければならない。

問17 check√ □□□
学校においては、健康診断に関する表簿を備えなければならない。

問18 check√ □□□
学校においては、指導要録の原本を備えていれば、その写し及び抄本を備える必要はない。

問19 check√ □□□
学校は、児童・生徒の出席簿を当該児童・生徒の卒業した翌年度の末日までに廃棄しなければならない。

問20 check√ □□□
学校は、職員の名簿、履歴書を10年間保存しなければならない。

解答・解説

問 10 ○
学校教育法施行規則 26 条 3 項のとおりである。退学は「公立の」小学校、中学校（併設型中学校を除く）、義務教育学校又は特別支援学校に在学する児童生徒に対しては行うことができない。

問 11 ○
学校教育法施行規則 26 条 4 項のとおりである。「学齢児童」又は「学齢生徒」に対しては、停学を行うことができない。

問 12 ×
学齢児童又は学齢生徒に対する訓告を禁じる規定はないため、認められるものと解される。

問 13 ×
学校教育法施行規則 28 条 1 項 2 号によると、学校が備えなければならないのは学則である。

問 14 ○
学校教育法施行規則 28 条 1 項 2 号のとおりである。日課表は、学校において備えなければならない表簿の 1 つである。

問 15 ×
学校教育法施行規則 28 条 1 項 2 号によると、教科用図書配当表も、学校において備えなければならない表簿の 1 つである。

問 16 ×
学校教育法施行規則 28 条 1 項 2 号によると、学校が備えなければならないのは学級日誌ではなく、学校日誌である。

問 17 ○
学校教育法施行規則 28 条 1 項 4 号のとおりである。健康診断に関する表簿も学校において備えなければならない。

問 18 ×
学校教育法施行規則 28 条 1 項 4 号によると、指導要録の原本だけでなく、その写し及び抄本も備えなければならない。

問 19 ×
出席簿の保存期間は 5 年間である（学校教育法施行規則 28 条 2 項本文）。

問 20 ×
学校教育法施行規則 28 条 2 項本文によると、職員の名簿、履歴書の保存期間は 5 年間である。

学校教育法施行規則

以下の記述を読み、正しいものには○、誤っているものには×をつけよ。

問21 check√ □□□
学校は、担任学級、担任の教科又は科目及び時間表を5年間保存しなければならない。

問22 check√ □□□
学校は、入学、卒業等の学籍に関する記録を20年間保存しなければならない。

問23 check√ □□□
校長は、学校教育法施行令の規定により学齢簿を磁気ディスクをもって調製する場合には、電子計算機の操作によるものとする。

問24 check√ □□□
幼稚園の毎学年の教育週数は、特別の事情のある場合を除き、40週を下ってはならない。

問25 check√ □□□
小学校の学級数は、18学級以上24学級以下を標準とする。

問26 check√ □□□
小学校においては、学力向上に向けた学校運営が行われるためにふさわしい校務分掌の仕組みを整えるものとする。

問27 check√ □□□
小学校においては、原則として生徒指導主事を置かなければならない。

問28 check√ □□□
小学校においては、教務主任の担当する校務を整理する主幹教諭を置くときは、教務主任を置かないことができる。

問29 check√ □□□
教諭は、教務主任を務めることはできない。

解答・解説

問 21 ○ 学校教育法施行規則 28 条 2 項本文により、担任学級、担任の教科又は科目及び時間表の保存期間は、5 年間である。

問 22 ○ 学校教育法施行規則 28 条 2 項但書により、指導要録及びその写しのうち入学、卒業等の学籍に関する記録の保存期間は 20 年間とされている。すなわち、指導要録及びその写しのうち学籍に関する記録の保存期間は 20 年間で、それ以外の表簿の保存期間は 5 年間である。

問 23 × 学齢簿の調製義務があるのは、市町村の教育委員会である（学校教育法施行規則 29 条 1 項参照）。

問 24 × 学校教育法施行規則 37 条によると、幼稚園の毎学年の教育週数は、原則として 39 週を下ってはならない。

問 25 × 小学校の学級数は、12 学級以上 18 学級以下が標準とされている（学校教育法施行規則 41 条）。

問 26 × 学校教育法施行規則 43 条は、「小学校においては、調和のとれた学校運営が行われるためにふさわしい校務分掌の仕組みを整えるものとする」と規定している。

問 27 × 小学校に生徒指導主事を置く義務はない。生徒指導主事の設置義務があるのは中学校である（学校教育法施行規則 70 条 1 項）。

問 28 ○ 小学校には原則として教務主任を置かなければならない（学校教育法施行規則 44 条 1 項）が、教務主任の担当する校務を整理する主幹教諭を置くときは教務主任を置かなくてもよい（同条 2 項）。

問 29 × 学校教育法施行規則 44 条 3 項によると、「教務主任及び学年主任は、指導教諭又は教諭をもつて、これに充てる」とされており、教諭と教務主任の兼任は認められる。

以下の記述を読み、正しいものには○、誤っているものには×をつけよ。

問30 check√ □□□
高等学校においては、原則として進路指導主事を置かなければならない。

問31 check√ □□□
高等学校においては、研究主任を置かなければならない。

問32 check√ □□□
学年主任は、教務主任の監督を受け、当該学年の教育活動に関する事項について連絡調整及び指導、助言に当たる。

問33 check√ □□□
小学校においては、原則として保健主事を置かなければならない。

問34 check√ □□□
教諭は、保健主事を務めることはできない。

問35 check√ □□□
保健主事は、校長の監督を受け、小学校における保健に関する事項の管理に当たる。

問36 check√ □□□
小学校には、校長の職務の円滑な執行に資するため、職員会議を置かなければならない。

問37 check√ □□□
職員会議は、校長が主宰する。

問38 check√ □□□
校長の求めに応じ、学校運営に関し意見を述べる学校評議員は、私立学校に置くことは認められるが、公立学校に置くことは認められない。

解答・解説

問 30 ○ 高等学校においては、中学校と同様に、原則として、進路指導主事を置かなければならない(学校教育法施行規則 71 条 1 項、2 項、104 条 1 項)。

問 31 × 高等学校だけでなく、いずれの種類の学校にも研究主任を置く義務はない。

問 32 × 学校教育法施行規則 44 条 5 項によると、学年主任は校長の監督を受ける。

問 33 ○ 学校教育法施行規則 45 条 1 項により正しい。学校には原則として保健主事を置かなければならないが、保健主事の担当する校務を整理する主幹教諭を置くときその他特別の事情のあるときは、保健主事を置かないことができる(同条 2 項)。

問 34 × 学校教育法施行規則 45 条 3 項によると、「保健主事は、指導教諭、教諭又は養護教諭をもつて、これに充てる」とされており、教諭と保健主事の兼任は認められる。

問 35 ○ 学校教育法施行規則 45 条 4 項により正しい。学年主任同様、保健主事は校長の監督を受ける。

問 36 × 学校教育法施行規則 48 条 1 項は、「小学校には、設置者の定めるところにより、校長の職務の円滑な執行に資するため、職員会議を置くことができる」と規定している。職員会議の設置は任意であり、義務ではない。

問 37 ○ 学校教育法施行規則 48 条 2 項により、職員会議の主宰者は校長である。

問 38 × 学校教育法施行規則 49 条 1 項によると、公立学校にも学校評議員を置くことが認められる。

教育法規　学校教育法施行規則

以下の記述を読み、正しいものには○、誤っているものには×をつけよ。

問39
check√ □□□

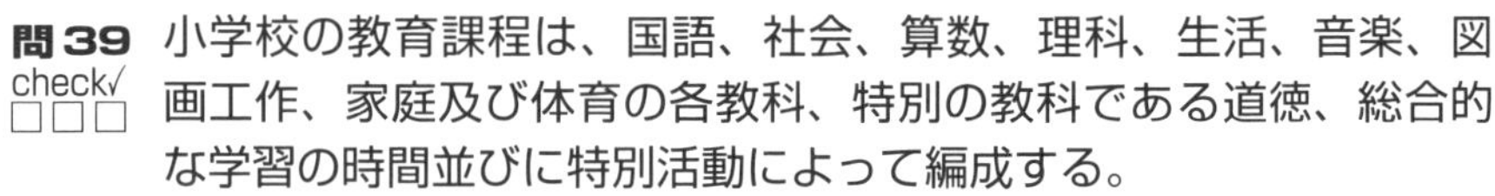
小学校の教育課程は、国語、社会、算数、理科、生活、音楽、図画工作、家庭及び体育の各教科、特別の教科である道徳、総合的な学習の時間並びに特別活動によって編成する。

問40
check√ □□□

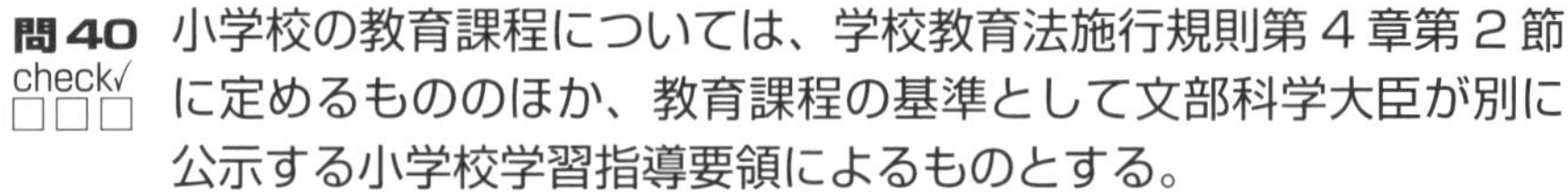
小学校の教育課程については、学校教育法施行規則第４章第２節に定めるもののほか、教育課程の基準として文部科学大臣が別に公示する小学校学習指導要領によるものとする。

問41
check√ □□□

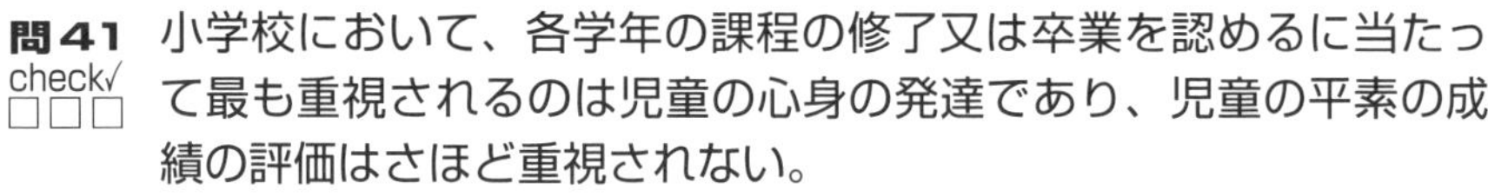
小学校において、各学年の課程の修了又は卒業を認めるに当たって最も重視されるのは児童の心身の発達であり、児童の平素の成績の評価はさほど重視されない。

問42
check√ □□□

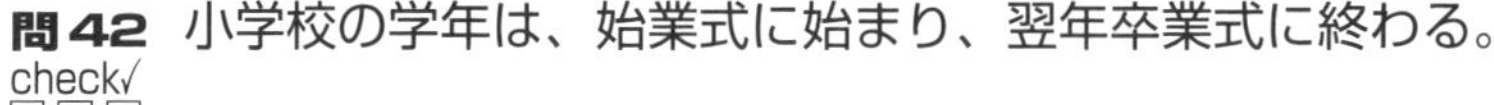
小学校の学年は、始業式に始まり、翌年卒業式に終わる。

問43
check√ □□□

授業終始の時刻は、校長が定める。

問44
check√ □□□

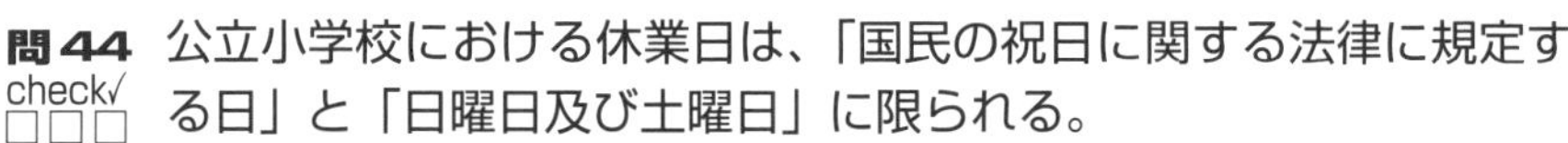
公立小学校における休業日は、「国民の祝日に関する法律に規定する日」と「日曜日及び土曜日」に限られる。

問45
check√ □□□

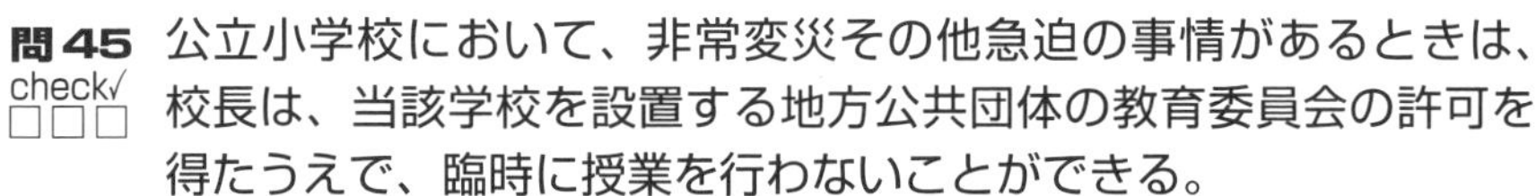
公立小学校において、非常変災その他急迫の事情があるときは、校長は、当該学校を設置する地方公共団体の教育委員会の許可を得たうえで、臨時に授業を行わないことができる。

問 39 ×　学校教育法施行規則 50 条 1 項によると、小学校の教育課程は、国語、社会、算数、理科、生活、音楽、図画工作、家庭及び体育の各教科、特別の教科である道徳、外国語活動、総合的な学習の時間並びに特別活動によって編成するものとされている。外国語活動は、言語や文化について体験的に理解を深め、外国語の音声や基本的な表現に慣れ親しませながら、コミュニケーション能力の素地を養うことを目標としている。

問 40 ○　学校教育法施行規則 52 条のとおりである。「教育課程の基準」「文部科学大臣」「公示」「小学校学習指導要領」というところがポイント。

問 41 ×　学校教育法施行規則 57 条は、「小学校において、各学年の課程の修了又は卒業を認めるに当たつては、児童の平素の成績を評価して、これを定めなければならない」と規定しており、児童の平素の成績の評価も十分重視される。

問 42 ×　小学校の学年は 4 月 1 日に始まり、翌年 3 月 31 日に終わる（学校教育法施行規則 59 条）。

問 43 ○　学校教育法施行規則 60 条のとおりである。授業終始の時刻を定めるのは校長である。よく問われるのでしっかり押さえておこう。

問 44 ×　そのほか、「学校教育法施行令の規定により教育委員会が定める日」も公立学校の休業日となる（学校教育法施行規則 61 条）。

問 45 ×　非常変災その他急迫の事情があるときは、校長は、臨時に授業を行わないことができる。この場合、この旨を当該学校を設置する地方公共団体の教育委員会に報告しなければならない（学校教育法施行規則 63 条）が、教育委員会の事前の許可は必要ない。

教育法規 学校教育法施行規則

以下の記述を読み、正しいものには○、誤っているものには×をつけよ。

問46 check✓ □□□
小学校は、当該小学校の教育活動その他の学校運営の状況について、広く評価を行い、その結果を公表するものとする。

問47 check✓ □□□
小学校は、学校教育法施行規則第66条第1項による評価の結果を踏まえた当該小学校の児童の保護者その他の当該小学校の関係者（当該小学校の職員を除く）による評価を行い、その結果を公表するよう努めるものとする。

問48 check✓ □□□
高等学校の教育課程は、学校教育法施行規則別表に定める各教科に属する科目、総合的な学習の時間によって編成するものとする。

問49 check✓ □□□
高等学校の教育課程については、学校教育法施行規則第6章に定めるもののほか、教育課程の基準として文部科学大臣が別に公示する高等学校学習指導要領によるものとする。

問50 check✓ □□□
高等学校においては、文部科学大臣の検定を経た教科用図書又は文部科学省が著作の名義を有する教科用図書を使用しなければならない。

問51 check✓ □□□
高等学校の校長は、教育上有益と認めるときは、生徒が外国の高等学校に留学することを許可することができるが、留学することを許可された生徒について、外国の高等学校における履修を高等学校における履修とみなし、単位の修得を認定することはできない。

解答・解説

問 46 × 学校教育法施行規則 66 条 1 項は、「小学校は、当該小学校の教育活動その他の学校運営の状況について、自ら評価を行い、その結果を公表するものとする」と規定している。

問 47 ○ 学校教育法施行規則 67 条により正しい。評価を行うのは、保護者その他の当該小学校の関係者（当該小学校の職員を除く）であることを押さえておこう。

問 48 × 学校教育法施行規則 83 条によると、高等学校の教育課程は、学校教育法施行規則別表に定める各教科に属する科目、総合的な探究の時間のほか、特別活動によって編成される。

問 49 ○ 学校教育法施行規則 84 条により正しい。「教育課程の基準」「文部科学大臣」「公示」「高等学校学習指導要領」というところがポイント。

問 50 × 学校教育法施行規則 89 条によると「高等学校においては、文部科学大臣の検定を経た教科用図書又は文部科学省が著作の名義を有する教科用図書のない場合には、当該高等学校の設置者の定めるところにより、他の適切な教科用図書を使用することができる」とされている。高等学校においては、必ずしも文部科学大臣の検定を経た教科用図書、又は文部科学省が著作の名義を有する教科用図書の使用義務があるわけではない。

問 51 × 生徒が留学した場合、校長は外国の高等学校における履修を高等学校における履修とみなし、36 単位を超えない範囲で単位の修得を認定することができる（学校教育法施行規則 93 条 2 項）。

以下の記述を読み、正しいものには○、誤っているものには×をつけよ。

問 52 check√ □□□
高等学校においては、学年主任の担当する校務を整理する主幹教諭を置くときは、学年主任を置かないことができる。

問 53 check√ □□□
学年は、4月1日に始まり、翌年3月31日に終わるが、修業年限が4年を超える定時制の課程を置く場合は、その最終の学年は、4月1日に始まり、9月30日に終わるものとすることができる。

問 54 check√ □□□
中等教育学校の入学は、設置者の定めるところにより、校長が許可するが、この場合において、公立の中等教育学校については、学力検査を行わないものとする。

問 55 check√ □□□
高等学校の入学は、調査書その他必要な書類、選抜のための学力検査の成績等を資料として行う入学者の選抜に基づいて、校長が許可する。

問 56 check√ □□□
併設型高等学校の入学は、当該高等学校に係る併設型中学校の生徒についても、調査書その他必要な書類、選抜のための学力検査の成績等を資料として行う入学者の選抜に基づいて、校長が許可する。

問 57 check√ □□□
特別支援学校の小学部又は中学部の一学級の児童又は生徒の数は、法令に特別の定めのある場合を除き、視覚障害者又は聴覚障害者である児童又は生徒に対する教育を行う学級にあっては15人以下を、知的障害者、肢体不自由者又は病弱者（身体虚弱者を含む）である児童又は生徒に対する教育を行う学級にあっては20人以下を標準とする。

問 58 check√ □□□
特別支援学校の小学部及び中学部において、一学級当たりに置く教諭等の数は1人である。

解答・解説

問 52
○

高等学校には原則として学年主任を置かなければならないが、学年主任の担当する校務を整理する主幹教諭を置くときは学年主任を置かなくてもよい（学校教育法施行規則 104 条 1 項、44 条 1 項及び 2 項）。

問 53
×

設問文にあるような学年の終始の特例が認められるのは、修業年限が 3 年を超える定時制の課程を置く場合である（学校教育法施行規則 104 条 2 項）。

問 54
○

学校教育法施行規則 110 条 2 項により正しい。公立の中等教育学校については入学の際、学力検査は行われないということを押さえておこう。

問 55
○

学校教育法施行規則 90 条 1 項により正しい。高等学校の入学試験の実施は、この規定が根拠となっている。

問 56
×

学校教育法施行規則 116 条によると、併設型高等学校においては、当該高等学校に係る併設型中学校の生徒については、入学者の選抜は行わないものとされている。

問 57
×

特別支援学校の小学部又は中学部の一学級の児童・生徒の数は、原則として、視覚障害者又は聴覚障害者である児童・生徒に対する教育を行う学級にあっては 10 人以下を、知的障害者、肢体不自由者又は病弱者（身体虚弱者を含む）である児童・生徒に対する教育を行う学級にあっては 15 人以下を標準とする（学校教育法施行規則 120 条 2 項）。

問 58
×

特別支援学校の小学部において、一学級当たりに置く教諭等の数は 1 人以上だが（学校教育法施行規則 122 条 2 項）、中学部においては、一学級当たり 2 人置くことが基準とされている（同条 3 項）。

教育法規　学校教育法施行規則

以下の記述を読み、正しいものには○、誤っているものには×をつけよ。

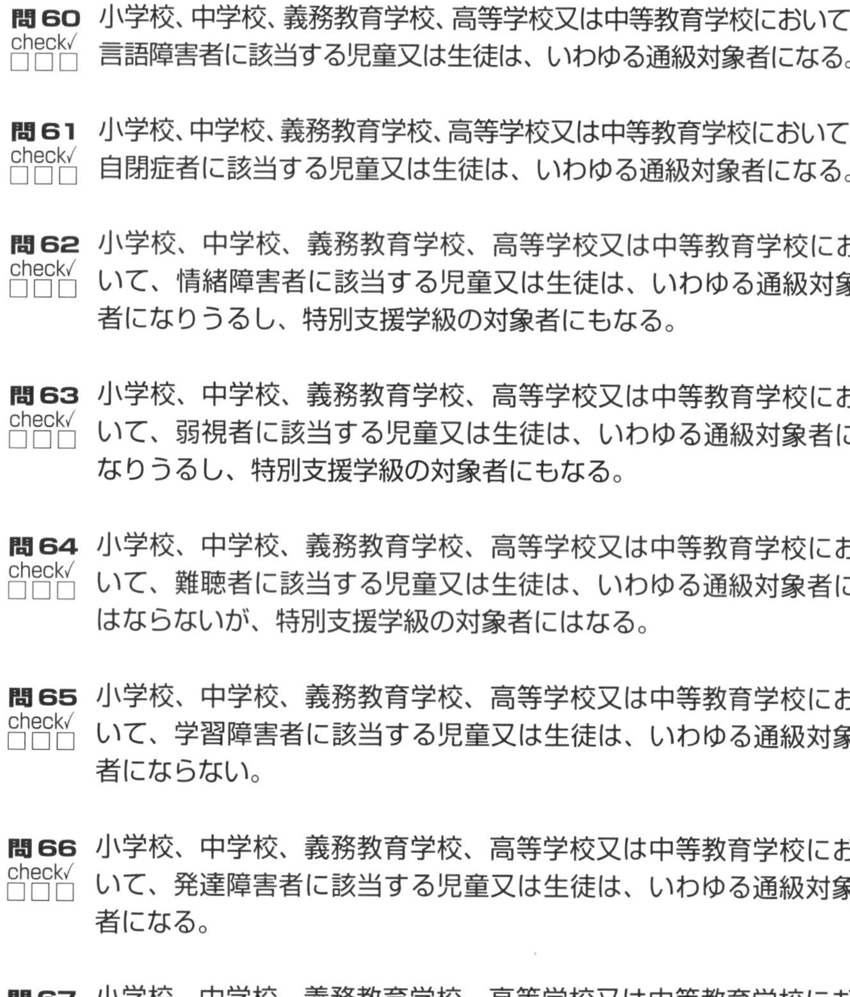

問59 check√ □□□
特別支援学校の高等部の教育課程は、各教科に属する科目、総合的な学習の時間、特別活動並びに自立活動によって編成するものとする。

問60 check√ □□□
小学校、中学校、義務教育学校、高等学校又は中等教育学校において、言語障害者に該当する児童又は生徒は、いわゆる通級対象者になる。

問61 check√ □□□
小学校、中学校、義務教育学校、高等学校又は中等教育学校において、自閉症者に該当する児童又は生徒は、いわゆる通級対象者になる。

問62 check√ □□□
小学校、中学校、義務教育学校、高等学校又は中等教育学校において、情緒障害者に該当する児童又は生徒は、いわゆる通級対象者になりうるし、特別支援学級の対象者にもなる。

問63 check√ □□□
小学校、中学校、義務教育学校、高等学校又は中等教育学校において、弱視者に該当する児童又は生徒は、いわゆる通級対象者になりうるし、特別支援学級の対象者にもなる。

問64 check√ □□□
小学校、中学校、義務教育学校、高等学校又は中等教育学校において、難聴者に該当する児童又は生徒は、いわゆる通級対象者にはならないが、特別支援学級の対象者にはなる。

問65 check√ □□□
小学校、中学校、義務教育学校、高等学校又は中等教育学校において、学習障害者に該当する児童又は生徒は、いわゆる通級対象者にならない。

問66 check√ □□□
小学校、中学校、義務教育学校、高等学校又は中等教育学校において、発達障害者に該当する児童又は生徒は、いわゆる通級対象者になる。

問67 check√ □□□
小学校、中学校、義務教育学校、高等学校又は中等教育学校において、注意欠陥多動性障害者に該当する児童又は生徒は、いわゆる通級対象者になる。

解答・解説

問 59 ×
平成 31 年 2 月の改正により、「総合的な学習の時間」は、「総合的な探究の時間」に変更された(学校教育法施行規則 128 条 1 項)。

問 60 ○
学校教育法施行規則 140 条 1 号により正しい。通級対象者とは、障害のない児童・生徒の学級に在籍しつつ特別の指導を受ける児童・生徒のことをいう。言語障害者に該当する児童・生徒は、通級対象者になる。

問 61 ○
自閉症者に該当する児童・生徒も通級対象者になる（学校教育法施行規則 140 条 2 号)。

問 62 ○
情緒障害者は通級対象者になる(学校教育法施行規則 140 条 3 号)し、特別支援学級の対象者にもなる(学校教育法 81 条 2 項 6 号)。

問 63 ○
弱視者は通級対象者になる(学校教育法施行規則 140 条 4 号)し、特別支援学級の対象者にもなる（学校教育法 81 条 2 項 4 号)。

問 64 ×
難聴者は通級対象者になる(学校教育法施行規則 140 条 5 号)し、特別支援学級の対象者にもなる（学校教育法 81 条 2 項 5 号)。

問 65 ×
学習障害者は通級対象者になる（学校教育法施行規則 140 条 6 号)。

問 66 ○
発達障害者は通級対象者になる（学校教育法施行規則 140 条参照)。

問 67 ○
学校教育法施行規則 140 条 7 号のとおりである。注意欠陥多動性障害者は特別支援学級の対象者にならない（学校教育法 81 条 2 項参照）が、通級対象者にはなることに注意。

教育法規　地方公務員法

以下の記述を読み、正しいものには○、誤っているものには×をつけよ。

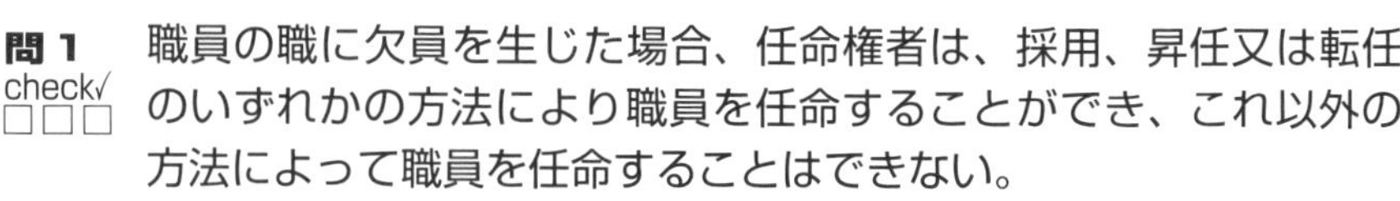

問1 check√ □□□
職員の職に欠員を生じた場合、任命権者は、採用、昇任又は転任のいずれかの方法により職員を任命することができ、これ以外の方法によって職員を任命することはできない。

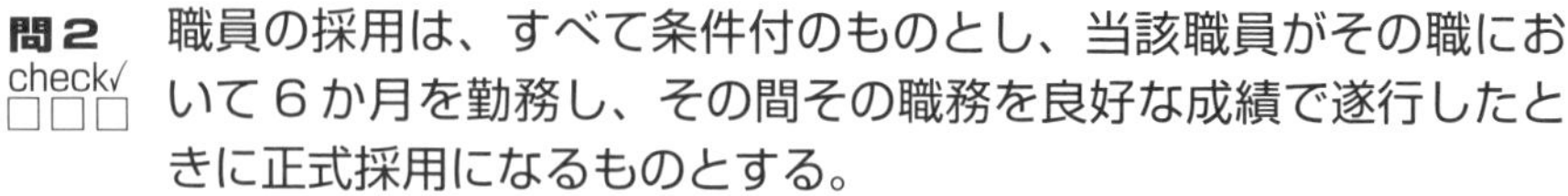

問2 check√ □□□
職員の採用は、すべて条件付のものとし、当該職員がその職において６か月を勤務し、その間その職務を良好な成績で遂行したときに正式採用になるものとする。

問3 check√ □□□
職員の給与を定める際は、生計費、国及び他の地方公共団体の職員の給与、民間事業の従事者の給与その他の事情が考慮される。

問4 check√ □□□
職員は、分限処分として免職されることはない。

問5 check√ □□□
職員が、休日に酒酔い運転をして子どもを死亡させ、危険運転致死罪で起訴された場合においては、その意に反して、これを降任し、又は免職することができる。

問6 check√ □□□
職員に全体の奉仕者たるにふさわしくない非行があった場合、懲戒処分として戒告、減給をすることは認められるが、停職又は免職をすることまでは認められず、これをするには裁判上の手続が必要となる。

問7 check√ □□□
すべて職員は、全体の奉仕者として公共の福祉のために勤務し、且つ、職務の遂行に当っては、全力を挙げてこれに専念しなければならない。

問8 check√ □□□
職員は、法律の定めるところにより、服務の宣誓をしなければならない。

解答・解説

問１ × 職員の職に欠員を生じた場合の任命方法には、採用、昇任、降任又は転任の４つがある（地方公務員法 17 条１項参照）。

問２ ○ 地方公務員法 22 条前段のとおりである。この場合、人事委員会等は、条件付採用の期間を６か月から１年に至るまで延長することができる（同条項後段）。

問３ ○ 地方公務員法 24 条２項のとおりである。地方公務員の給与を定める際には、国及び他の地方公共団体の職員の給与だけでなく、民間事業の従事者の給与も考慮される。

問４ × 職員も分限処分として免職されることがある（地方公務員法 27 条２項）。分限処分には、降任、免職、休職、降給の４つがある（同）。

問５ × 職員が刑事事件に関し起訴された場合、その意に反して、休職させることはできる（地方公務員法 28 条２項２号）が、降任又は免職させることはできない（同条１項参照）。

問６ × 地方公務員法 29 条１項３号によると、職員に全体の奉仕者たるにふさわしくない非行があった場合は、懲戒処分として戒告、減給だけでなく、停職又は免職の処分をすることができる。停職・免職に裁判上の手続は不要である。

問７ × 地方公務員法 30 条は、「すべて職員は、全体の奉仕者として公共の利益のために勤務し、且つ、職務の遂行に当つては、全力を挙げてこれに専念しなければならない」と規定している。

問８ × 地方公務員法 31 条は「職員は、条例の定めるところにより、服務の宣誓をしなければならない」と規定している。

地方公務員法

以下の記述を読み、正しいものには○、誤っているものには×をつけよ。

問9 check√ □□□
職員は、その職務を遂行するに当って、法令、条例、地方公共団体の規則及び地方公共団体の機関の定める規程に従い、且つ、上司の職務上の命令に忠実に従わなければならない。

問10 check√ □□□
職員は、その職務を遂行するに当って、上司の職務上の命令に忠実に従わなければならないが、その命令に重大かつ明白な瑕疵がある場合でも従わなければならない。

問11 check√ □□□
職員は、その職の信用を傷つけ、又は職員の職全体の不名誉となるような行為をしてはならない。

問12 check√ □□□
職員が勤務時間外に行った行為は、信用失墜行為の対象にはならない。

問13 check√ □□□
職員は、職務上知り得た秘密を漏らしてはならず、その職を退いた後も、無期限にその義務を負わなければならない。

問14 check√ □□□
職員が、職務上知り得た秘密を漏らした場合、懲戒処分の対象となるが、刑事罰の対象にはならない。

問15 check√ □□□
職員は、法令による証人、鑑定人等となり、職務上の秘密に属する事項を発表する場合においては、任命権者の許可を受けなければならない。

解答・解説

問 9 ○ 地方公務員法32条のとおりである。「上司」を「管理職」とする問題がしばしば出題されるので、注意すること。

問 10 × 原則として職員は、上司の職務上の命令に忠実に従わなければならないが、命令に重大かつ明白な瑕疵がある場合は例外とされている（判例）。

問 11 ○ 地方公務員法33条は、「職員は、その職の信用を傷つけ、又は職員の職全体の不名誉となるような行為をしてはならない」と規定している。同条は職員による信用失墜行為の禁止を規定したものである。

問 12 × 公務員の責任には業務上の責任と身分上の責任の2つがあり、信用失墜行為の禁止は身分上の責任である。したがって、勤務時間の内外を問わず、信用失墜行為の責任が課せられる。

問 13 ○ 地方公務員法34条1項は、「職員は、職務上知り得た秘密を漏らしてはならない。その職を退いた後も、また、同様とする」と規定している。秘密保持義務は、職を退いた後も無期限に課される。

問 14 × 職員が、職務上知り得た秘密を漏らした場合、懲戒処分の対象となる（地方公務員法29条1項2号）ほか、1年以下の懲役又は3万円以下の罰金に処せられる（60条2号）。

問 15 ○ 地方公務員法34条2項のとおりである。職員は、たとえ法令による証人、鑑定人等となる場合でも、任命権者の許可を受けなければ職務上の秘密に属する事項を発表してはならない。

以下の記述を読み、正しいものには○、誤っているものには×をつけよ。

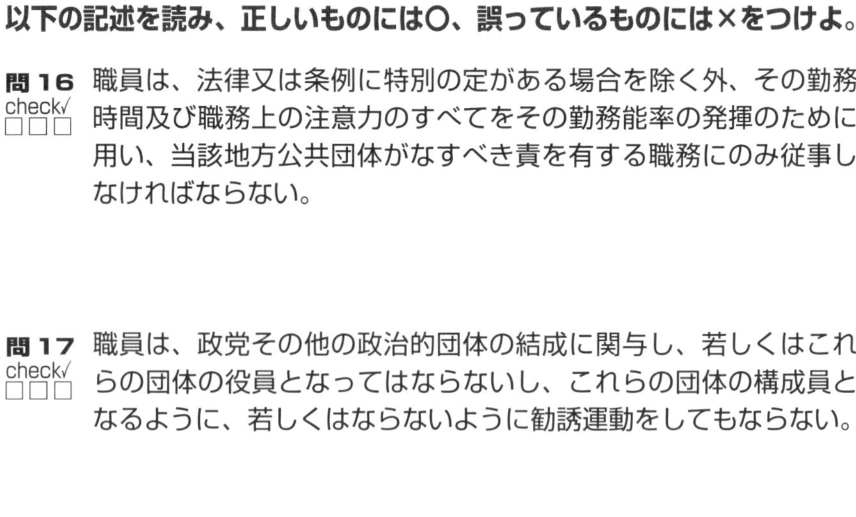

問16 check√ □□□
職員は、法律又は条例に特別の定がある場合を除く外、その勤務時間及び職務上の注意力のすべてをその勤務能率の発揮のために用い、当該地方公共団体がなすべき責を有する職務にのみ従事しなければならない。

問17 check√ □□□
職員は、政党その他の政治的団体の結成に関与し、若しくはこれらの団体の役員となってはならないし、これらの団体の構成員となるように、若しくはならないように勧誘運動をしてもならない。

問18 check√ □□□
職員は、当該職員の属する地方公共団体の区域の内外を問わず、特定の政党その他の政治的団体又は特定の内閣若しくは地方公共団体の執行機関を支持し、又はこれに反対する目的をもって、あるいは公の選挙又は投票において特定の人又は事件を支持し、又はこれに反対する目的をもって、公の選挙又は投票において投票をするように、又はしないように勧誘運動をしてはならない。

問19 check√ □□□
職員は、地方公共団体の機関が代表する使用者である任命権者に対して同盟罷業、怠業その他の争議行為をし、又は地方公共団体の機関の活動能率を低下させる怠業的行為をしてはならない。

問20 check√ □□□
職員は、任命権者の許可を得ることなく、自ら営利企業を営むことができる。

問21 check√ □□□
職員には、その勤務能率の発揮及び増進のために、研修を受ける機会を与えることができる。

解答・解説

問16 × 地方公務員法35条は、「職員は、法律又は条例に特別の定がある場合を除く外、その勤務時間及び職務上の注意力のすべてをその職責遂行のために用い、当該地方公共団体がなすべき責を有する職務にのみ従事しなければならない」と規定している。勤務時間及び職務上の注意力のすべてを「勤務能率の発揮」ではなく、「職責遂行」のために用いなければならない。

問17 ○ 地方公務員法36条1項のとおりである。職員には、政党その他の政治的団体の結成への関与、これらの団体の役員となること、これらの団体の構成員となるように、もしくはならないように勧誘運動をすることが禁止される。

問18 × 地方公務員法36条2項1号によると、職員が公の選挙又は投票において投票をするように、又はしないように勧誘運動することは、当該職員の属する地方公共団体の区域の外であれば認められる。

問19 × 地方公務員法37条1項は、「職員は、地方公共団体の機関が代表する使用者としての住民に対して同盟罷業、怠業その他の争議行為をし、又は地方公共団体の機関の活動能率を低下させる怠業的行為をしてはならない」と規定している。

問20 × 地方公務員法38条1項は、「職員は、任命権者の許可を受けなければ、…自ら営利企業を営み、又は報酬を得ていかなる事業若しくは事務にも従事してはならない」と、職員による営利企業の営業を原則禁止している。

問21 × 地方公務員法39条1項によると、職員には研修を受ける機会を「与えることができる」のではなく、研修を受ける機会が「与えられなければならない」。

教育法規　教育公務員特例法

以下の記述を読み、正しいものには○、誤っているものには×をつけよ。

問1
check√ □□□
教育公務員特例法で「教育公務員」とは、地方公務員のうち、学校教育法に定める学校及び就学前の子どもに関する教育、保育等の総合的な提供の推進に関する法律に定める幼保連携型認定こども園であって地方公共団体が設置するものの学長、校長（園長を含む）、教員及び部局長並びに教育委員会の専門的教育職員をいう。

問2
check√ □□□
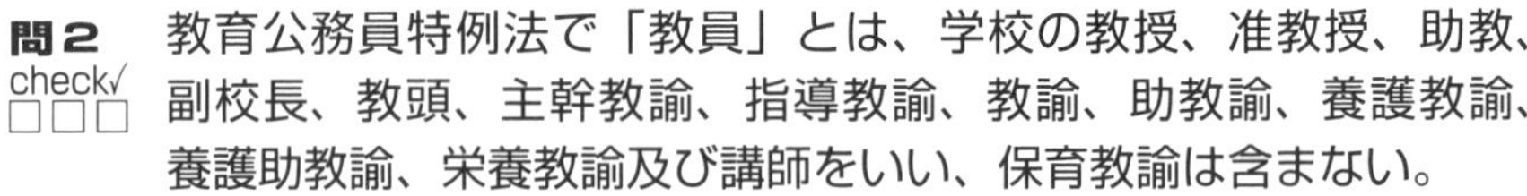
教育公務員特例法で「教員」とは、学校の教授、准教授、助教、副校長、教頭、主幹教諭、指導教諭、教諭、助教諭、養護教諭、養護助教諭、栄養教諭及び講師をいい、保育教諭は含まない。

問3
check√ □□□
学長及び教員は、評議会の審査の結果によるのでなければ、その意に反して転任をされることはない。

問4
check√ □□□
学長、教員及び部局長の休職の期間は、心身の故障のため長期の休養を要する場合の休職においては、満２年とする。

問5
check√ □□□
公立学校の校長の採用並びに教員の採用及び昇任は、選考によるものとし、その選考は、大学附置の学校にあっては当該大学の学長、大学附置の学校以外の公立学校（幼保連携型認定こども園を除く）にあっては当該学校を設置する地方公共団体の長が行う。

問6
check√ □□□
臨時的任用又は非常勤職員の任用の場合を除き、小学校等の教諭及び教諭等の採用は、すべて条件附のものとし、その教諭等がその職において６か月を勤務し、その間その職務を良好な成績で遂行したときに正式採用になるものとする。

解答・解説

問1 ○ 教育公務員特例法2条1項により正しい。私立学校の学長、校長、教員等は公務員ではないので、「教育公務員」には含まれない。

問2 × 教育公務員特例法2条2項は「この法律において「教員」とは、公立学校の教授、准教授、助教、副校長（中略）、教頭、主幹教諭（幼保連携型認定こども園の主幹養護教諭及び主幹栄養教諭を含む）、指導教諭、教諭、助教諭、養護教諭、養護助教諭、栄養教諭、主幹保育教諭、指導保育教諭、保育教諭、助保育教諭及び講師をいう」と規定している。

問3 ○ 教育公務員特例法4条1項のとおりである。ちなみに部局長も、学長の審査の結果によるのでなければ、その意に反して転任されることはない（同条項）。

問4 × 教育公務員特例法6条によると、学長、教員及び部局長の休職の期間は、心身の故障のため長期の休養を要する場合の休職においては、個々の場合について、評議会の議に基づき学長が定める。休職期間が一律に定められているわけではない。なお、公立学校の校長及び教員が、結核性疾患のため長期の休養を要する場合の休職については、休職期間は原則満2年とされている（14条1項）。

問5 × 教育公務員特例法11条によると、大学附置の学校以外の公立学校（幼保連携型認定こども園を除く）の校長の採用並びに教員の採用及び昇任について選考を行うのは、地方公共団体の長ではなく、教育委員会の教育長である。

問6 × 教育公務員特例法12条1項によると、小学校等の教諭及び教諭等に正式採用されるまでの期間は1年である。

以下の記述を読み、正しいものには○、誤っているものには×をつけよ。

問7 check√ □□□
公立の小学校等の校長及び教員の給与は、これらの者の職務と責任の特殊性に基づき法律で定めるものとする。

問8 check√ □□□
専門的教育職員の採用及び昇任は、選考によるものとし、その選考は、当該教育委員会の教育長が行う。

問9 check√ □□□
教育公務員は、教育に関する他の職を兼ね、又は教育に関する他の事業若しくは事務に従事することが本務の遂行に支障がないと任命権者において認める場合には、給与を受けないことを条件として、その職を兼ね、又はその事業若しくは事務に従事することができる。

問10 check√ □□□
公立学校の教育公務員の政治的行為の制限については、当分の間、地方公務員法第36条の規定にかかわらず、国家公務員の例による。

問11 check√ □□□
教育公務員は、その職責を遂行するために、絶えず研修と研鑽に努めなければならない。

問12 check√ □□□
教育公務員の研修実施者は、教育公務員の研修について、それに要する施設、研修を奨励するための方途その他研修に関する計画を樹立し、その実施に努めなければならない。

問13 check√ □□□
教員は、校務に支障のない限り、本属長の承認を受けて、勤務場所を離れて研修を行うことができる。

問14 check√ □□□
教育公務員は、任命権者の定めるところにより、現職のままで、長期にわたる研修を受けることができる。

解答・解説

問7 ×
教育公務員特例法13条1項によると、公立の小学校等の校長及び教員の給与は条例で定められる。

問8 ○
教育公務員特例法15条のとおりである。なお、「専門的教育職員」とは、指導主事及び社会教育主事をいう（同法2条5項）。

問9 ×
教育公務員特例法17条1項は、「教育公務員は、教育に関する他の職を兼ね、又は教育に関する他の事業若しくは事務に従事することが本務の遂行に支障がないと任命権者（中略）において認める場合には、給与を受け、又は受けないで、その職を兼ね、又はその事業若しくは事務に従事することができる」と規定している。任命権者が認める場合には、給与を受けながら、教育に関する他の職を兼ね、又はその事業もしくは事務に従事することが認められる。

問10 ○
教育公務員特例法18条1項のとおりである。教育公務員による政治的行為の制限に関する重要な規定であり、しっかり押さえておこう。

問11 ×
教育公務員特例法21条1項は、「教育公務員は、その職責を遂行するために、絶えず研究と修養に努めなければならない」と規定している。

問12 ○
教育公務員特例法21条2項のとおりである。研修実施者とは、区分に応じて市町村等の教育委員会ないしは任命権者のことをいう（20条1項）。

問13 ×
教育公務員特例法22条2項は、「教員は、授業に支障のない限り、本属長の承認を受けて、勤務場所を離れて研修を行うことができる」と規定している。

問14 ○
教育公務員特例法22条3項のとおりである。「任命権者」「現職のまま」「長期」という文言に注意して押さえておこう。

以下の記述を読み、正しいものには○、誤っているものには×をつけよ。

問15 check√ □□□ 任命権者は、公立の小学校等の校長及び教員の計画的かつ効果的な資質の向上を図るため、校長及び教員としての資質の向上に関する指標の策定に関する指針を定めなければならない。

問16 check√ □□□ 公立の小学校等の校長及び教員の任命権者は、指針を参酌し、その地域の実情に応じ、当該校長及び適性に応じて向上を図るべき校長及び教員としての資質に関する指標を定めなければならない。

問17 check√ □□□ 公立の小学校等の校長及び教員の任命権者は、指標を踏まえ、当該校長及び教員の研修について、毎年度、体系的かつ効果的に実施するための計画を定めなければならない。

問18 check√ □□□ 公立の小学校等の校長及び教員の研修実施者は、当該校長及び教員ごとに、研修の受講その他の当該校長及び教員の資質の向上のための取組の状況に関する記録を作成しなければならない。

問19 check√ □□□ 公立の小学校等の校長及び教員の任命権者が都道府県の教育委員会である場合においては、当該都道府県の教育委員会は、指導助言者に対し、当該校長及び教員の研修等に関する記録に係る情報を提供しなければならない。

問20 check√ □□□ 公立の小学校等の校長及び教員の指導助言者は、当該校長及び教員がその職責、経験及び適性に応じた資質の向上のための取組を行うことを促進するため、当該校長及び教員からの相談に応じ、研修、認定講習等その他の資質の向上のための機会に関する情報を提供し、又は資質の向上に関する指導及び助言を行う。

解答・解説

問15 ×
校長及び教員としての資質の向上に関する指標の策定に関する指針を定めるのは、文部科学大臣である（教育公務員特例法22条の2第1項）。

問16 〇
教育公務員特例法22条の3第1項により正しい。校長及び教員としての資質の向上に関する指標を定めるのは、任命権者である。

問17 ×
指標を踏まえて教員研修計画を定めるのは、研修実施者である（教育公務員特例法22条の4第1項）

問18 ×
研修等に関する記録を作成しなければならないのは、公立の小学校等の校長及び教員の任命権者である（教育公務員特例法22条の5第1項）。

問19 〇
教育公務員特例法22条の5第3項により正しい。指導助言者とは、区分に応じて市町村等の教育委員会ないしは任命権者のことをいう（20条2項）。

問20 〇
教育公務員特例法22条の6第1項により正しい。指導助言者は、相談への対応、情報の提供並びに指導及び助言を行うに当たっては、当該校長及び教員に係る指標及び教員研修計画を踏まえるとともに、当該校長及び教員の研修等に関する記録に係る情報を活用する（同条3項）。

以下の記述を読み、正しいものには○、誤っているものには×をつけよ。

問21 check√ □□□
公立の小学校等の教諭等の研修実施者は、当該教諭等に対して、その採用の日から１年間の教諭又は保育教諭の職務の遂行に必要な事項に関する専門的な研修（初任者研修）を実施しなければならない。

問22 check√ □□□
初任者研修を受ける者の指導教員は、その者の属する学校の校長、副校長、主幹教諭のうちから選ばれる。

問23 check√ □□□
初任者研修において、指導教員は、初任者に対して教諭又は保育教諭の職務の遂行に必要な事項について助言及び評価を行うものとする。

問24 check√ □□□
公立の小学校等の教諭等の研修実施者は、当該教諭等に対して、個々の能力、適性等に応じて、公立の小学校等における教育に関し相当の経験を有し、その教育活動その他の学校運営の円滑かつ効果的な実施において中核的な役割を果たすことが期待される中堅教諭等としての職務を遂行する上で必要とされる資質の向上を図るために必要な事項に関する研修（中堅教諭等資質向上研修）を実施しなければならない。

問25 check√ □□□
研修実施者は、中堅教諭等資質向上研修を実施するに当たり、中堅教諭等資質向上研修を受ける者の能力、適性等について評価を行い、その結果に基づき、当該者ごとに中堅教諭等資質向上研修に関する計画書を作成しなければならない。

解答・解説

問 21
×

教育公務員特例法 23 条 1 項は「公立の小学校等の教諭等の研修実施者は、当該教諭等（中略）に対して、その採用の日から 1 年間の教諭又は保育教諭の職務の遂行に必要な事項に関する実践的な研修（次項において「初任者研修」という。）を実施しなければならない」と規定している。

問 22
×

教育公務員特例法 23 条 2 項によると、初任者研修を受ける者（初任者）の指導教員は、初任者の所属する学校の副校長、教頭、主幹教諭（養護又は栄養の指導及び管理をつかさどる主幹教諭を除く）、指導教諭、教諭、主幹保育教諭、指導保育教諭、保育教諭又は講師のうちから選ばれる。校長が指導教員になることはできない。

問 23
×

教育公務員特例法 23 条 3 項は、「指導教員は、初任者に対して教諭又は保育教諭の職務の遂行に必要な事項について指導及び助言を行うものとする」と規定している。

問 24
○

教育公務員特例法 24 条 1 項により正しい。令和 4 年の改正により、研修を実施する者として、研修実施者が定義づけられたことに注意しよう（20 条 1 項）。

問 25
×

教育公務員特例法 24 条 2 項は、「指導助言者は、中堅教諭等資質向上研修を実施するに当たり、中堅教諭等資質向上研修を受ける者の能力、適性等について評価を行い、その結果に基づき、当該者ごとに中堅教諭等資質向上研修に関する計画書を作成しなければならない」と規定している。

以下の記述を読み、正しいものには○、誤っているものには×をつけよ。

問 26 check√ □□□
公立の小学校等の教諭等の任命権者は、児童、生徒又は幼児に対する指導力が不足していると認定した教諭等に対して、その能力、適性等に応じて、当該指導の改善を図るために必要な事項に関する研修（指導改善研修）を実施しなければならない。

問 27 check√ □□□
指導改善研修の期間は、原則として 1 年を超えてはならない。

問 28 check√ □□□
任命権者は、指導改善研修を実施するに当たり、指導改善研修を受ける者の実績、適性等に応じて、その者ごとに指導改善研修に関する計画書を作成しなければならない。

問 29 check√ □□□
任命権者は、指導改善研修の終了時において、指導改善研修を受けた者の児童等に対する指導の改善の程度に関する評価を行わなければならない。

問 30 check√ □□□
公立の小学校等の主幹教諭、指導教諭、教諭、養護教諭、栄養教諭、主幹保育教諭、指導保育教諭、保育教諭又は講師で、教育公務員法特例法第 26 条第 1 項各号のいずれにも該当するものは、任命権者の許可を受けて、2 年を超えない範囲内で年を単位として定める期間、大学（短期大学を除く）の大学院の課程若しくは専攻科の課程又はこれらの課程に相当する外国の大学の課程に存学してその課程を履修するための休業をすることができる。

解答・解説

問 26 × 教育公務員特例法 25 条 1 項は、「公立の小学校等の教諭等の任命権者は、児童、生徒又は幼児（中略）に対する指導が不適切であると認定した教諭等に対して、その能力、適性等に応じて、当該指導の改善を図るために必要な事項に関する研修（以下「指導改善研修」という。）を実施しなければならない」と規定している。条文の文言は正確に覚えるよう注意しよう。

問 27 ○ 教育公務員特例法 25 条 2 項本文によると、指導改善研修の期間は、1 年を超えてはならない。ただし、特に必要があると認めるときは、任命権者は、指導改善研修を開始した日から引き続き 2 年を超えない範囲内で、これを延長することができる（同条項但書）。

問 28 × 教育公務員特例法 25 条 3 項は、「任命権者は、指導改善研修を実施するに当たり、指導改善研修を受ける者の能力、適性等に応じて、その者ごとに指導改善研修に関する計画書を作成しなければならない」と規定している。

問 29 × 教育公務員特例法 25 条 4 項は、「任命権者は、指導改善研修の終了時において、指導改善研修を受けた者の児童等に対する指導の改善の程度に関する認定を行わなければならない」と規定している。なお、認定に当たっては、教育学、医学、心理学その他の児童等に対する指導に関する専門的知識を有する者及び当該任命権者の属する都道府県又は市町村の区域内に居住する保護者である者の意見を聴かなければならない（同条 5 項）。

問 30 × 大学院修学休業に関する規定である（教育公務員特例法 26 条 1 項）。「2 年」は「3 年」の誤り。

教育法規　教育職員免許法

以下の記述を読み、正しいものには○、誤っているものには×をつけよ。

問1 check√ □□□
教育職員免許法は、教育職員の免許に関する基準を定め、教育職員の指導力の保持と向上を図ることを目的とする。

問2 check√ □□□
教育職員免許法で「教育職員」とは、学校教育法に定める幼稚園、小学校、中学校、義務教育学校、高等学校、中等教育学校及び特別支援学校並びに幼保連携型認定こども園の主幹教諭（幼保連携型認定こども園の主幹養護教諭及び主幹栄養教諭を含む）、指導教諭、教諭、助教諭、養護教諭、養護助教諭、栄養教諭、主幹保育教諭、指導保育教諭、保育教諭、助保育教諭及び講師をいう。

問3 check√ □□□
教育職員免許法で「免許管理者」とは、免許状を有する者が教育職員及び文部科学省令で定める教育の職にある者であるかどうかにかかわらず、その者の勤務地の都道府県の教育委員会をいう。

問4 check√ □□□
免許状には、普通免許状、特別免許状及び臨時免許状がある。

問5 check√ □□□
普通免許状には、学校の種類ごとの教諭の免許状、養護教諭の免許状及び栄養教諭の免許状があり、それぞれ１種免許状及び２種免許状に区分される。

問6 check√ □□□
特別免許状は、学校の種類ごとの教諭の免許状である。

問7 check√ □□□
小学校教諭の特別免許状は、国語、社会、算数、理科について授与するものとする。

解答・解説

問1 × 教育職員免許法1条は、「この法律は、教育職員の免許に関する基準を定め、教育職員の資質の保持と向上を図ることを目的とする」と規定している。

問2 ○ 教育職員免許法2条1項により正しい。校長、副校長、教頭は、教育職員に当たらないので注意。

問3 × 教育職員免許法2条2項によると、「免許管理者」とは、免許状を有する者が教育職員及び文部科学省令で定める教育の職にある者である場合には、その者の勤務地の都道府県の教育委員会、これらの者以外の者である場合には、その者の住所地の都道府県の教育委員会をいう。したがって、免許状を有する者が教育職員及び文部科学省令で定める教育の職にある者以外の者である場合には、その者の住所地の都道府県の教育委員会が免許管理者となる。

問4 ○ 教育職員免許法4条1項により、免許状は、普通免許状、特別免許状及び臨時免許状とされている。

問5 × 普通免許状には、学校の種類ごとの教諭の免許状、養護教諭の免許状及び栄養教諭の免許状があるが、これらは専修免許状、1種免許状及び2種免許状に区分される（教育職員免許法4条2項）。

問6 ○ 教育職員免許法4条3項により正しい。特別免許状は、「学校の種類ごと」の「教諭」の免許状である点をしっかり押さえておこう。

問7 × 教育職員免許法4条6項1号によると、小学校教諭の特別免許状は、国語、社会、算数、理科、生活、音楽、図画工作、家庭、体育及び外国語について授与するものとされている。

以下の記述を読み、正しいものには○、誤っているものには×をつけよ。

問8 check√ □□□
臨時免許状は、学校の種類ごとの教諭の免許状及び養護教諭の免許状である。

問9 check√ □□□
中学校及び高等学校の教員の臨時免許状は、国語、社会、数学、理科、音楽、美術、保健体育、保健、技術、家庭、職業（職業指導及び職業実習を含む）、職業指導、職業実習、外国語（英語、ドイツ語、フランス語その他の各外国語に分ける）及び宗教について授与するものとする。

問10 check√ □□□
免許状は、未成年者には授与しない。

問11 check√ □□□
免許状は、成年被後見人又は被保佐人には授与しない。

問12 check√ □□□
免許状は、都道府県の知事が授与する。

問13 check√ □□□
教育職員検定は、原則として、受検者の人物、学力、実務及び身体について、授与権者が行う。

問14 check√ □□□
一以上の教科についての教諭の免許状を有する者に他の教科についての教諭の免許状を授与するため行う教育職員検定は、受検者の人物、学力、実務及び身体について、授与権者が行う。

解答・解説

問8 × 教育職員免許法4条4項によると、臨時免許状は、学校の種類ごとの助教諭の免許状及び養護助教諭の免許状とされている。

問9 × これは、中学校の教員の臨時免許状の内容である（教育職員免許法4条5項1号）。高等学校の教員の臨時免許状は、国語、地理歴史、公民、数学、理科、音楽、美術、工芸、書道、保健体育、保健、看護、看護実習、家庭、家庭実習、情報、情報実習、農業、農業実習、工業、工業実習、商業、商業実習、水産、水産実習、福祉、福祉実習、商船、商船実習、職業指導、外国語（英語、ドイツ語、フランス語その他の各外国語に分ける）及び宗教と、中学校の場合より多岐の科目にわたって授与される（同条項2号）。

問10 × 教育職員免許法5条1項1号によると、免許状が授与されないのは未成年者ではなく、18歳未満の者である。ただし、2022年4月1日から成年年齢は18歳に引き下げられた。

問11 × 成年被後見人又は被保佐人は、5条1項の欠格事由に該当しない。

問12 × 教育職員免許法5条6項によると、免許状を授与する授与権者は都道府県の教育委員会である。

問13 ○ 教育職員免許法6条1項により、教育職員検定は、原則として、受検者の人物、学力、実務及び身体について、授与権者が行う。

問14 × 前述のとおり、教育職員検定は原則として受検者の人物、学力、実務及び身体について行われるが、1以上の教科についての教諭の免許状を有する者に他の教科についての教諭の免許状を授与するため行う教育職員検定は、受検者の人物、学力及び身体について行う（教育職員免許法6条3項）。

教育法規　教育職員免許法

以下の記述を読み、正しいものには○、誤っているものには×をつけよ。

問15 check√ □□□
普通免許状は、その授与の日の翌日から起算して10年を経過する日の属する年度の末日まで効力を有する。

問16 check√ □□□
普通免許状は、全ての都道府県において効力を有する。

問17 check√ □□□
特別免許状は、その免許状を授与した授与権者の置かれる都道府県においてのみ効力を有する。

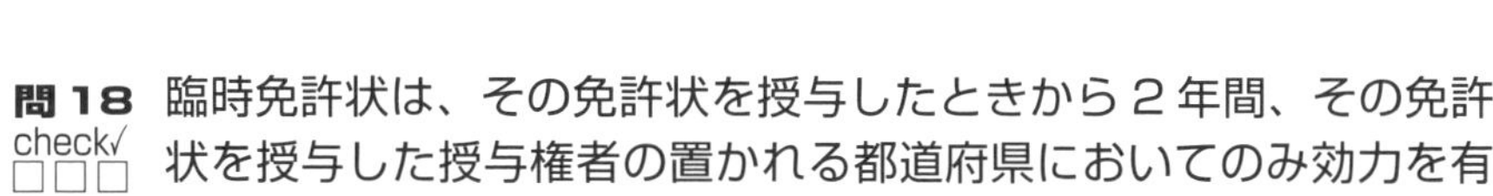

問18 check√ □□□
臨時免許状は、その免許状を授与したときから2年間、その免許状を授与した授与権者の置かれる都道府県においてのみ効力を有する。

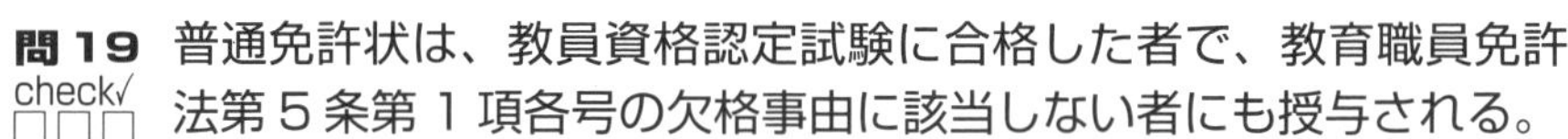

問19 check√ □□□
普通免許状は、教員資格認定試験に合格した者で、教育職員免許法第5条第1項各号の欠格事由に該当しない者にも授与される。

問20 check√ □□□
社会人を対象とする教職特別課程の修業年限は、1年である。

解答・解説

問15 × 令和4年の改正により、普通免許状及び特別免許状は、有効期間の定めがないものとされ、免許の更新制は廃止された。

問16 ○ 教育職員免許法9条1項により正しい。「その免許状を授与した授与権者の置かれる都道府県においてのみ」効力を有するわけではないことに注意。

問17 ○ 教育職員免許法9条2項により正しい。特別免許状は、普通免許状と違い、その免許状を授与した授与権者の置かれる都道府県においてのみ効力を有する。

問18 × 教育職員免許法9条3項によると、臨時免許状が効力を有する期間は、その免許状を授与したときから3年間である。

問19 ○ 教育職員免許法16条により正しい。普通免許状は、5条1項の規定によるほか、独立行政法人教職員支援機構が行う教員資格認定試験に合格した者にも授与される。

問20 × 主として社会人を対象とする教職特別課程（普通免許状の授与を受けるために必要な科目の単位を修得させるために大学が設置する課程）の修業年限は、1年以上に弾力化された（教育職員免許法別表第一備考六号）。

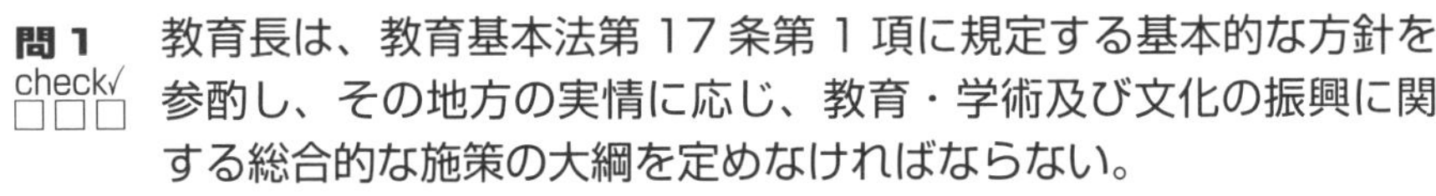

教育法規　地方教育行政の組織及び運営に関する法律

以下の記述を読み、正しいものには○、誤っているものには×をつけよ。

問1 check√ □□□
教育長は、教育基本法第 17 条第 1 項に規定する基本的な方針を参酌し、その地方の実情に応じ、教育・学術及び文化の振興に関する総合的な施策の大綱を定めなければならない。

問2 check√ □□□
地方公共団体の長が設置する総合教育会議は、地方公共団体の長及び教育委員会によって構成される。

問3 check√ □□□
教育長は、当該地方公共団体の長の被選挙権を有する者で、人格が高潔で、教育行政に関し識見を有するもののうちから、地方公共団体の長が、人事委員会の同意を得て、任命する。

問4 check√ □□□
地方公共団体の長が教育委員を任命するに当たっては、委員のうちに、保護者（親権を行う者及び未成年後見人をいう）である者が含まれるようにしなければならない。

問5 check√ □□□
教育長の任期は 3 年とし、教育委員の任期は 2 年とする。

問6 check√ □□□
教育長及び教育委員は、再任されることができない。

問7 check√ □□□
教育長及び教育委員は、地方公共団体の議会の議員若しくは長と兼ねることができない。

問8 check√ □□□
地方公共団体の長は、教育委員が心身の故障のため職務の遂行に堪えないと認める場合又は職務上の義務違反その他委員たるに適しない非行があると認める場合においては、当該地方公共団体の議会の同意を得て、これを罷免することができる。

問9 check√ □□□
教育長及び教育委員は、議会の同意を得て、辞職することができる。

解答・解説

問1 × 地方教育行政法1条の3第1項によると、大綱を定めるのは、地方公共団体の長である。

問2 ○ 地方教育行政法1条の4第2項によると、総合教育会議は、地方公共団体の長及び教育委員会によって構成される。

問3 × 地方教育行政法4条1項によると、教育長は議会の同意を得て任命される。

問4 ○ 地方教育行政法4条5項により、地方公共団体の長が教育委員を任命するに当たっては、委員のうちに、保護者が含まれるようにしなければならない。

問5 × 地方教育行政法5条1項によると、教育委員の任期は4年である。

問6 × 地方教育行政法5条2項によると、教育長及び教育委員は再任されることができる。

問7 ○ 地方教育行政法6条により正しい。地方議会議員、地方公共団体の長と、教育長及び教育委員の兼職は禁止されている。

問8 ○ 地方教育行政法7条1項により正しい。罷免には議会の同意が必要という点がポイント。教育長についても同様である。

問9 × 地方教育行政法10条によると、教育長及び教育委員は当該地方公共団体の長及び教育委員会の同意を得て辞職することができる。任命される際は議会の同意が必要だが、辞職する際は議会の同意は不要である点に注意。

以下の記述を読み、正しいものには○、誤っているものには×をつけよ。

問 10 check√ □□□
教育長及び教育委員は職務上知ることができた秘密を漏らしてはならず、この秘密保持義務は職を退いた後も継続する。

問 11 check√ □□□
教育委員は非常勤だが、教育委員会を代表する教育長は常勤である。

問 12 check√ □□□
教育長は、教育委員会の会議を主宰し、教育委員会を代表する。

問 13 check√ □□□
教育長に事故があるとき、又は教育長が欠けたときは、あらかじめ教育委員会の指名する委員がその職務を行う。

問 14 check√ □□□
教育長は、委員の定数の３分の２以上の委員から会議に付議すべき事件を示して会議の招集を請求された場合には、遅滞なく、これを招集しなければならない。

問 15 check√ □□□
教育委員会の会議は、会議の性質上、非公開にすることはできない。

問 16 check√ □□□
教育委員会の権限に属する事務を処理させるため、教育委員会に事務局を置く。

問 17 check√ □□□
都道府県教育委員会の事務局には、教育長の任命により、指導主事、事務職員及び技術職員が置かれるほか、所要の職員が置かれる。

問 18 check√ □□□
事務局の職員の定数は、各教育委員会において定める。

解答・解説

問 10 ○ 地方教育行政法 11 条 1 項及び 12 条 1 項により正しい。教育委員の秘密保持義務は退職後も永久に継続する。

問 11 ○ 地方教育行政法 12 条 2 項によると、教育委員は非常勤であり、同法 11 条 4 項によると、教育長は常勤である。

問 12 × 地方教育行政法 13 条 1 項によると、教育委員会の会務を総理し、教育委員会を代表する。

問 13 × 地方教育行政法 13 条 2 項によると、教育長に事故があるとき、又は教育長が欠けたときは、あらかじめ教育長の指名する委員がその職務を行う。

問 14 × 地方教育行政法 14 条 2 項によると、教育長は、委員の定数の 3 分の 1 以上の委員から会議の招集を請求された場合には、遅滞なく、これを招集しなければならない。

問 15 × 地方教育行政法 14 条 7 項によると、教育委員会の会議は公開するのが原則だが、人事に関する事件その他の事件について、教育長又は委員の発議により、出席者の 3 分の 2 以上の多数で議決したときは、非公開にすることができる。

問 16 ○ 地方教育行政法 17 条 1 項により、教育委員会の権限に属する事務を処理させるため、教育委員会に事務局が置かれる。

問 17 × 地方教育行政法 18 条 1 項により、都道府県教育委員会の事務局に指導主事、事務職員及び技術職員が置かれるほか、所要の職員が置かれるというのは正しい。しかしこれらの職員は、教育委員会が任命する（同条 7 項）。

問 18 × 地方教育行政法 19 条によると、事務局の職員の定数は、当該地方公共団体の条例で定めるものとされている。ただし、臨時又は非常勤の職員については、この限りでない（同条）。

以下の記述を読み、正しいものには○、誤っているものには×をつけよ。

問 19 check√ □□□
教育委員会は、当該地方公共団体が処理する教育に関する事務で、学齢生徒及び学齢児童の就学並びに生徒、児童及び幼児の入学、転学及び退学に関することを管理し、及び執行する。

問 20 check√ □□□
教育委員会は、当該地方公共団体が処理する教育に関する事務で、学校の組織編制、進路指導、学習指導、生徒指導及び職業指導に関することを管理し、及び執行する。

問 21 check√ □□□
教育委員会は、当該地方公共団体が処理する教育に関する事務で、教科書その他の教材の取扱いに関することを管理及び執行する。

問 22 check√ □□□
教育委員会は、私立学校の教育に関する事務を管理し、及び執行する。

問 23 check√ □□□
地方公共団体は、法律で定めるところにより、学校、図書館、博物館、公民館その他の教育機関を設置するほか、条例で、教育に関する専門的、技術的事項の研究又は教育関係職員の研修、保健若しくは福利厚生に関する施設その他の必要な教育機関を設置することができる。

問 24 check√ □□□
学校その他の教育機関は、地方公共団体の長が所管する。

問 25 check√ □□□
教育委員会の所管に属する学校その他の教育機関の校長、園長、教員、事務職員、技術職員その他の職員は、原則として、教育委員会が任命する。

問 26 check√ □□□
学校その他の教育機関の長は、原則として、その所属の職員の任免その他の進退に関する意見を地方公共団体の長に対して申し出ることができる。

解答・解説

問 19 ○ 教育委員会が管理し、及び執行することとして、地方教育行政法21条4号に、学齢生徒及び学齢児童の就学並びに生徒、児童及び幼児の入学、転学及び退学に関することがあげられている。

問 20 × 地方教育行政法21条5号によると、教育委員会は、その所管に属する学校の組織編制、教育課程、学習指導、生徒指導及び職業指導に関することを管理し、及び執行する。

問 21 ○ 教育委員会が管理し、及び執行することとして、地方教育行政法21条6号に、教科書その他の教材の取扱いに関することがあげられている。

問 22 × 地方教育行政法22条3号によると、私立学校の教育に関する事務を管理し、及び執行するのは、地方公共団体の長である。

問 23 ○ 地方教育行政法30条により正しい。教育機関には、法律上のものとして、①学校、②図書館、③博物館、④公民館などがある。また、条例上のものとして、①教育に関する専門的、技術的事項の研究施設、②教育関係職員の研修施設、③教育関係職員の保健施設、④教育関係職員の福利厚生施設などがある。

問 24 × 地方教育行政法32条によると、原則として、学校その他の教育機関のうち、大学及び幼保連携型認定こども園は地方公共団体の長が、その他のものは教育委員会が所管する。

問 25 ○ 地方教育行政法34条により正しい。教育委員会の所管に属する学校その他の教育機関の職員は、特別の定めがある場合を除き、教育委員会が任命する。

問 26 × 地方教育行政法36条は、「学校その他の教育機関の長は、この法律及び教育公務員特例法に特別の定がある場合を除き、その所属の職員の任免その他の進退に関する意見を任命権者に対して申し出ることができる」と規定している。

地方教育行政の組織及び運営に関する法律

以下の記述を読み、正しいものには○、誤っているものには×をつけよ。

問27 check√ □□□
全ての市町村立学校の教員の任命権は、当該市町村教育委員会に属する。

問28 check√ □□□
市町村教育委員会は、県費負担教職員の服務を監督する。

問29 check√ □□□
県費負担教職員は、その職務を遂行するに当って、法令、当該市町村の条例及び規則並びに当該市町村教育委員会の定める教育委員会規則及び規程に従い、かつ、市町村教育委員会その他職務上の上司の職務上の命令に忠実に従わなければならない。

問30 check√ □□□
県費負担教職員の研修は、市町村教育委員会も行うことができる。

問31 check√ □□□
教育委員会は、教育委員会規則で定めるところにより、その所管に属する学校のうちその指定する学校の運営及び当該運営への必要な支援に関して協議する機関として、学校運営協議会を置くように努めなければならない。

問32 check√ □□□
文部科学大臣は、都道府県教育委員会又は市町村教育委員会の教育に関する事務の管理及び執行が法令の規定に違反するものがある場合又は当該事務の管理及び執行を怠るものがある場合において、児童、生徒等の生命又は身体に現に被害が生じ、又はまさに被害が生ずるおそれがあると見込まれ、その被害の拡大又は発生を防止するため、緊急の必要があるときは、当該教育委員会に対し、当該違反を是正し、又は当該怠る事務の管理及び執行を改めるべきことを指示することができる。

解答・解説

問 27 ×
地方教育行政法 37 条 1 項によると、市町村立学校の教員（県費負担教職員）の任命権は、都道府県教育委員会に属する。

問 28 ○
地方教育行政法 43 条 1 項により正しい。「県費負担教職員」の「服務」を監督するという点を押さえる。

問 29 ○
地方教育行政法 43 条 2 項により正しい。職務上の上司の「職務上」の命令に忠実に従わなければならないという点がポイント。

問 30 ○
地方教育行政法 45 条 1 項により、県費負担教職員の研修は、地方公務員法 39 条 2 項の規定にかかわらず、市町村教育委員会も行うことができる。

問 31 ×
地方教育行政法 47 条の 5 第 1 項によると、教育委員会は、その所管に属する学校ごとに、当該学校の運営及び当該運営への必要な支援に関して協議する機関として、学校運営協議会を置くように努めなければならない。学校運営協議会は指定する学校に置かれるのではなく、学校ごとに置かれる。

問 32 ○
地方教育行政法 50 条により正しい。文部科学大臣は、児童、生徒等の生命又は身体に現に被害が生じ、又はまさに被害が生ずるおそれがあると見込まれ、その被害の拡大又は発生を防止するため、緊急の必要があるときは、当該教育委員会に対し、当該違反を是正し、又は当該怠る事務の管理及び執行を改めるべきことを指示することができる。ただし、他の措置によっては、その是正を図ることが困難である場合に限る。

教育法規 学校保健安全法及び施行規則

以下の記述を読み、正しいものには○、誤っているものには×をつけよ。

問1 check√ □□□
学校保健安全法は、学校における児童生徒等及び職員の健康の保持増進を図るため、学校における保健管理に関し必要な事項を定めるとともに、学校における教育活動が安全な環境において実施され、児童生徒等の安全の確保が図られるよう、学校における安全管理に関し必要な事項を定め、もって学校教育の円滑な実施とその成果の確保に資することを目的とする。

問2 check√ □□□
学校の設置者は、その設置する学校の児童生徒等及び職員の心身の健康の保持増進を図るため、当該学校の施設及び設備並びに管理運営体制の整備充実その他の必要な措置を講ずるよう努めるものとする。

問3 check√ □□□
学校の設置者は、児童生徒等及び職員の心身の健康の保持増進を図るため、児童生徒等及び職員の健康診断、環境衛生検査、児童生徒等に対する指導その他保健に関する事項について計画を策定し、これを実施しなければならない。

問4 check√ □□□
学校の設置者は、学校環境衛生基準に照らしてその設置する学校の適切な環境の維持に努めなければならない。

問5 check√ □□□
学校には、健康診断、健康相談、保健指導、救急処置その他の保健に関する措置を行うため、保健室を設けるよう努めなければならない。

問6 check√ □□□
学校の設置者は、児童生徒等の心身の健康に関し、健康相談を行うものとする。

問7 check√ □□□
養護教諭その他の職員は、相互に連携して、健康相談又は児童生徒等の健康状態の日常的な観察により、児童生徒等の心身の状況を把握し、健康上の問題があると認めるときは、遅滞なく、当該児童生徒等に対して必要な指導を行うとともに、必要に応じ、その保護者に対して必要な助言を行うものとする。

解答・解説

問1 ○ 学校保健安全法1条により正しい。同法の最終的な立法目的は、学校教育の円滑な実施とその成果の確保に資することにあるが、そのために、①学校における保健管理に関し必要な事項を定める、②学校における安全管理に関し必要な事項を定めるとしている。

問2 ○ 学校保健安全法4条により正しい。同法では、主語が「学校の設置者は」「学校においては」「校長は」のいずれであるか問う問題がよく出題されるので、主語をしっかり押さえておくこと。

問3 × 学校保健安全法5条は、「学校においては、児童生徒等及び職員の心身の健康の保持増進を図るため、児童生徒等及び職員の健康診断、環境衛生検査、児童生徒等に対する指導その他保健に関する事項について計画を策定し、これを実施しなければならない」と規定している。

問4 ○ 学校保健安全法6条2項により正しい。学校環境衛生基準とは、学校における換気、採光、照明、保温、清潔保持その他環境衛生に係る事項について、児童生徒等及び職員の健康を保護する上で維持されることが望ましい基準のことをいう（同条1項）。

問5 × 学校保健安全法7条によると、学校には保健室を設けなければならないのであって、これは単なる努力義務ではない。なお、専修学校への保健室の設置は努力義務である（32条2項）。

問6 × 学校保健安全法8条は、「学校においては、児童生徒等の心身の健康に関し、健康相談を行うものとする」と規定している。

問7 ○ 学校保健安全法9条により正しい。保健指導の具体的な方法を定めた規定である。「相互に連携」「日常的な観察」「心身の状況」「遅滞なく」「保護者」などの文言に注意して押さえておこう。

教育法規　学校保健安全法及び施行規則

以下の記述を読み、正しいものには○、誤っているものには×をつけよ。

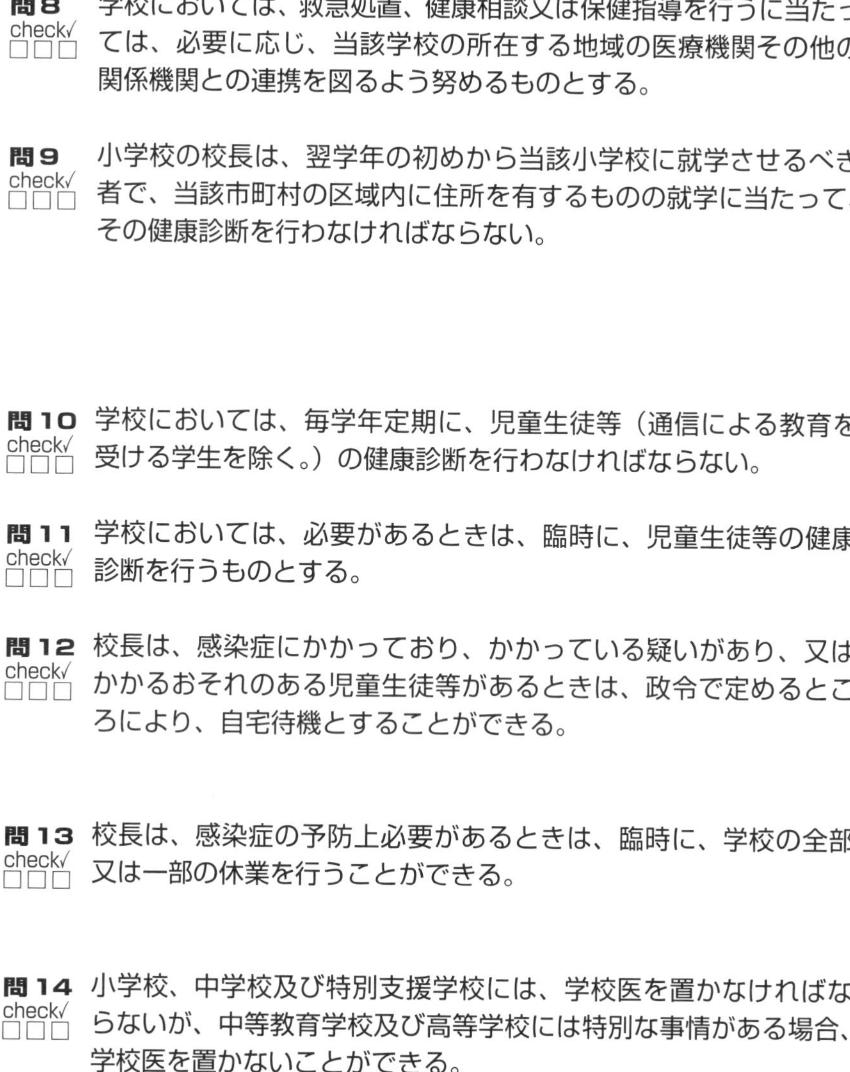

問8 check√ □□□
学校においては、救急処置、健康相談又は保健指導を行うに当たっては、必要に応じ、当該学校の所在する地域の医療機関その他の関係機関との連携を図るよう努めるものとする。

問9 check√ □□□
小学校の校長は、翌学年の初めから当該小学校に就学させるべき者で、当該市町村の区域内に住所を有するものの就学に当たって、その健康診断を行わなければならない。

問10 check√ □□□
学校においては、毎学年定期に、児童生徒等（通信による教育を受ける学生を除く。）の健康診断を行わなければならない。

問11 check√ □□□
学校においては、必要があるときは、臨時に、児童生徒等の健康診断を行うものとする。

問12 check√ □□□
校長は、感染症にかかっており、かかっている疑いがあり、又はかかるおそれのある児童生徒等があるときは、政令で定めるところにより、自宅待機とすることができる。

問13 check√ □□□
校長は、感染症の予防上必要があるときは、臨時に、学校の全部又は一部の休業を行うことができる。

問14 check√ □□□
小学校、中学校及び特別支援学校には、学校医を置かなければならないが、中等教育学校及び高等学校には特別な事情がある場合、学校医を置かないことができる。

解答・解説

問8 ○
学校保健安全法10条により正しい。主語が「学校の設置者」などではなく、「学校においては」であることに注意しよう。

問9 ×
学校保健安全法11条は、「市（特別区を含む。以下同じ。）町村の教育委員会は、学校教育法第17条第1項の規定により翌学年の初めから同項に規定する学校に就学させるべき者で、当該市町村の区域内に住所を有するものの就学に当たって、健康診断を行わなければならない」と規定している。健康診断を実施するのは「小学校の校長」ではなく、「市町村教育委員会」である。

問10 ○
学校保健安全法13条1項により正しい。健康診断は毎学年定期の実施が義務付けられている。

問11 ○
学校保健安全法13条2項により正しい。健康診断は臨時に実施することもできる。

問12 ×
学校保健安全法19条は、「校長は、感染症にかかつており、かかつている疑いがあり、又はかかるおそれのある児童生徒等があるときは、政令で定めるところにより、出席を停止させることができる」と規定している。

問13 ×
学校保健安全法20条によると、感染症の予防上必要があるとき、臨時に、学校の全部又は一部の休業を行うことができるのは、学校の設置者である。

問14 ×
学校保健安全法23条1項によると、学校医はすべての学校に置かなければならない。

教育法規　学校保健安全法及び施行規則

以下の記述を読み、正しいものには○、誤っているものには×をつけよ。

問15 check√ □□□
学校においては、児童生徒等の学習環境の維持を図るため、当該学校の施設及び設備の安全点検、児童生徒等に対する通学を含めた学校生活その他の日常生活における安全に関する指導、職員の研修その他学校における安全に関する事項について計画を策定し、これを実施しなければならない。

問16 check√ □□□
学校においては、事故等により児童生徒等に危害が生じた場合において、当該児童生徒等及び当該事故等により心理的外傷その他の心身の健康に対する影響を受けた児童生徒等その他の関係者の心身の健康を回復させるため、これらの者に対して必要な支援を行うものとする。

問17 check√ □□□
学校においては、児童生徒等の安全の確保を図るため、児童生徒等の保護者との連携を図るとともに、当該学校が所在する地域の実情に応じて、当該地域を管轄する保健所その他の関係機関、地域の安全を確保するための活動を行う団体その他の関係団体、当該地域の住民その他の関係者との連携を図るよう努めるものとする。

問18 check√ □□□
定期健康診断は、毎学年、4月30日までに行わなければならない。

問19 check√ □□□
疾病その他やむを得ない事由によって当該期日に定期健康診断を受けることのできなかった者に対しては、その事由のなくなった後すみやかに健康診断を行うものとする。

問20 check√ □□□
小学校、中学校、高等学校において、定期健康診断における結核の有無の検査において結核発病のおそれがあると診断された者については、おおむね6か月の後に再度結核の有無の検査を行うものとする。

問 15 ×
学校保健安全法 27 条は、「学校においては、児童生徒等の安全の確保を図るため、当該学校の施設及び設備の安全点検、児童生徒等に対する通学を含めた学校生活その他の日常生活における安全に関する指導、職員の研修その他学校における安全に関する事項について計画を策定し、これを実施しなければならない」と規定している。「安全点検」「安全に関する指導」「職員の研修」「計画を策定」などの文言に注意して押さえておこう。

問 16 ○
学校保健安全法 29 条 3 項により正しい。「心理的外傷」「心身の健康」「支援」などの文言に注意して押さえておこう。

問 17 ×
学校保健安全法 30 条は、「学校においては、児童生徒等の安全の確保を図るため、児童生徒等の保護者との連携を図るとともに、当該学校が所在する地域の実情に応じて、当該地域を管轄する警察署その他の関係機関、地域の安全を確保するための活動を行う団体その他の関係団体、当該地域の住民その他の関係者との連携を図るよう努めるものとする」と規定している。

問 18 ×
学校保健安全法施行規則 5 条 1 項本文によると、定期健康診断は毎学年、6 月 30 日までに行う。

問 19 ○
学校保健安全法施行規則 5 条 1 項但書により正しい。定期健康診断を受けることのできなかった事由がなくなったら、「すみやかに」健康診断を行わなければならないという点がポイント。

問 20 ×
結核の有無の検査において結核発病のおそれがあると診断された者で、おおむね 6 か月の後に再度結核の有無の検査を行わなければならないのは、大学の第 1 学年の者のみである（学校保健安全法施行規則 5 条 2 項）。

教育法規　学校保健安全法及び施行規則

以下の記述を読み、正しいものには○、誤っているものには×をつけよ。

問21 check√ □□□
学校においては、定期健康診断を行ったときは、児童・生徒等の健康診断票を作成しなければならない。

問22 check√ □□□
校長は、児童又は生徒が進学した場合においては、その作成に係る当該児童又は生徒の健康診断票の写しを進学先の校長に送付しなければならない。

問23 check√ □□□
夏季における休業日の直前又は直後に、臨時の健康診断を行うことができる。

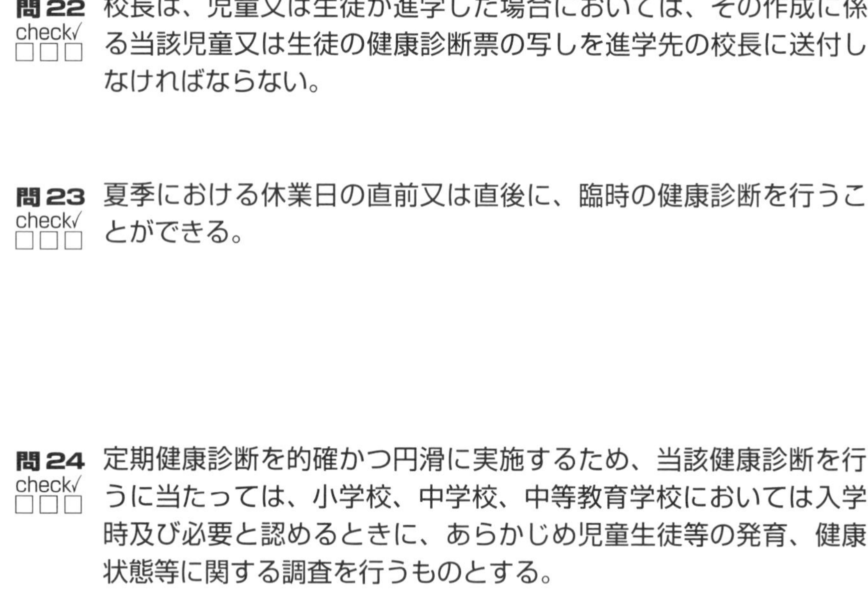

問24 check√ □□□
定期健康診断を的確かつ円滑に実施するため、当該健康診断を行うに当たっては、小学校、中学校、中等教育学校においては入学時及び必要と認めるときに、あらかじめ児童生徒等の発育、健康状態等に関する調査を行うものとする。

問25 check√ □□□
特定鳥インフルエンザにかかっていること等を理由とした出席停止の期間は、インフルエンザが治癒するまでである。

問26 check√ □□□
特定鳥インフルエンザ及び新型インフルエンザ等感染症以外のインフルエンザにかかっていることを理由とした出席停止の期間は、インフルエンザが治癒するまでである。

問27 check√ □□□
毎年１回以上、児童生徒等が通常使用する施設及び設備の異常の有無について、系統的に安全点検を行わなければならない。

解答・解説

問21 ○ 学校保健安全法施行規則8条1項により正しい。健康診断票の作成は学校の義務である。校長などの義務ではないことに注意。

問22 × 学校保健安全法施行規則8条2項によると、児童・生徒が進学した場合、校長はその作成に係る当該児童・生徒の健康診断票を進学先の校長に送付しなければならない。この健康診断票は写しでは足りず、原本でなければならないと解される。

問23 ○ 学校保健安全法施行規則10条3号により正しい。次の場合で必要があるときに、臨時の健康診断を行うことができる。①感染症又は食中毒の発生したとき、②風水害等により感染症の発生のおそれのあるとき、③夏季における休業日の直前又は直後、④結核、寄生虫病その他の疾病の有無について検査を行う必要のあるとき、⑤卒業のとき。

問24 × 学校保健安全法施行規則11条によると、「小学校、中学校、高等学校及び高等専門学校においては全学年において、幼稚園及び大学においては必要と認めるときに、あらかじめ児童生徒等の発育、健康状態等に関する調査を行うものとする」とされている。

問25 ○ 学校保健安全法施行規則19条1号により正しい。特定鳥インフルエンザは学校において予防すべき感染症の第一種に分類されている。

問26 × 学校保健安全法施行規則19条2号イによると、インフルエンザ（特定鳥インフルエンザ及び新型インフルエンザ等感染症を除く）にかかっていること等を理由とした出席停止の期間は、発症後5日を経過し、かつ、解熱後2日（幼児にあっては3日）を経過するまでである。

問27 × 学校保健安全法施行規則28条1項によると、安全点検を行う頻度は毎学期1回以上である。

教育法規 学校給食法／食育基本法

以下の記述を読み、正しいものには○、誤っているものには×をつけよ。

問 1 check√ □□□
学校給食法は、学校給食が児童及び生徒の心身の健全な発達に資するものであり、かつ、児童及び生徒の食に関する正しい理解と適切な判断力を養う上で重要な役割を果たすものであることにかんがみ、学校給食及び学校給食を利用した食に関する指導の実施に関し必要な事項を定め、もって学校給食の普及充実及び学校における食育の充実を図ることを目的とする。

問 2 check√ □□□
学校給食を実施するに当たっては、日常生活における食事について正しい理解を深め、健全な食生活を営むことができる判断力を培い、及び望ましい食習慣を養うという目標が達成されるよう努めなければならない。

問 3 check√ □□□
学校給食を実施するに当たっては、食生活が自然の恩恵の上に成り立つものであることについての理解を深め、生命及び自然を尊重する精神並びに環境の保全に寄与する態度を養うという目標が達成されるよう努めなければならない。

問 4 check√ □□□
学校給食を実施するに当たっては、食生活が食にかかわる人々の様々な努力に支えられていることについての理解を深め、勤労を重んずる態度を養うという目標が達成されるよう努めなければならない。

問 5 check√ □□□
義務教育諸学校の校長は、当該義務教育諸学校において学校給食が実施されるように努めなければならない。

問 6 check√ □□□
21 世紀における我が国の発展のためには、子どもたちが健全な心と身体を培い、情報社会や国際社会に向かって羽ばたくことができるようにするとともに、すべての国民が心身の健康を確保し、生涯にわたって生き生きと暮らすことができるようにすることが大切である。

解答・解説

問 1 × 学校給食法 1 条は、「この法律は、学校給食が児童及び生徒の心身の健全な発達に資するものであり、かつ、児童及び生徒の食に関する正しい理解と適切な判断力を養う上で重要な役割を果たすものであることにかんがみ、学校給食及び学校給食を活用した食に関する指導の実施に関し必要な事項を定め、もつて学校給食の普及充実及び学校における食育の推進を図ることを目的とする」と規定している。

問 2 ○ 学校給食法 2 条 2 号により正しい。「健全な食生活」「望ましい食習慣」という点がポイント。

問 3 ○ 学校給食法 2 条 4 号により正しい。「生命及び自然を尊重する精神」「環境の保全に寄与する態度」という点がポイント。

問 4 × 学校給食法 2 条 5 号は達成すべき目標として、「食生活が食にかかわる人々の様々な活動に支えられていることについての理解を深め、勤労を重んずる態度を養うこと」を掲げている。

問 5 × 学校給食法 4 条は、「義務教育諸学校の設置者は、当該義務教育諸学校において学校給食が実施されるように努めなければならない」と規定している。学校給食実施の努力義務が課せられているのは、学校の校長ではなく、設置者であることに注意。

問 6 × 食育基本法前文第 1 段は、「21 世紀における我が国の発展のためには、子どもたちが健全な心と身体を培い、未来や国際社会に向かって羽ばたくことができるようにするとともに、すべての国民が心身の健康を確保し、生涯にわたって生き生きと暮らすことができるようにすることが大切である」と規定している。食育基本法は前文が重要なので、しっかり読んでおくこと。

以下の記述を読み、正しいものには○、誤っているものには×をつけよ。

問7 check√ □□□
子どもたちが豊かな人間性をはぐくみ、生きる力を身に付けていくためには、何よりも「食」が重要である。今、改めて、食育を、生きる上での基本であって、健康で文化的な生活の基礎となるべきものと位置付けるとともに、様々な経験を通じて「食」に関する知識と「食」を選択する力を習得し、健全な食生活を実践することができる人間を育てる食育を推進することが求められている。

問8 check√ □□□
もとより、食育はあらゆる世代の国民に必要なものであるが、子どもたちに対する食育は、日常生活に大きな影響を及ぼし、生涯にわたって健全な心と身体を培い豊かな人間性をはぐくんでいく基礎となるものである。

問9 check√ □□□
国民一人一人が「食」について改めて意識を高め、自然の恩恵や「食」に関わる人々の様々な努力への感謝の念や理解を深めつつ、「食」に関して信頼できる情報に基づく適切な判断を行う能力を身に付けることによって、心身の健康を増進する健全な食生活を実践するために、今こそ、家庭、学校、保育所、地域等を中心に、国民運動として、食育の推進に取り組んでいくことが、我々に課せられている課題である。

問10 check√ □□□
食育は、食に関する適切な判断力を養い、生涯にわたって健全な食文化を実現することにより、国民の心身の健康の増進と豊かな食習慣に資することを旨として、行われなければならない。

問11 check√ □□□
食育の推進に当たっては、国民の食生活が、自然の恩恵の上に成り立っており、また、食に関わる人々の様々な活動に支えられていることについて、感謝の念や理解が深まるよう配慮されなければならない。

解答・解説

問7 × 食育基本法前文第２段の前段は、「子どもたちが豊かな人間性をはぐくみ、生きる力を身に付けていくためには、何よりも「食」が重要である。今、改めて、食育を、生きる上での基本であって、知育、徳育及び体育の基礎となるべきものと位置付けるとともに、様々な経験を通じて「食」に関する知識と「食」を選択する力を習得し、健全な食生活を実践することができる人間を育てる食育を推進することが求められている」としている。

問8 × 食育基本法前文第２段の後段は、「もとより、食育はあらゆる世代の国民に必要なものであるが、子どもたちに対する食育は、心身の成長及び人格の形成に大きな影響を及ぼし、生涯にわたって健全な心と身体を培い豊かな人間性をはぐくんでいく基礎となるものである」としている。

問9 × 食育基本法前文第５段前段は、「国民一人一人が「食」について改めて意識を高め、自然の恩恵や「食」に関わる人々の様々な活動への感謝の念や理解を深めつつ、「食」に関して信頼できる情報に基づく適切な判断を行う能力を身に付けることによって、心身の健康を増進する健全な食生活を実践するために、今こそ、家庭、学校、保育所、地域等を中心に、国民運動として、食育の推進に取り組んでいくことが、我々に課せられている課題である」としている。「「食」に関わる人々の様々な活動への感謝の念」「心身の健康を増進する健全な食生活」「国民運動」という点がポイント。

問10 × 食育基本法２条は、「食育は、食に関する適切な判断力を養い、生涯にわたって健全な食生活を実現することにより、国民の心身の健康の増進と豊かな人間形成に資することを旨として、行われなければならない」と規定している。

問11 ○ 食育基本法３条により正しい。「活動」を「努力」とする引っかけ問題が出されやすいので注意。そうした引っかけ問題にも対処できるよう条文はよく熟読しておくこと。

教育法規　学校図書館法／著作権法

以下の記述を読み、正しいものには○、誤っているものには×をつけよ。

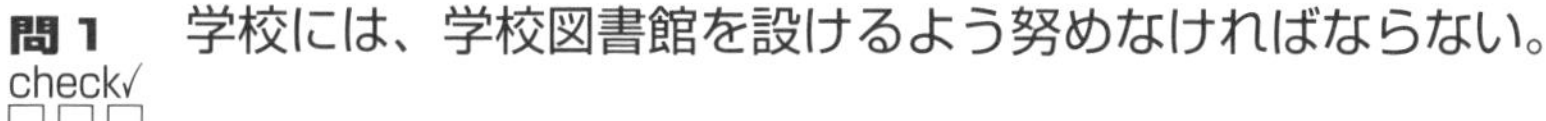

問1 check√ □□□

学校には、学校図書館を設けるよう努めなければならない。

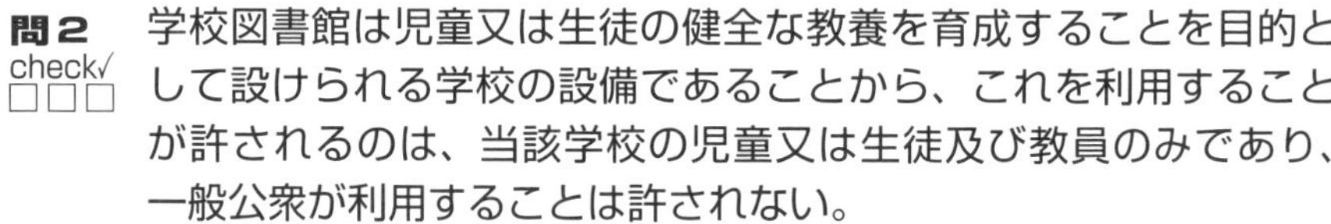

問2 check√ □□□

学校図書館は児童又は生徒の健全な教養を育成することを目的として設けられる学校の設備であることから、これを利用することが許されるのは、当該学校の児童又は生徒及び教員のみであり、一般公衆が利用することは許されない。

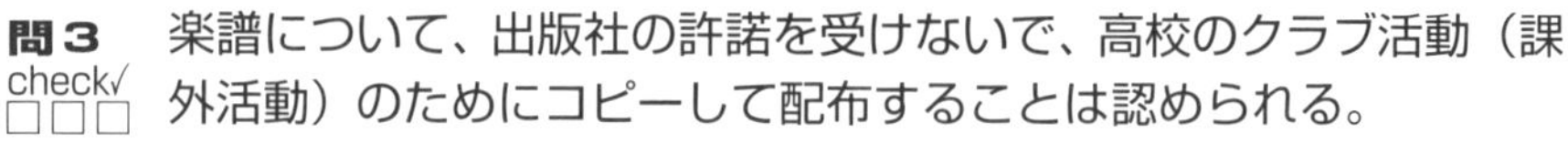

問3 check√ □□□

楽譜について、出版社の許諾を受けないで、高校のクラブ活動（課外活動）のためにコピーして配布することは認められる。

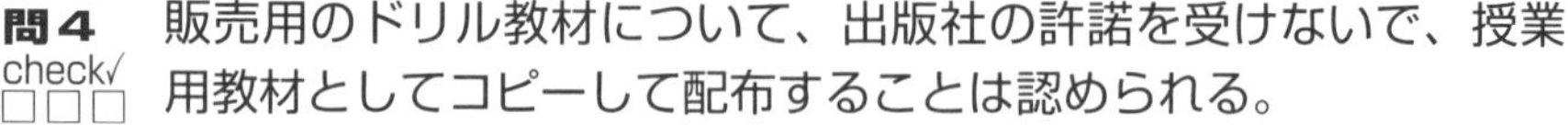

問4 check√ □□□

販売用のドリル教材について、出版社の許諾を受けないで、授業用教材としてコピーして配布することは認められる。

問5 check√ □□□

新聞のコラムについて、新聞社の許諾を受けないで、入学試験に利用することは、出典を明示すれば認められる。

解答・解説

問1 × 学校図書館法3条は、「学校には、学校図書館を設けなければならない」と規定している。学校図書館の設置は単なる努力義務ではなく、絶対的義務である。

問2 × 学校図書館法4条2項は、「学校図書館は、その目的を達成するのに支障のない限度において、一般公衆に利用させることができる」と、一般公衆でも学校図書館を利用可能なことを規定している。

問3 × 著作権法35条1項本文は、「学校その他の教育機関（中略）において教育を担任する者及び授業を受ける者は、その授業の過程における利用に供することを目的とする場合には、その必要と認められる限度において、公表された著作物を複製し、若しくは公衆送信（中略）を行い、又は公表された著作物であって公衆送信されるものを受信装置を用いて公に伝達することができる」と規定している。高校のクラブ活動（課外活動）は「授業の過程」とはいえないので、許諾を受けずに楽譜を複製することは認められない。

問4 × 一見すると、上記著作権法35条1項本文により認められそうだが、同条項但書は、「ただし、当該著作物の種類及び用途並びに当該複製の部数及び当該複製、公衆送信又は伝達の態様に照らし著作権者の利益を不当に害することとなる場合は、この限りでない」と規定している。販売用のドリル教材をコピーして配布することは、「当該著作物の種類及び用途…に照らし著作権者の利益を不当に害することとなる場合」に当たるので、コピーは認められない。

問5 ○ 著作権法36条1項本文は、「公表された著作物については、入学試験その他人の学識技能に関する試験又は検定の目的上必要と認められる限度において、当該試験又は検定の問題として複製し、又は公衆送信（中略）を行うことができる」と規定している。本問のケースはこの規定により、新聞社の許諾なしで新聞のコラムを利用することが認められる。

教育法規　発達障害者支援法

以下の記述を読み、正しいものには○、誤っているものには×をつけよ。

問1 check√ □□□
発達障害者支援法は、発達障害者の心理機能の適正な発達及び円滑な社会生活の促進のために発達障害の症状の発現後できるだけ早期に発達支援を行うことが特に重要であることに鑑み、発達障害を早期に発見し、発達支援を行うことに関する国及び地方公共団体の責務を明らかにするとともに、学校教育における発達障害者への支援、発達障害者の就労の支援、発達障害者支援センターの指定等について定めることにより、発達障害者の自立及び社会参加に資するようその生活全般にわたる支援を図り、もってその福祉の増進に寄与することを目的とする。

問2 check√ □□□
この法律において「発達障害」とは、自閉症、アスペルガー症候群その他の広汎性発達障害、学習障害、注意欠陥多動性障害その他これに類する脳機能の障害であってその症状が通常低年齢において発現するものとして政令で定めるものをいう。

問3 check√ □□□
国及び地方公共団体は、発達障害者の心理機能の適正な発達及び円滑な社会生活の促進のために発達障害の症状の発現後できるだけ早期に発達支援を行うことが特に重要であることに鑑み、発達障害に対する研修のため必要な措置を講じるものとする。

問4 check√ □□□
国及び地方公共団体は、発達障害児に対し、発達障害の症状の発現後できるだけ早期に、その者の状況に応じて適切に、幼児の発達支援、学校における発達支援その他の発達支援が行われるとともに、発達障害者に対する学習、地域における生活等に関する支援及び発達障害者の家族に対する支援が行われるよう、必要な措置を講じるものとする。

問5 check√ □□□
国及び地方公共団体は、発達障害者の支援等の施策を講じるに当たっては、医療、介護、福祉、教育、労働等に関する業務を担当する部局の相互の緊密な連携を確保するとともに、発達障害者が被害を受けること等を防止するため、これらの部局と消費生活、警察等に関する業務を担当する部局その他の関係機関との必要な協力体制の整備を行うものとする。

解答・解説

問1 ○
発達障害者支援法1条により正しい。同法は、学校教育における支援、就労支援と、発達障害者を生涯全般にわたってフォローし続けることを目的としている。

問2 ○
発達障害者支援法2条1項により正しい。発達障害は脳機能の障害であり、その症状は通常低年齢において発現する。発達障害の定義と、どのようなものがそれにあたるのか、正しく押さえておくこと。

問3 ×
発達障害者支援法3条1項は、「国及び地方公共団体は、発達障害者の心理機能の適正な発達及び円滑な社会生活の促進のために発達障害の症状の発現後できるだけ早期に発達支援を行うことが特に重要であることに鑑み、（中略）発達障害の早期発見のため必要な措置を講じるものとする」と規定している。

問4 ×
発達障害者支援法3条2項は、「国及び地方公共団体は、（中略）発達障害児に対し、発達障害の症状の発現後できるだけ早期に、その者の状況に応じて適切に、就学前の発達支援、学校における発達支援その他の発達支援が行われるとともに、発達障害者に対する就労、地域における生活等に関する支援及び発達障害者の家族に対する支援が行われるよう、必要な措置を講じるものとする」と規定している。

問5 ×
発達障害者支援法3条5項は、「国及び地方公共団体は、発達障害者の支援等の施策を講じるに当たっては、医療、保健、福祉、教育、労働等に関する業務を担当する部局の相互の緊密な連携を確保するとともに、発達障害者が被害を受けること等を防止するため、これらの部局と消費生活、警察等に関する業務を担当する部局その他の関係機関との必要な協力体制の整備を行うものとする」と規定している。同法は、医療、保健、福祉、教育、労働等の領域間の連携を確保しようとしていることを押さえておこう。

教育法規　児童福祉法／児童虐待の防止等に関する法律

以下の記述を読み、正しいものには○、誤っているものには×をつけよ。

問 1 check√ □□□

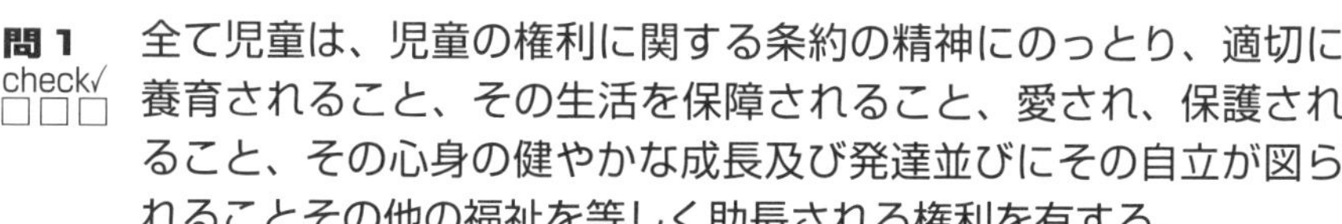
全て児童は、児童の権利に関する条約の精神にのっとり、適切に養育されること、その生活を保障されること、愛され、保護されること、その心身の健やかな成長及び発達並びにその自立が図られることその他の福祉を等しく助長される権利を有する。

問 2 check√ □□□

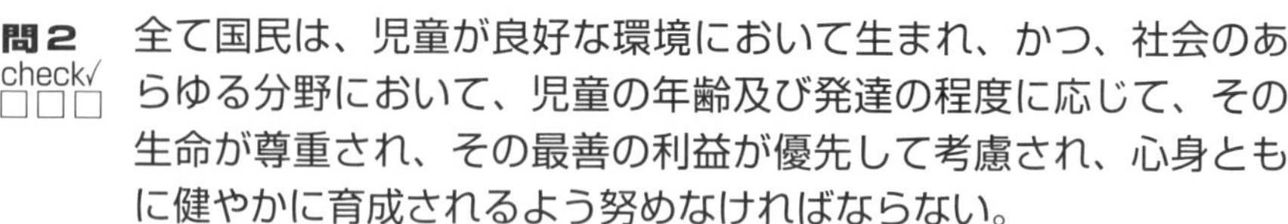
全て国民は、児童が良好な環境において生まれ、かつ、社会のあらゆる分野において、児童の年齢及び発達の程度に応じて、その生命が尊重され、その最善の利益が優先して考慮され、心身ともに健やかに育成されるよう努めなければならない。

問 3 check√ □□□

児童福祉法では、少年とは、小学校就学の始期から満 14 歳に達するまでの者をいう。

問 4 check√ □□□

児童福祉法で、保護者とは、親権を行う者、未成年後見人その他の者で、児童を現に監護する者をいう。

問 5 check√ □□□

市町村は、児童相談所を設置しなければならず、児童相談所の所長及び所員は、市町村長の補助機関である職員とする。

問 6 check√ □□□

児童相談所において、相談及び調査をつかさどる所員は、児童福祉司たる資格を有する者でなければならない。

問 7 check√ □□□

児童相談所長は、一時保護が行われた児童で親権を行う者のあるものについても、監護、教育及び懲戒に関し、その児童の福祉のため必要な措置を採ることができるが、体罰を加えてはならない。

問 8 check√ □□□

児童虐待の防止等に関する法律でいう児童とは、18 歳未満の者をいい、高等学校や特別支援学校の高等部に在籍する者も含まれる。

解答・解説

問 1 × 児童福祉法１条は、「全て児童は、児童の権利に関する条約の精神にのつとり、適切に養育されること、その生活を保障されること、愛され、保護されること、その心身の健やかな成長及び発達並びにその自立が図られることその他の福祉を等しく保障される権利を有する」と規定している。

問 2 × 児童福祉法２条１項は、「全て国民は、児童が良好な環境において生まれ、かつ、社会のあらゆる分野において、児童の年齢及び発達の程度に応じて、その意見が尊重され、その最善の利益が優先して考慮され、心身ともに健やかに育成されるよう努めなければならない」と規定している。

問 3 × 児童福祉法４条１項３号によると、少年とは小学校就学の始期から満 18 歳に達するまでの者をいう。

問 4 ○ 児童福祉法６条により正しい。未成年後見人も保護者に含まれる点に注意。

問 5 × 児童福祉法 12 条１項によると、児童相談所を設置しなければならないのは都道府県である。また、児童相談所の所長及び所員は、都道府県の補助機関である職員がなる（12 条の３第１項）。

問 6 ○ 児童福祉法 12 条の３第４項により正しい。なお、児童福祉司の資格については、同法 13 条３項を参照のこと。

問 7 ○ 児童福祉法 33 条の２第２項により正しい。令和元年６月の児童福祉法改正（令和２年４月１日施行）により、体罰が禁止された。

問 8 ○ 児童虐待防止法２条柱書により正しい。同法では、児童とは 18 歳未満の者を指す。なお、児童福祉法では、満１歳に満たない者は乳児、満１歳から小学校就学の始期に達するまでの者は幼児とされている（同法４条１項）が、児童虐待防止法ではこれらの者も児童とされているので、違いに注意。

以下の記述を読み、正しいものには○、誤っているものには×をつけよ。

問9 check√ □□□
児童にわいせつな行為をすること又は児童をしてわいせつな行為をさせることは、児童虐待に当たる。

問10 check√ □□□
児童の心身の正常な発達を妨げるような著しい減食又は長時間の放置等、保護者としての監護を著しく怠ることは、児童虐待に当たる。

問11 check√ □□□
児童に対する著しい暴言又は著しく感情的な対応、児童が同居する家庭における配偶者に対する暴力（配偶者（婚姻の届出をしていないが、事実上婚姻関係と同様の事情にある者を含む。）の身体に対する不法な攻撃であって精神又は身体に危害を及ぼすもの及びこれに準ずる心身に有害な影響を及ぼす言動をいう。）その他の児童に著しい心理的圧力を与える言動を行うことは、児童虐待に当たる。

問12 check√ □□□
児童虐待を受けたと思われる児童を発見した者は、速やかに、これを市町村、都道府県の設置する福祉事務所若しくは教育委員会又は児童委員を介して市町村、都道府県の設置する福祉事務所若しくは教育委員会に通告しなければならない。

問13 check√ □□□
市町村長は、児童虐待が行われているおそれがあると認めるときは、児童委員又は児童の福祉に関する事務に従事する職員をして、児童の住所又は居所に立ち入り、必要な調査又は質問をさせることができる。

問14 check√ □□□
児童の親権を行う者は、児童のしつけに際して、体罰を加えることにより当該児童を懲戒してはならず、当該児童の親権の適切な行使に配慮しなければならない。

解答・解説

問9 ○ 児童虐待防止法２条２号により正しい。性的虐待が児童虐待に当たるとした規定である。

問10 ○ 児童虐待防止法２条３号により正しい。ネグレクトが児童虐待に当たるとした規定である。

問11 × 児童虐待防止法２条４号によると、「児童に対する著しい暴言又は著しく拒絶的な対応、児童が同居する家庭における配偶者に対する暴力（配偶者（中略）の身体に対する不法な攻撃であって生命又は身体に危害を及ぼすもの及びこれに準ずる心身に有害な影響を及ぼす言動をいう。）その他の児童に著しい心理的外傷を与える言動を行うこと」は、児童虐待に当たる。

問12 × 児童虐待防止法６条１項は、「児童虐待を受けたと思われる児童を発見した者は、速やかに、これを市町村、都道府県の設置する福祉事務所若しくは児童相談所又は児童委員を介して市町村、都道府県の設置する福祉事務所若しくは児童相談所に通告しなければならない」と規定している。

問13 × 児童虐待防止法９条１項によると、児童虐待が行われているおそれがあると認めるときに、児童の住所・居所に立ち入り、必要な調査又は質問をさせることができるのは、都道府県知事である。

問14 ○ 児童虐待防止法14条１項により正しい。児童の親権を行う者は、児童虐待に係る暴行罪、傷害罪その他の犯罪について、当該児童の親権を行う者であることを理由として、その責めを免れることはない（同条２項）。

以下の記述を読み、正しいものには○、誤っているものには×をつけよ。

問1
check√ □□□
児童に関するすべての措置をとるに当たっては、公的若しくは私的な社会福祉施設、裁判所、行政当局又は立法機関のいずれによって行われるものであっても、児童の最善の利益が主として考慮されるものとする。

問2
check√ □□□
児童の権利に関する条約の締約国は、児童が父母、法定保護者又は児童を監護する他の者による監護を受けている間において、あらゆる形態の身体的若しくは精神的な暴力、傷害若しくは抑圧、放置若しくは違法な取扱い、不当な取扱い又は搾取（違法労働を含む。）からその児童を保護するためすべての適当な立法上、行政上、社会上及び教育上の措置をとる。

問3
check√ □□□
児童の権利に関する条約第 19 条第 1 項の保護措置には、適当な場合には、児童及び児童を監護する者のために必要な援助を与える社会的計画の作成その他の形態による抑制のための効果的な手続並びに１に定める児童の不当な取扱いの事件の発見、報告、付託、調査、処置及び事後措置並びに適当な場合には行政の関与に関する効果的な手続を含むものとする。

問4
check√ □□□
人権教育及び人権啓発の推進に関する法律は、人権の尊重の普遍性に関する認識の高まり、社会的身分、門地、人種、信条又は性別による不当な差別の発生等の人権問題の現状その他人権尊重に関する内外の情勢にかんがみ、人権教育及び人権啓発に関する施策の推進について、国、地方公共団体及び国民の義務を明らかにするとともに、必要な措置を定め、もって人権の擁護に資することを目的とする。

問5
check√ □□□
人権教育とは、人権の擁護の精神の涵養を目的とする教育活動をいい、人権啓発とは、国民の間に人権の擁護の理念を普及させ、及びそれに対する国民の理解を深めることを目的とする広報その他の社会教育（人権教育を除く。）をいう。

解答・解説

問1 ○ 児童権利条約3条1項により正しい。児童に関するすべての措置に当たっては、児童の最善の利益が主として考慮されなければならないことが規定されている。

問2 × 児童権利条約19条1項は、「締約国は、児童が父母、法定保護者又は児童を監護する他の者による監護を受けている間において、あらゆる形態の身体的若しくは精神的な暴力、傷害若しくは虐待、放置若しくは怠慢な取扱い、不当な取扱い又は搾取（性的虐待を含む。）からその児童を保護するためすべての適当な立法上、行政上、社会上及び教育上の措置をとる」と規定している。

問3 × 児童権利条約19条1項を受けて、同条2項は「1の保護措置には、適当な場合には、児童及び児童を監護する者のために必要な援助を与える社会的計画の作成その他の形態による防止のための効果的な手続並びに1に定める児童の不当な取扱いの事件の発見、報告、付託、調査、処置及び事後措置並びに適当な場合には司法の関与に関する効果的な手続を含むものとする」と規定している。

問4 × 人権教育人権啓発推進法1条は、「この法律は、人権の尊重の緊要性に関する認識の高まり、社会的身分、門地、人種、信条又は性別による不当な差別の発生等の人権侵害の現状その他人権の擁護に関する内外の情勢にかんがみ、人権教育及び人権啓発に関する施策の推進について、国、地方公共団体及び国民の責務を明らかにするとともに、必要な措置を定め、もって人権の擁護に資することを目的とする」と規定している。

問5 × 人権教育人権啓発推進法2条は、「人権教育とは、人権尊重の精神の涵養を目的とする教育活動をいい、人権啓発とは、国民の間に人権尊重の理念を普及させ、及びそれに対する国民の理解を深めることを目的とする広報その他の啓発活動（中略）をいう」と規定している。人権教育の定義はわが国の人権教育の基礎項目なので、しっかり押さえておくこと。

教育法規　少年法／男女共同参画社会基本法

以下の記述を読み、正しいものには○、誤っているものには×をつけよ。

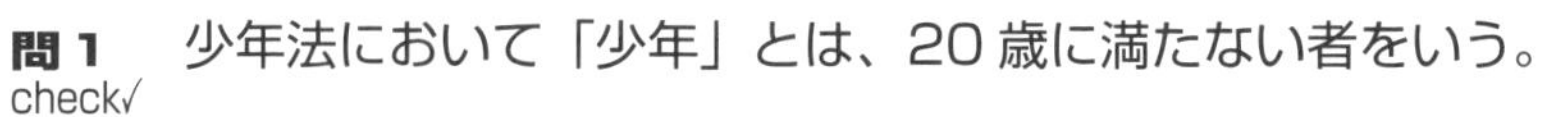

問1 check√ □□□

少年法において「少年」とは、20 歳に満たない者をいう。

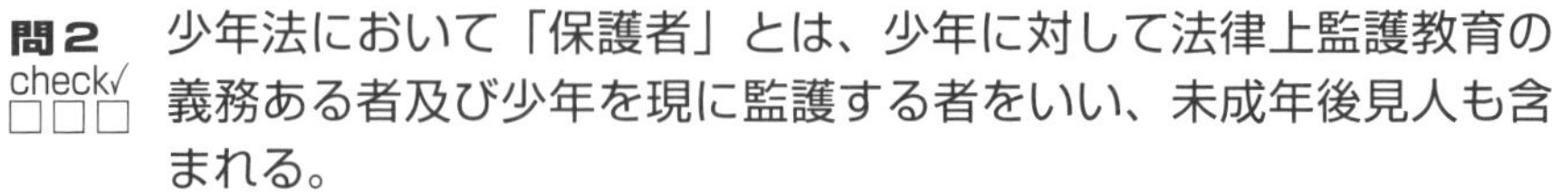

問2 check√ □□□

少年法において「保護者」とは、少年に対して法律上監護教育の義務ある者及び少年を現に監護する者をいい、未成年後見人も含まれる。

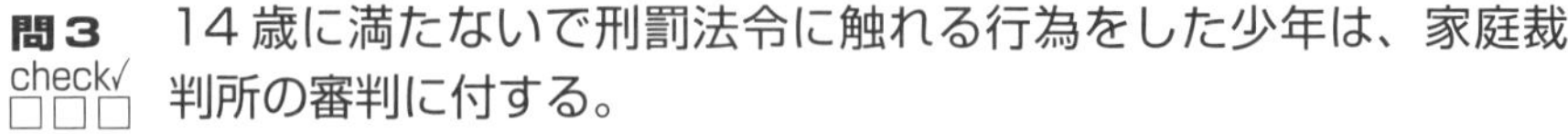

問3 check√ □□□

14 歳に満たないで刑罰法令に触れる行為をした少年は、家庭裁判所の審判に付する。

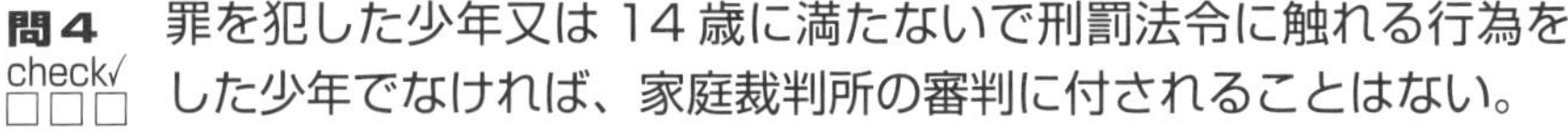

問4 check√ □□□

罪を犯した少年又は 14 歳に満たないで刑罰法令に触れる行為をした少年でなければ、家庭裁判所の審判に付されることはない。

問5 check√ □□□

家庭裁判所は、少年法第 3 条第 1 項第 2 号に掲げる少年（いわゆる触法少年）及び同条項第 3 号に掲げる少年（いわゆる虞犯少年）で 14 歳に満たない者については、都道府県知事又は教育委員会から送致を受けたときに限り、これを審判に付することができる。

問6 check√ □□□

男女共同参画社会の形成は、男女の個人としての尊厳が重んぜられること、男女が性別による差別的取扱いを受けないこと、男女が個人として能力を発揮する機会が確保されることその他の男女の平等が尊重されることを旨として、行われなければならない。

解答・解説

問 1 ○ 少年法２条１項によると、「少年」とは 20 歳に満たない者をいう。なお、18 歳以上の少年は「特定少年」という。

問 2 ○ 少年法２条２項によると、「保護者」とは、少年に対して法律上監護教育の義務ある者及び少年を現に監護する者をいう。未成年後見人も法律上監護教育の義務があるので、保護者に当たる。

問 3 ○ 少年法３条１項２号によると、14 歳に満たないで刑罰法令に触れる行為をした少年（いわゆる触法少年）は、家庭裁判所の審判に付する。「14 歳」「家庭裁判所」という点がポイント。なお、同条項１号の定める「罪を犯した少年」のことを、犯罪少年という。

問 4 × 少年法３条１項３号によると、罪を犯したり、刑罰法令に触れる行為をしたりしなくても、①保護者の正当な監督に服しない性癖がある、②正当の理由がなく家庭に寄り附かない、③犯罪性のある人若しくは不道徳な人と交際し、又はいかがわしい場所に出入する、④自己又は他人の徳性を害する行為をする性癖がある、という事由があって、その性格又は環境に照して、将来、罪を犯し、又は刑罰法令に触れる行為をする虞のある少年（いわゆる虞犯少年）については、家庭裁判所の審判に付する旨を規定している。

問 5 × 少年法３条２項によると、家庭裁判所は、触法少年及び虞犯少年で 14 歳に満たない者については、都道府県知事又は児童相談所長から送致を受けたときに限り、これを審判に付することができると規定している。

問 6 × 男女共同参画社会基本法３条は、「男女共同参画社会の形成は、男女の個人としての尊厳が重んぜられること、男女が性別による差別的取扱いを受けないこと、男女が個人として能力を発揮する機会が確保されることその他の男女の人権が尊重されることを旨として、行われなければならない」と規定している。

問 1 check√ □□□

次の各文は、日本国憲法の条文の抜粋である。文中の［　ア　］〜［　エ　］に当てはまる語句の組合せとして最も適当なものを、次の1〜5のうちから一つ選びなさい。

1　国民は、すべての［　ア　］の享有を妨げられない。この憲法が国民に保障する［　ア　］は、侵すことのできない永久の権利として、現在及び将来の国民に与へられる。

2　すべて国民は、［　イ　］として尊重される。生命、自由及び幸福追求に対する国民の権利については、公共の福祉に反しない限り、立法その他の国政の上で、最大の尊重を必要とする。

3　すべて国民は、法律の定めるところにより、その［　ウ　］に応じて、ひとしく教育を受ける権利を有する。

4　両議院の議員及びその選挙人の資格は、法律でこれを定める。但し、［　エ　］、信条、性別、社会的身分、門地、教育、財産又は収入によつて差別してはならない。

	ア	イ	ウ	エ
1	人権	人	能力	国籍
2	人権	個人	適性	人種
3	基本的人権	個人	能力	国籍
4	基本的人権	個人	能力	人種
5	基本的人権	人	適性	人種

問 2 check√ □□□

次のうち、日本国憲法の条文はいくつあるか。

ア　日本国民たる要件は、法律でこれを定める。

イ　すべて公務員は、全体の奉仕者であつて、一部の奉仕者ではない。

ウ　何人も、現行犯として逮捕される場合を除いては、権限を有する司法官憲が発し、且つ理由となつてゐる犯罪を明示する令状によらなければ、逮捕されない。

エ　すべて国民は、ひとしく、その能力に応じた教育を受ける機会を与えられなければならず、人種、信条、性別、社会的身分、経済的地位又は門地によって、教育上差別されない。

オ　国民は、法律の定めるところにより、納税の義務を負ふ。

1　1つ　　2　2つ　　3　3つ　　4　4つ　　5　5つ

解答・解説

問１　正解 4

ア「基本的人権」である。憲法第 11 条は、「国民は、すべての基本的人権の享有を妨げられない。この憲法が国民に保障する基本的人権は、侵すことのできない永久の権利として、現在及び将来の国民に与へられる」と規定している。

イ「個人」である。憲法 13 条は、「すべて国民は、個人として尊重される。生命、自由及び幸福追求に対する国民の権利については、公共の福祉に反しない限り、立法その他の国政の上で、最大の尊重を必要とする」と規定している。

ウ「能力」である。憲法 26 条は、「すべて国民は、法律の定めるところにより、その能力に応じて、ひとしく教育を受ける権利を有する」と規定している。

エ「人種」である。憲法 44 条は、「両議院の議員及びその選挙人の資格は、法律でこれを定める。但し、人種、信条、性別、社会的身分、門地、教育、財産又は収入によつて差別してはならない」と規定している。

したがって、最も適当なものは４である。

問２　正解 4

ア○　憲法 10 条である。

イ○　憲法 15 条 2 項である。この規定を 1 つの根拠にして、公務員の政治活動の制限、労働基本権の制限が正当化されている。

ウ○　憲法 33 条である。令状主義の原則を規定した条文である。

エ×　教育基本法 4 条 1 項である。「すべて国民は、法律の定めるところにより、その保護する子女に普通教育を受けさせる義務を負ふ」と規定する憲法 26 条 2 項と混同しやすいので注意すること。

オ○　憲法 30 条である。日本国憲法は国民に対し、子女に普通教育を受けさせる義務（26 条 2 項）、勤労の義務（27 条）、納税の義務の 3 大義務を課している。

問３ check√ □□□ **教育基本法の次の条文の空欄［　Ａ　］［　Ｂ　］に当てはまる語句として適切な組合せはどれか。**

第６条　［　Ａ　］に定める学校は、公の性質を有するものであって、国、地方公共団体及び［　Ａ　］に定める法人のみが、これを設置することができる。

２　前項の学校においては、教育の目標が達成されるよう、教育を受ける者の［　Ｂ　］に応じて、体系的な教育が組織的に行われなければならない。この場合において、教育を受ける者が、学校生活を営む上で必要な規律を重んずるとともに、自ら進んで学習に取り組む意欲を高めることを重視して行われなければならない。

	A	B
1	条例	心身の発達
2	法律	心身の発達
3	条例	能力
4	法律	能力
5	政令	心身の発達

問４ check√ □□□ **教育基本法に関する記述として適切でないものは、次の１～５のうちどれか。**

1　個人の要望や社会の要請にこたえ、社会において行われる教育は、国及び地方公共団体によって奨励されなければならない。

2　幼児期の教育は、生涯にわたる人格形成の基礎を培う重要なものであることにかんがみ、国及び地方公共団体は、幼児の健やかな成長に資する良好な環境の整備その他適当な方法によって、その振興に努めなければならない。

3　小学校は、文部科学大臣の定めるところにより当該小学校の教育活動その他の学校運営の状況について評価を行い、その結果に基づき学校運営の改善を図るため必要な措置を講ずることにより、その教育水準の向上に努めなければならない。

4　国は、全国的な教育の機会均等と教育水準の維持向上を図るため、教育に関する施策を総合的に策定し、実施しなければならない。

5　政府は、教育の振興に関する施策の総合的かつ計画的な推進を図るため、教育の振興に関する施策についての基本的な方針及び講ずべき施策その他必要な事項について、基本的な計画を定め、これを国会に報告するとともに、公表しなければならない。

問3　正解 2

A 「法律」である。教育基本法6条1項は、「法律に定める学校は、公の性質を有するものであって、国、地方公共団体及び法律に定める法人のみが、これを設置することができる」と規定している。

B 「心身の発達」である。教育基本法6条2項は、「前項の学校においては、教育の目標が達成されるよう、教育を受ける者の心身の発達に応じて、体系的な教育が組織的に行われなければならない。この場合において、教育を受ける者が、学校生活を営む上で必要な規律を重んずるとともに、自ら進んで学習に取り組む意欲を高めることを重視して行われなければならない」と規定している。

したがって、適切な組合せは2である。

教育基本法6条は頻出条文なので、よく覚えておくこと。

問4　正解 3

1○　教育基本法12条1項である。国・地方公共団体による社会教育の奨励に関する規定である。

2○　教育基本法11条である。幼児教育の振興に関する規定である。

3×　学校教育法42条である。教育基本法には小学校に関する規定はない。

4○　教育基本法16条2項である。国による教育施策の総合的策定・実施について定めた規定である。

5○　教育基本法17条1項である。政府による教育振興施策の基本計画に関する規定である。

問 5
check√
□□□

次の各文は、学校教育法の条文からの抜粋である。文中の［　ア　］～［　エ　］に当てはまるものの組合せとして最も適当なものを、次の1～5のうちから一つ選びなさい。

第21条　義務教育として行われる普通教育は、教育基本法（平成18年法律第120号）第5条第2項に規定する目的を実現するため、次に掲げる目標を達成するよう行われるものとする。

一～二　（略）

三　我が国と郷土の現状と歴史について、正しい理解に導き、伝統と文化を尊重し、それらをはぐくんできた我が国と郷土を愛する態度を養うとともに、進んで［　ア　］の文化の理解を通じて、他国を尊重し、国際社会の平和と発展に寄与する態度を養うこと。

四　［　イ　］の役割、生活に必要な衣、食、住、情報、産業その他の事項について基礎的な理解と技能を養うこと。

五　（略）

六　生活に必要な数量的な関係を正しく理解し、処理する［　ウ　］な能力を養うこと。

七～八　（略）

九　生活を明るく豊かにする［　エ　］について基礎的な理解と技能を養うこと。

十　（略）

	ア	イ	ウ	エ
1	自国	家族と家庭	実践的	音楽、美術、文芸その他の芸術
2	外国	家族と家庭	基礎的	調理、工作その他の技術
3	自国	男女	基礎的	音楽、美術、文芸その他の芸術
4	外国	男女	実践的	調理、工作その他の技術
5	外国	家族と家庭	基礎的	音楽、美術、文芸その他の芸術

問5　正解 5

学校教育法21条は、教育基本法の重要条文の1つである教育基本法5条2項に基づく規定である。ここで教育基本法5条2項を確認すると、「義務教育として行われる普通教育は、各個人の有する能力を伸ばしつつ社会において自立的に生きる基礎を培い、また、国家及び社会の形成者として必要とされる基本的な資質を養うことを目的として行われるものとする」と定められている。この義務教育として行われる普通教育を実現するための目標を定めたのが、学校教育法21条である。同条は教職教養試験の重要条文の1つであり、特に本問で問われている3号、4号、6号、9号は本試験でも頻出である。条文をしっかり押さえておこう。

ア　「外国」である。学校教育法21条3号は普通教育の目標の1つとして、我が国と郷土を愛する態度を養うとともに、外国の文化の理解と通じて他国を尊重し、国際社会の平和と発展に寄与する態度を養うことを挙げている。なお、教育基本法2条5号は、教育の目標の1つとして、「伝統と文化を尊重し、それらをはぐくんできた我が国と郷土を愛するとともに、他国を尊重し、国際社会の平和と発展に寄与する態度を養うこと」と定めている。この教育基本法の条文と混同しないように注意。

イ　「家族と家庭」である。学校教育法21条4号は、家族と家庭の役割に関する基礎的理解を養うことを普通教育の目標の1つとしている。

ウ　「基礎的」である。学校教育法21条6号は、算数・数学教育によって、生活に必要な数量的な関係を正しく理解し、処理する基礎的能力を養うことを目標としている。

エ　「音楽、美術、文芸その他の芸術」である。学校教育法21条9号によると、**エ**には「音楽、美術、文芸その他の芸術」が当てはまる。ちなみに、学校教育法21条では普通教育の目標として、調理、工作その他の技術は特に規定されていない。

したがって、最も適当なものは5である。

問6 check√ □□□

次の各文は、特別支援教育に関する法令の条文である。文中の［　ア　］～［　オ　］に、それぞれあとのａ～ｋのいずれかの語句を入れてこれらの条文を完成させる場合、正しい組合せはどれか。１～５から一つ選びなさい。

(1) 特別支援学校においては、第72条に規定する目的を実現するための教育を行うほか、幼稚園、小学校、中学校、義務教育学校、高等学校又は中等教育学校の要請に応じて、第81条第1項に規定する幼児、児童又は生徒の教育に関し必要な助言又は［　ア　］を行うよう努めるものとする。

(2)［　イ　］は、その区域内にある学齢児童及び学齢生徒のうち、視覚障害者、聴覚障害者、知的障害者、肢体不自由者又は病弱者で、その障害が第75条の政令で定める程度のものを就学させるに必要な特別支援学校を設置しなければならない。

(3) 小学校、中学校、義務教育学校、高等学校及び中等教育学校には、次の各号のいずれかに該当する児童及び生徒のために、特別支援学級を置くことができる。

一　［　ウ　］
二　肢体不自由者
三　［　エ　］
四　弱視者
五　［　オ　］
六　その他障害のある者で、特別支援学級において教育を行うことが適当なもの

ａ　知的障害者　　ｂ　情緒障害者　　ｃ　都道府県　　ｄ　市町村
ｅ　身体虚弱者　　ｆ　援助　　ｇ　指導　　ｈ　言語障害者
ｉ　自閉症者　　ｊ　難聴者　　ｋ　注意欠陥多動性障害者

	ア	イ	ウ	エ	オ
1	f	c	b	e	i
2	f	d	b	k	j
3	f	c	a	e	j
4	g	c	a	i	k
5	g	d	a	e	i

問6　正解 3

特別支援教育に関する問題は頻出である。学校教育法で特別支援教育に関する条文のところはしっかり押さえておこう。

ア「f　援助」が入る。学校教育法74条は「特別支援学校においては…、幼稚園、小学校、中学校、義務教育学校、高等学校又は中等教育学校の要請に応じて、同法第81条第1項に規定する幼児、児童又は生徒の教育に関し必要な助言又は援助を行うよう努めるものとする」と規定している。「指導」と混同しないように注意。

イ「c　都道府県」が入る。学校教育法80条によると、特別支援学校の設置主体は都道府県である。

ウ「a　知的障害者」が入る。学校教育法81条2項は特別支援学級の対象者について、次の6類型を規定している。①知的障害者、②肢体不自由者、③身体虚弱者、④弱視者、⑤難聴者、⑥その他障害のある者で、特別支援学級において教育を行うことが適当なもの。情緒障害者、言語障害者、自閉症者は、対象者として明文で挙げられていないが、これらの人たちも「⑥その他障害のある者で、特別支援学級において教育を行うことが適当なもの」として、特別支援学級の対象者になりうるので注意。

エ「e　身体虚弱者」が入る。学校教育法81条2項3号。

オ「j　難聴者」が入る。学校教育法81条2項5号。

したがって、正しい組合せは3である。

問 7 check√ □□□

次の各文は、地方公務員法の条文の抜粋である。[　ア　]～[　エ　]に当てはまる語句の組合せとして最も適当なものを、次の１～５のうちから一つ選びなさい。

(1) すべて職員は、全体の奉仕者として公共の[　ア　]のために勤務し、且つ、職務の遂行に当つては、全力を挙げてこれに専念しなければならない。
(2) 職員は、その職務を遂行するに当つて、法令、条例、地方公共団体の規則及び地方公共団体の機関の定める規程に従い、且つ、[　イ　]の職務上の命令に忠実に従わなければならない。
(3) 職員は、その職の信用を傷つけ、又は職員の職全体の[　ウ　]となるような行為をしてはならない。
(4) 職員は、法律又は条例に特別の定がある場合を除く外、その勤務時間及び職務上の注意力のすべてをその[　エ　]のために用い、当該地方公共団体がなすべき責を有する職務にのみ従事しなければならない。

	ア	イ	ウ	エ
1	利益	上司	不名誉	職責遂行
2	利益	上司	不名誉	勤務能率の発揮
3	福祉	上司	信用失墜	勤務能率の発揮
4	福祉	管理職	不名誉	職責遂行
5	利益	管理職	信用失墜	勤務能率の発揮

解答・解説

問７　正解 1

ア　「利益」である。地方公務員法 30 条。「福祉」と間違えやすいので注意。

イ　「上司」である。地方公務員法 32 条。「管理職」との混同を誘う問題がしばしば出題されるので注意。

ウ　「不名誉」である。地方公務員法 33 条。職員による信用失墜行為の禁止を規定したものだが、条文上は「信用失墜」という文言は出てこない。

エ　「職責遂行」である。地方公務員法 35 条。

したがって、最も適当なものは 1 である。

〔職員の職務上の制約：地方公務員法〕

制約の種類	内　容
法令等及び職務命令に従う義務（32 条）	職員は職務遂行に当たって、法令、条例、規則等に従い、かつ上司の職務上の命令に従わなければならない。
信用失墜行為の禁止（33 条）	職員はその職の信用を傷つけたり、職員の職全体の不名誉となるような行為をしてはならない。
秘密を守る義務（34 条）	職員は在職中、退職後を問わず職務上知り得た秘密を漏らしてはならない。
職務に専念する義務（35 条）	職員は勤務時間及び職務上の注意力の全てを職務遂行のために用いなければならない。
政治的行為の制限（36 条）	職員は政治的中立を保つことが求められており、一定の政治的行為をしてはならない。
争議行為等の禁止（37 条）	職員は住民に対してストライキ等の争議行為をしたり、行政機能を低下させる怠業的行為をしてはならない。
営利企業等への従事制限（38 条）	職員は任命権者の許可を受けなければ、営利企業等を経営したり、その事務に従事することはできない。

問 8 check√ □□□

教育公務員特例法の条文はいくつかあるか。

ア　学長、教員及び部局長は、学長及び教員にあつては評議会、部局長にあつては学長の審査の結果によるのでなければ、その意に反して転任されることはない。

イ　教育公務員は、その職責を遂行するために、絶えず研究と修養に努めなければならない。

ウ　職員は、地方公共団体の機関が代表する使用者としての住民に対して同盟罷業、怠業その他の争議行為をし、又は地方公共団体の機関の活動能率を低下させる怠業的行為をしてはならない。

エ　公立の小学校等の教諭等の研修実施者は、当該教諭等（臨時的に任用された者その他の政令で定める者を除く。）に対して、その採用の日から１年間の教諭又は保育教諭の職務の遂行に必要な事項に関する実践的な研修（次項において「初任者研修」という。）を実施しなければならない。

オ　指導教員は、初任者に対して教諭又は保育教諭の職務の遂行に必要な事項について指導及び助言を行うものとする。

1　1つ　　2　2つ　　3　3つ　　4　4つ　　5　5つ

問 9 check√ □□□

教育委員会に関する記述として、法令に照らして適切なものは、次の1～5のうちどれか。

1　教育委員会は、当該地方公共団体が処理する教育に関する事務で、学校の組織編制、教育課程、学習指導、生徒指導及び職業訓練に関することを管理し、及び執行する。

2　小学校は、当該教育委員会の定めるところにより当該小学校の教育活動その他の学校運営の状況について評価を行い、その結果に基づき学校運営の改善を図るため必要な措置を講ずることにより、その教育水準の向上に努めなければならない。

3　非常変災その他急迫の事情があるときは、校長は、臨時に授業を行わないことができる。この場合、この旨を当該学校を設置する地方公共団体の教育委員会に報告しなければならない。

4　教育委員会は、私立学校の教育に関する事務を管理し、及び執行する。

5　教育委員会は、教育委員会規則で定めるところにより、その所管に属する学校ごとに、当該学校の運営及び当該運営への必要な支援に関して協議する機関として、学校運営協議会を置かなければならない。

解答・解説

問8　正解 4

ア○　教育公務員特例法4条1項である。

イ○　教育公務員特例法21条1項である。主語が「教育公務員」となっていることからも、同法の条文であると判断できる。

ウ×　地方公務員法37条1項である。教育公務員特例法において、主語が「職員」という条文はない。

エ○　教育公務員特例法23条1項である。教諭等の初任者研修について定めているのは、教育公務員特例法である。

オ○　教育公務員特例法23条3項である。教諭等の初任者研修に関する条文なので、教育公務員特例法と判断できる。

問9　正解 3

1×　地方教育行政法21条5号によると、教育委員会は、学校の組織編制、教育課程、学習指導、生徒指導及び職業指導に関することを管理し、及び執行する。

2×　学校教育法42条は、「小学校は、文部科学大臣の定めるところにより当該小学校の教育活動その他の学校運営の状況について評価を行い、その結果に基づき学校運営の改善を図るため必要な措置を講ずることにより、その教育水準の向上に努めなければならない」と定めている。

3○　学校教育法施行規則63条により正しい。

4×　地方教育行政法22条3号によると、私立学校の教育に関する事務を管理し、及び執行するのは、地方公共団体の長である。

5×　地方教育行政法47条の5第1項によると、学校運営協議会の設置は努力義務であって（「置くように努めなければならない」）、「置かなければならない」ものではない。

問 10 check√ □□□ **次の各文は、法令の条文又は条文の一部である。A ～ D に対応する法令を、それぞれあとのア～エから選ぶ場合、最も適切な組合せはどれか。1～5のうちから一つ選びなさい。**

A　国民一人一人が、自己の人格を磨き、豊かな人生を送ることができるよう、その生涯にわたって、あらゆる機会に、あらゆる場所において学習することができ、その成果を適切に生かすことのできる社会の実現が図られなければならない。

B　何人も、公務員の不法行為により、損害を受けたときは、法律の定めるところにより、国又は公共団体に、その賠償を求めることができる。

C　免許状を有する者が、次の各号のいずれかに該当する場合には、その免許状はその効力を失う。

一　第 5 条第 1 項第 3 号又は第 6 号に該当するに至つたとき。

二　公立学校の教員であつて懲戒免職の処分を受けたとき。

三　公立学校の教員（地方公務員法（昭和 25 年法律第 261 号）第 29 条の 2 第 1 項各号に掲げる者に該当する者を除く。）であつて同法第 28 条第 1 項第 1 号又は第 3 号に該当するとして分限免職の処分を受けたとき。

D　経済的理由によつて、就学困難と認められる学齢児童又は学齢生徒の保護者に対しては、市町村は、必要な援助を与えなければならない。

ア　日本国憲法
イ　教育基本法
ウ　学校教育法
エ　教育職員免許法

	A	B	C	D
1	ア	イ	エ	ウ
2	イ	ア	ウ	エ
3	イ	ア	エ	ウ
4	イ	ウ	ア	エ
5	ア	イ	ウ	エ

問 10　正解 3

A 「イ　教育基本法」3 条である。平成 18 年の法改正によって新設された規定で、生涯学習の理念について定めている。この条文においてポイントとなるのは、「自己の人格を磨き」「豊かな人生を送ることができるよう」「生涯にわたって」「あらゆる機会に、あらゆる場所において」「成果を適切に生かすことのできる社会の実現」というところである。

B 「ア　日本国憲法」17 条である。国家賠償請求権を規定している。選択肢ア～エの中で国家賠償について定めていそうな法令は、日本国憲法ぐらいしかないので、すぐに判断できるであろう。ちなみに、国又は地方公共団体への賠償請求が認められるには、公務員による「不法行為」、つまり故意・過失による違法行為のあったことが必要である。公務員が適法に職務執行をしている際に生じた損害については、賠償請求は認められない。国家賠償請求をめぐる訴訟においては、この公務員による「不法行為」の有無が争点となることが多い。

C 「エ　教育職員免許法」10 条 1 項である。免許状について述べているので、同法だとすぐにわかるだろう。本条が規定する免許状が失効する場合をまとめると、次のようになる。①禁錮以上の刑に処せられたとき、②日本国憲法施行の日以後において、日本国憲法又はその下に成立した政府を暴力で破壊することを主張する政党その他の団体を結成したとき、又はこれに加入したとき、③公立学校の教員であって懲戒免職処分を受けたとき、④公立学校の教員（条件附採用期間中の職員及び臨時的に任用された職員を除く）であって、勤務実績が良くない、又はその職に必要な適格性を欠くとして分限免職の処分を受けたとき。

D 「ウ　学校教育法」19 条である。援助を与える主体が市町村であることに注意。なお、経済的理由による義務教育の猶予又は免除（同法 18 条）は認められないことに注意。

したがって、最も適切な組合せは 3 である。

問 11 check√ □□□
次の文は、学校保健安全法の一部である。文中の［ ア ］～［ キ ］に当てはまることばを書きなさい。

第 27 条 ［ ア ］は、児童生徒等の安全の確保を図るため、当該学校の施設及び設備の［ イ ］、児童生徒等に対する通学を含めた学校生活その他の日常生活における安全に関する［ ウ ］、［ エ ］その他学校における安全に関する事項について［ オ ］し、これを実施しなければならない。
第 28 条 ［ カ ］は、当該学校の施設又は設備について、児童生徒等の安全の確保を図る上で支障となる事項があると認めた場合には、遅滞なく、その改善を図るために必要な措置を講じ、又は当該措置を講ずることができないときは、当該学校の［ キ ］に対し、その旨を申し出るものとする。

問 12 check√ □□□
次の文は、学校給食法の条文の抜粋である。文中の［ ア ］～［ オ ］に当てはまることばを下のａ～ｋから選び、その記号を書きなさい。

第２条 学校給食を実施するに当たつては、義務教育諸学校における教育の目的を実現するために、次に掲げる目標が達成されるよう努めなければならない。
一 適切な栄養の摂取による健康の保持増進を図ること。
二 日常生活における食事について正しい理解を深め、健全な［ ア ］を営むことができる判断力を培い、及び望ましい［ イ ］を養うこと。
三 学校生活を豊かにし、明るい社交性及び協同の精神を養うこと。
四 食生活が自然の恩恵の上に成り立つものであることについての理解を深め、［ ウ ］を尊重する精神並びに環境の保全に寄与する態度を養うこと。
五 食生活が食にかかわる人々の様々な［ エ ］に支えられていることについての理解を深め、勤労を重んずる態度を養うこと。
六 我が国や各地域の優れた伝統的な［ オ ］についての理解を深めること。
七 食料の生産、流通及び消費について、正しい理解に導くこと。

ａ 努力　ｂ 活動　ｃ 食習慣　ｄ 栄養バランス
ｅ 食文化　ｆ 生命及び自然　ｇ 動植物等の生命
ｈ 食生活　ｉ ライフスタイル　ｊ 郷土料理　ｋ 生産

問 11　正解　ア＝学校において　イ＝安全点検　ウ＝指導
エ＝職員の研修　オ＝計画を策定　カ＝校長
キ＝設置者

学校保健安全法 27 条は、「学校においては、児童生徒等の安全の確保を図るため、当該学校の施設及び設備の安全点検、児童生徒等に対する通学を含めた学校生活その他の日常生活における安全に関する指導、職員の研修その他学校における安全に関する事項について計画を策定し、これを実施しなければならない」と規定している。

同法 28 条は、「校長は、当該学校の施設又は設備について、児童生徒等の安全の確保を図る上で支障となる事項があると認めた場合には、遅滞なく、その改善を図るために必要な措置を講じ、又は当該措置を講ずることができないときは、当該学校の設置者に対し、その旨を申し出るものとする」と規定している。

問 12　正解　ア＝h　イ＝c　ウ＝f　エ＝b　オ＝e

ア「h　食生活」である。学校給食法 2 条 2 号は学校給食の目標の 1 つとして、「日常生活における食事について正しい理解を深め、健全な食生活を営むことができる判断力を培い、及び望ましい食習慣を養うこと」を規定している。

イ「c　食習慣」である。「食生活」と「食習慣」で混同しないように注意すること。

ウ「f　生命及び自然」である。学校給食法 2 条 4 号は学校給食の目標の 1 つとして、「食生活が自然の恩恵の上に成り立つものであることについての理解を深め、生命及び自然を尊重する精神並びに環境の保全に寄与する態度を養うこと」を規定している。

エ「b　活動」である。学校給食法 2 条 5 号は学校給食の目標の 1 つとして、「食生活が食にかかわる人々の様々な活動に支えられていることについての理解を深め、勤労を重んずる態度を養うこと」を規定している。

オ「e　食文化」である。学校給食法 2 条 6 号は学校給食の目標の 1 つとして、「我が国や各地域の優れた伝統的な食文化についての理解を深めること」を規定している。

問 13 次のア～オのうち、学校の教育活動における著作物の利用として著作権者の了解を必要としないものはどれか､次の１～５のうち一つ選びなさい。

check√ □□□

1　旅行会社のパンフレットに掲載されていた記事をそのまま使って修学旅行のしおりを作成し、児童・生徒に配布する。

2　教員が授業で使用するために、販売用のドリル教材をコピーして児童･生徒に配布する。

3　教員がソフトウェアなどを児童・生徒が使用する複数のパソコンにコピーする。

4　市販の雑誌に載っている評論文をそのまま学校のホームページに掲載する。

5　児童･生徒が「調べ学習」のために、新聞記事をコピーして､他の児童･生徒に配布する。

参考：〔著作物が自由に使える場合〕

教科用図書等への掲載（33条）	学校教育の目的上必要と認められる限度で教科書に掲載することができる。
教科用拡大図書等の作成のための複製等（33条の3）	視覚障害等により既存の教科書が使用しにくい児童又は生徒の学習のために、教科書の文字や図形の拡大や、その他必要な方式により複製することができる。
教育機関における複製等（35条）	教育を担任する者やその授業を受ける者（学習者）は、授業の過程で使用するために著作物を複製することができる。
試験問題としての複製等（36条）	入学試験や採用試験などの問題として著作物を複製すること、インターネット等を利用して試験を行う際には公衆送信することができる。
視覚障害者等のための複製等（37条）	点字によって複製、あるいは、点字データとしてコンピュータへ蓄積しコンピュータ・ネットワークを通じて送信することができる。
営利を目的としない上演等（38条）	営利を目的とせず、観客から料金をとらない場合は、公表された著作物を上演・演奏・上映・口述することができる。また、営利を目的とせず、貸与を受ける者から料金をとらない場合は、CDなど公表された著作物の複製物を貸与することができる。

問 13　正解 5

著作権法 35 条 1 項は「学校その他の教育機関（中略）において教育を担任する者及び授業を受ける者は、その授業の過程における利用に供することを目的とする場合には、その必要と認められる限度において、公表された著作物を複製し、若しくは公衆送信（中略）を行い、又は公表された著作物であって公衆送信されるものを受信装置を用いて公に伝達することができる。ただし、当該著作物の種類及び用途並びに当該複製の部数及び当該複製、公衆送信又は伝達の態様に照らし著作権者の利益を不当に害することとなる場合は、この限りでない」と規定している。この規定を念頭に各選択肢を検討する。

1　了解を必要とする　修学旅行のしおりの作成は「授業の過程」とはいえないので、旅行会社の了解を得ないで、記事をそのまま使ってしおりを作成することは許されない。

2　了解を必要とする　販売用ドリル教材のコピーの配布は「当該著作物の種類及び用途並びに当該複製の部数及び当該複製、公衆送信又は伝達の態様に照らし著作権者の利益を不当に害することとなる場合」に当たるので、出版社の了解を得ないでコピーすることは許されない。

3　了解を必要とする　これも、「当該著作物の種類及び用途並びに当該複製の部数及び当該複製、公衆送信又は伝達の態様に照らし著作権者の利益を不当に害することとなる場合」に当たるので、出版社の了解を得ないでコピーすることは許されない。

4　了解を必要とする　学校のホームページへの掲載は「授業の過程」とはいえないので、雑誌に掲載された評論文を出版社の了解を得ずにホームページにそのまま掲載することは許されない。

5　了解を必要としない　授業を受ける者が「授業の過程における利用に供することを目的とする場合」に当たり、新聞社の了解は必要ない。

問 14 check√ □□□

次の各文は、児童及び児童虐待に関する、条約及び法律の条文又は条文の一部である。文中の［　ア　］～［　オ　］に、それぞれあとのａ～ｋのいずれかの語句を入れてこれらの条文を完成させる場合、正しい組合せはどれか。１～５のうちから一つ選びなさい。

(1) 全て国民は、児童が良好な環境において生まれ、かつ、社会のあらゆる分野において、児童の年齢及び発達の程度に応じて、その［　ア　］が尊重され、その最善の利益が優先して考慮され、心身ともに健やかに育成されるよう努めなければならない。

(2) 締約国は、児童が父母、法定保護者又は児童を監護する他の者による監護を受けている間において、あらゆる形態の身体的若しくは精神的な暴力、傷害若しくは虐待、放置若しくは怠慢な取扱い、不当な取扱い又は搾取（［　イ　］を含む。）からその児童を保護するためすべての適当な立法上、行政上、社会上及び教育上の措置をとる。

(3) 学校、児童福祉施設、病院（中略）その他児童の福祉に業務上関係のある団体及び学校の教職員、児童福祉施設の職員、医師、歯科医師、保健師、助産師、看護師、弁護士、警察官、女性相談支援員その他児童の福祉に職務上関係のある者は、児童虐待を［　ウ　］しやすい立場にあることを自覚し、児童虐待の早期［　ウ　］に努めなければならない。

(4) ［　エ　］は、児童相談所を設置しなければならない。

(5) 児童虐待を受けたと思われる児童を発見した者は、速やかに、これを市町村、都道府県の設置する福祉事務所若しくは［　オ　］又は児童委員を介して市町村、都道府県の設置する福祉事務所若しくは［　オ　］に通告しなければならない。

a　教育委員会　　b　児童相談所　　c　意見　　d　愛護
e　教育　　f　違法労働　　g　性的虐待　　h　都道府県
i　市町村　　j　解決　　k　発見

	ア	イ	ウ	エ	オ
1	e	f	j	i	b
2	c	g	k	h	b
3	c	g	j	h	a
4	e	g	j	i	a
5	d	f	k	h	b

問14　正解 2

ア「c　意見」が入る。児童福祉法2条1項は、「全て国民は、児童が良好な環境において生まれ、かつ、社会のあらゆる分野において、児童の年齢及び発達の程度に応じて、その意見が尊重され、その最善の利益が優先して考慮され、心身ともに健やかに育成されるよう努めなければならない」と規定している。

イ「g　性的虐待」が入る。児童権利条約19条1項は、「締約国は、児童が父母、法定保護者又は児童を監護する他の者による監護を受けている間において、あらゆる形態の身体的若しくは精神的な暴力、傷害若しくは虐待、放置若しくは怠慢な取扱い、不当な取扱い又は搾取（性的虐待を含む。）からその児童を保護するためすべての適当な立法上、行政上、社会上及び教育上の措置をとる」と規定している。

ウ「k　発見」が入る。児童虐待防止法5条1項は、「学校、児童福祉施設、病院、都道府県警察、女性相談支援センター、教育委員会、配偶者暴力相談支援センターその他児童の福祉に業務上関係のある団体及び学校の教職員、児童福祉施設の職員、医師、歯科医師、保健師、助産師、看護師、弁護士、警察官、女性相談支援員その他児童の福祉に職務上関係のある者は、児童虐待を発見しやすい立場にあることを自覚し、児童虐待の早期発見に努めなければならない」と規定している。

エ「h　都道府県」が入る。児童福祉法12条1項によると、児童相談所を設置しなければならないのは都道府県である。市町村と間違えないように注意。

オ「b　児童相談所」が入る。児童虐待防止法6条1項は、「児童虐待を受けたと思われる児童を発見した者は、速やかに、これを市町村、都道府県の設置する福祉事務所若しくは児童相談所又は児童委員を介して市町村、都道府県の設置する福祉事務所若しくは児童相談所に通告しなければならない」と規定している。

したがって、正しい組合せは2である。

問 15 check√ □□□ **次の各文は、発達障害者支援法の条文の抜粋である。[ア]～[エ]に当てはまる語句の組合せとして正しいものを、次の１～５のうちから一つ選びなさい。**

(1) この法律において「発達障害」とは、自閉症、アスペルガー症候群その他の広汎性発達障害、学習障害、注意欠陥多動性障害その他これに類する[ア]の障害であってその症状が通常低年齢において発現するものとして政令で定めるものをいう。

(2) 国及び地方公共団体は、発達障害者の心理機能の適正な発達及び円滑な社会生活の促進のために発達障害の症状の発現後できるだけ早期に発達支援を行うことが特に重要であることに鑑み、(中略)[イ]のため必要な措置を講じるものとする。

(3) 国及び地方公共団体は、基本理念にのっとり、発達障害児に対し、発達障害の症状の発現後できるだけ早期に、その者の状況に応じて適切に、就学前の発達支援、学校における発達支援その他の発達支援が行われるとともに、発達障害者に対する[ウ]、地域における生活等に関する支援及び発達障害者の家族その他関係者に対する支援が行われるよう、必要な措置を講じるものとする。

(4) 国及び地方公共団体は、発達障害者の支援等の施策を講じるに当たっては、医療、[エ]、福祉、教育、労働等に関する業務を担当する部局の相互の緊密な連携を確保するとともに、発達障害者が被害を受けること等を防止するため、これらの部局と消費生活、警察等に関する業務を担当する部局その他の関係機関との必要な協力体制の整備を行うものとする。

	ア	イ	ウ	エ
1	脳機能	発達障害者に対する研修	学習	介護
2	神経系統	発達障害者に対する研修	就労	介護
3	脳機能	発達障害の早期発見	学習	保健
4	脳機能	発達障害の早期発見	就労	保健
5	神経系統	発達障害の早期発見	学習	介護

問15　正解 4

ア「脳機能」である。発達障害者支援法2条1項は、「この法律において「発達障害」とは、自閉症、アスペルガー症候群その他の広汎性発達障害、学習障害、注意欠陥多動性障害その他これに類する脳機能の障害であってその症状が通常低年齢において発現するものとして政令で定めるものをいう」と規定している。

イ「発達障害の早期発見」である。発達障害者支援法3条1項は、「国及び地方公共団体は、発達障害者の心理機能の適正な発達及び円滑な社会生活の促進のために発達障害の症状の発現後できるだけ早期に発達支援を行うことが特に重要であることに鑑み、前条の基本理念（次項及び次条において「基本理念」という。）にのっとり、発達障害の早期発見のため必要な措置を講じるものとする」と規定している。

ウ「就労」である。発達障害者支援法3条2項は、「国及び地方公共団体は、基本理念にのっとり、発達障害児に対し、発達障害の症状の発現後できるだけ早期に、その者の状況に応じて適切に、就学前の発達支援、学校における発達支援その他の発達支援が行われるとともに、発達障害者に対する就労、地域における生活等に関する支援及び発達障害者の家族その他関係者に対する支援が行われるよう、必要な措置を講じるものとする」と規定している。

エ「保健」である。発達障害者支援法3条5項は、「国及び地方公共団体は、発達障害者の支援等の施策を講じるに当たっては、医療、保健、福祉、教育、労働等に関する業務を担当する部局の相互の緊密な連携を確保するとともに、発達障害者が被害を受けること等を防止するため、これらの部局と消費生活、警察等に関する業務を担当する部局その他の関係機関との必要な協力体制の整備を行うものとする」と規定している。

したがって、正しいものは4である。

問 16 check√ □□□ **次の文は、食育基本法の前文の抜粋である。[　ア　]～[　エ　]に当てはまる語句の組合せとして正しいものを、次の１～５のうちから一つ選びなさい。**

21 世紀における我が国の発展のためには、子どもたちが健全な心と身体を培い、[　ア　] や国際社会に向かって羽ばたくことができるようにするとともに、すべての国民が心身の健康を確保し、生涯にわたって生き生きと暮らすことができるようにすることが大切である。

子どもたちが豊かな人間性をはぐくみ、生きる力を身に付けていくためには、何よりも「食」が重要である。今、改めて、食育を、生きる上での基本であって、[　イ　] の基礎となるべきものと位置付けるとともに、様々な経験を通じて「食」に関する知識と「食」を選択する力を習得し、健全な [　ウ　] を実践することができる人間を育てる食育を推進することが求められている。もとより、食育はあらゆる世代の国民に必要なものであるが、子どもたちに対する食育は、[　エ　] に大きな影響を及ぼし、生涯にわたって健全な心と身体を培い豊かな人間性をはぐくんでいく基礎となるものである。

	ア	イ	ウ	エ
1	情報社会	健康で文化的な生活	食生活	日常生活
2	未来	健康で文化的な生活	食習慣	心身の成長及び人格の形成
3	未来	知育、徳育及び体育	食生活	日常生活
4	情報社会	知育、徳育及び体育	食習慣	日常生活
5	未来	知育、徳育及び体育	食生活	心身の成長及び人格の形成

問 16　正解 5

食育基本法第 1 段及び第 2 段は「21 世紀における我が国の発展のためには、子どもたちが健全な心と身体を培い、未来や国際社会に向かって羽ばたくことができるようにするとともに、すべての国民が心身の健康を確保し、生涯にわたって生き生きと暮らすことができるようにすることが大切である。

子どもたちが豊かな人間性をはぐくみ、生きる力を身に付けていくためには、何よりも「食」が重要である。今、改めて、食育を、生きる上での基本であって、知育、徳育及び体育の基礎となるべきものと位置付けるとともに、様々な経験を通じて「食」に関する知識と「食」を選択する力を習得し、健全な食生活を実践することができる人間を育てる食育を推進することが求められている。もとより、食育はあらゆる世代の国民に必要なものであるが、子どもたちに対する食育は、心身の成長及び人格の形成に大きな影響を及ぼし、生涯にわたって健全な心と身体を培い豊かな人間性をはぐくんでいく基礎となるものである」と規定している。

したがって、**ア**には「未来」、**イ**には「知育、徳育及び体育」、**ウ**には「食生活」、**エ**には「心身の成長及び人格の形成」が入り、正解は 5 である。

なお、第 1 段・第 2 段以後のポイントとなる文をあげていく。

第 3 段「国民の食生活においては、栄養の偏り、不規則な食事、肥満や生活習慣病の増加、過度の痩身志向などの問題に加え、新たな「食」の安全上の問題や、「食」の海外への依存の問題が生じており（中略）、人々は、食生活の改善の面からも、「食」の安全の確保の面からも、自ら「食」のあり方を学ぶことが求められている。また、（中略）地域の多様性と豊かな味覚や文化の香りあふれる日本の「食」が失われる危機にある」。

第 4 段「都市と農山漁村の共生・対流を進め、「食」に関する消費者と生産者との信頼関係を構築して、地域社会の活性化、豊かな食文化の継承及び発展、環境と調和のとれた食料の生産及び消費の推進並びに食料自給率の向上に寄与する」。

第 5 段「国民一人一人が「食」について改めて意識を高め、自然の恩恵や「食」に関わる人々の様々な活動への感謝の念や理解を深めつつ、「食」に関して信頼できる情報に基づく適切な判断を行う能力を身に付けることによって、心身の健康を増進する健全な食生活を実践する」。

教育心理

教育心理について

心理学は、個人がいかに行動し、いかに思考するか、その原因と精神過程を科学的に理解しようとする学問である。そして教育心理学とは、学びの構造を分析し、理解し、その過程を解明することによって教育における問題を解決に導き、効果的な実践方法を示すことを目的としている。教員を目指す者は、児童・生徒の学習に関する心理過程や成長発達についての基礎的事項を理解し、教育現場の様々な事象について「心理学的な見方・考え方」ができることが望ましい。教育心理学的な知見を活かした働きかけが、効果的な学びの援助になるだろう。

傾向と対策

教職教養における教育心理分野の試験には、学習、発達、評価、心理療法等幅広い内容が出題される。発達では児童・生徒の年代に関連するものが多く出題されているが、誕生から老年期・死までの人の生涯発達の過程を一通り理解しておく必要がある。教育評価では各評価の特徴を事例とともに覚えておくとよいだろう。また、心理療法では特徴と提唱者をあわせて覚えておきたい。自治体によって頻出事項が異なるため、受験する自治体の過去問題を入手して３年分は解き、出題傾向を分析しておくことも重要である。

教育心理 教育心理学理論

以下の記述を読み、正しいものには○、誤っているものには×をつけよ。

問1 check√ □□□
人間の意識のなかに「無意識」の領域があることを発見したのはフロイトである。

問2 check√ □□□
クレッチマーは、心理学は行動の科学だとし、観察・実験・テストなど客観的方法のみを用いるべきであり、心理学における概念は刺激・反応・習慣といった行動的概念でなければならないと考えた。

問3 check√ □□□
ゲシュタルト心理学はヴェルトハイマーらが提唱したもので、「全体は部分の総和以上のものである」として全体の優位を主張する心理学である。

問4 check√ □□□
ボウルビィは、人間の母と子が親密な関係をもち、相互に満足する関係を継続して保つことが精神衛生の基本的なものであるとした。この母と子の関係をアイデンティティと呼ぶ。

問5 check√ □□□
アドラーは、人間が劣等感を補償するためにより強くより完全になろうとする意志を「権力への意志」と呼び、この権力への意志が人間を動かす根本的な欲求であると考えた。

問6 check√ □□□
ユングは、フロイトの精神分析に影響を受け人間のパーソナリティを「内向型」と「外向型」に分類した。

問7 check√ □□□
20世紀初期、アメリカにおいて学習や教科に関する研究をすすめ「教育心理学」などを著し、教育心理学の基礎を築いた人物はヴントである。

解答・解説

問 1 ○ フロイトは無意識的なものを意識化させることを「精神分析」と呼び、無意識のなかに抑圧されているものを解放することで個人の不安やノイローゼを解消できるとした。

問 2 × 設問文は、ワトソンが提唱した「行動主義」のことである。クレッチマーは人の体格を細長型・肥満型などに分類し、各体型に認められる一定の共通した心的特徴に着目し、躁鬱質・粘着質などと類型化した人物。

問 3 ○ ゲシュタルト心理学は、人間の精神は部分や要素の集合ではなく全体性や構造が重要視されるべきだとする立場である。意味のある１つのまとまった全体像を「ゲシュタルト」という。

問 4 × 設問文の母と子の関係は、アタッチメント（愛着）である。この考え方を愛着理論と呼ぶ。アイデンティティは自己同一性のことで、エリクソンが定義した。

問 5 ○ アドラーはフロイト、ユングと並ぶ心理学の重要人物である。アドラー心理学ではライフスタイル分析というカウンセリング技法を用いる。

問 6 ○ ユングはフロイトの精神分析に影響を受け分析心理学の理論を唱えた。「内向型」と「外向型」はさらにそれぞれ思考型、感情型、感覚型、直感型の４つの機能に分けられる。

問 7 × ソーンダイクである。教育測定運動の父とも呼ばれ、試行錯誤説を提唱した。ヴントはドイツの心理学者であり、心理学を学問として成立させた人物である。

教育心理　学習理論

以下の記述を読み、正しいものには○、誤っているものには×をつけよ。

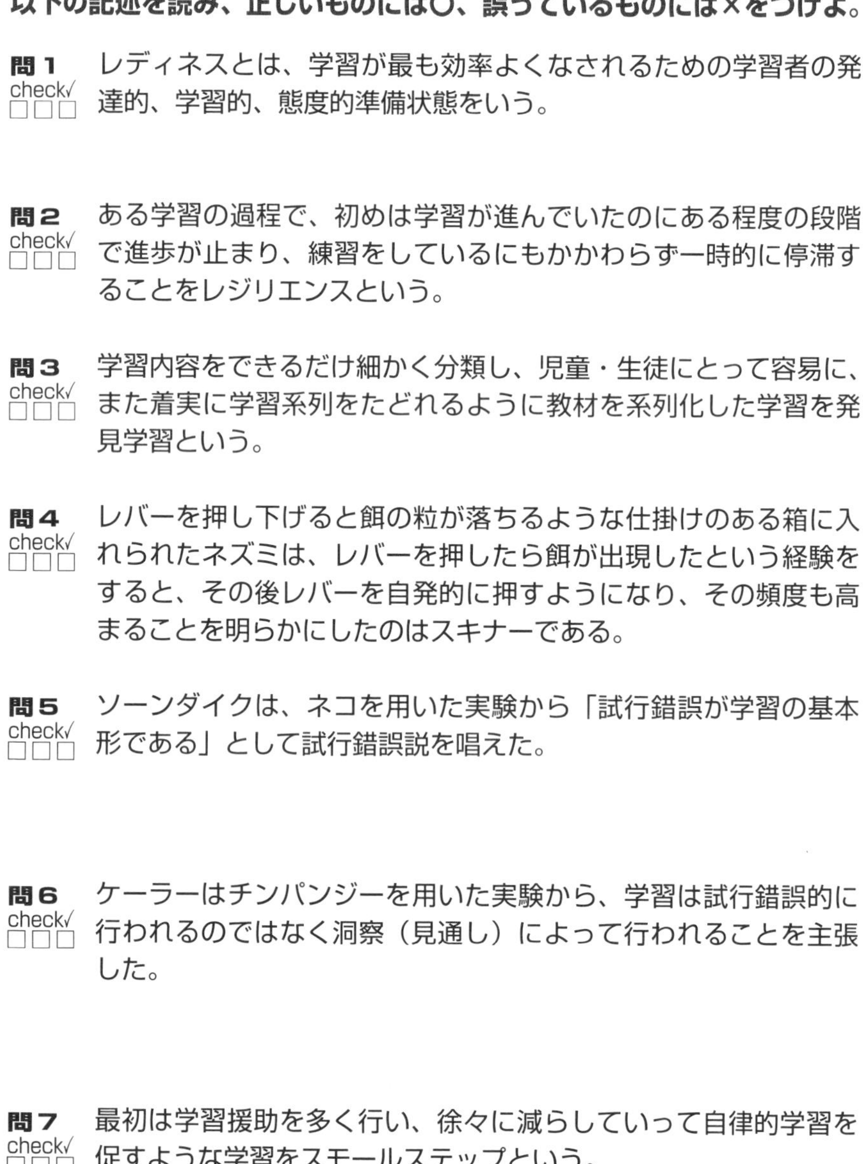

問1 check√ □□□
レディネスとは、学習が最も効率よくなされるための学習者の発達的、学習的、態度的準備状態をいう。

問2 check√ □□□
ある学習の過程で、初めは学習が進んでいたのにある程度の段階で進歩が止まり、練習をしているにもかかわらず一時的に停滞することをレジリエンスという。

問3 check√ □□□
学習内容をできるだけ細かく分類し、児童・生徒にとって容易に、また着実に学習系列をたどれるように教材を系列化した学習を発見学習という。

問4 check√ □□□
レバーを押し下げると餌の粒が落ちるような仕掛けのある箱に入れられたネズミは、レバーを押したら餌が出現したという経験をすると、その後レバーを自発的に押すようになり、その頻度も高まることを明らかにしたのはスキナーである。

問5 check√ □□□
ソーンダイクは、ネコを用いた実験から「試行錯誤が学習の基本形である」として試行錯誤説を唱えた。

問6 check√ □□□
ケーラーはチンパンジーを用いた実験から、学習は試行錯誤的に行われるのではなく洞察（見通し）によって行われることを主張した。

問7 check√ □□□
最初は学習援助を多く行い、徐々に減らしていって自律的学習を促すような学習をスモールステップという。

解答・解説

問1 ○
レディネスは、学習ができるようになるために必要な心身の準備性である。ゲゼルは生得的に内在する能力は時期に応じておのずと展開していくと考えた。

問2 ×
設問文の内容は、レジリエンスではなくプラトーである。レジリエンスは弾力性のことであり、ストレスを乗り越えていく力のことをいう。

問3 ×
設問の学習理論は、発見学習ではなく、プログラム学習である。行動主義心理学の立場からスキナーが提唱した。

問4 ○
スキナーは、餌の与え方によって学習の速さや忘却の速さがどのように変化するのかを組織的に研究した。このような諸法則を「道具的条件付け（オペラント条件付け）」といい、実験装置をスキナー箱という。

問5 ○
試行錯誤説は、ひもに触れると扉が開く実験箱に入れられたネコが、始めはいろいろな行動を試みるが脱出できたという成功経験を繰り返すうちに無駄な行動をせずに短時間で脱出するようになることから生まれた。

問6 ○
ケーラーの洞察説である。チンパンジーは高いところにあるバナナを取ろうとして棒を使用したり箱を重ねたりすることができるが、その行動は試行錯誤してのものではなく突然に生じ、かつ一度成功すると同様の場面で確実に繰り返すことができることから「洞察」による学習の働きを強調した。

問7 ×
フェーディングという。スモールステップもプログラム学習の用語であるが、学習者がなるべく失敗しないように小さな目標を細かく設定していく方法である。

以下の記述を読み、正しいものには○、誤っているものには×をつけよ。

問8 check√ □□□
古典的条件付けはレスポンデント条件付けともいう。

問9 check√ □□□
クロンバックの適性処遇交互作用（ATI）とは、外向的な学習者は教師やクラスとの学習を好み、内向的な学習者は視覚教材などを用いての学習を好むなど学習者の「適性」を検討することでより高い学習効果が期待できるという理論である。

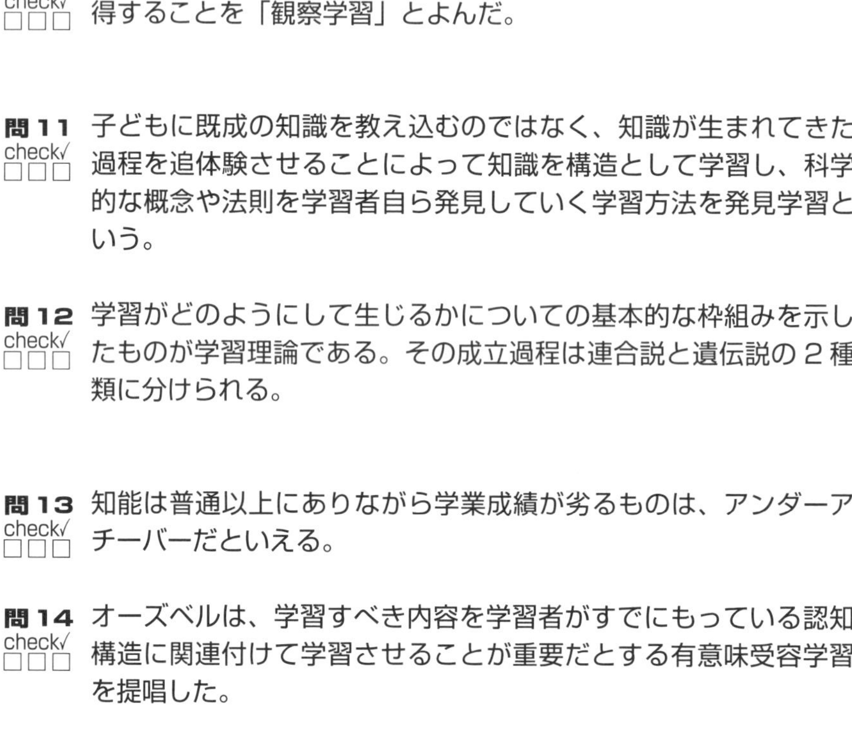

問10 check√ □□□
バンデューラは、他者の行動をモデルとして新しい行動の型を習得することを「観察学習」とよんだ。

問11 check√ □□□
子どもに既成の知識を教え込むのではなく、知識が生まれてきた過程を追体験させることによって知識を構造として学習し、科学的な概念や法則を学習者自ら発見していく学習方法を発見学習という。

問12 check√ □□□
学習がどのようにして生じるかについての基本的な枠組みを示したものが学習理論である。その成立過程は連合説と遺伝説の２種類に分けられる。

問13 check√ □□□
知能は普通以上にありながら学業成績が劣るものは、アンダーアチーバーだといえる。

問14 check√ □□□
オーズベルは、学習すべき内容を学習者がすでにもっている認知構造に関連付けて学習させることが重要だとする有意味受容学習を提唱した。

解答・解説

問 8
○

パブロフが提唱したものである。生物学的に意味をもつ刺激（無条件刺激）との連合を通じて資質を賦与された刺激（条件刺激）によって行動（条件反応）の誘発が起こる学習の形態である。

問 9
○

ある事柄を教える際に、手順や教授法、課題内容（処遇）よりも、学習者個々の能力や経験、性格などといった適性の違いによって学習効果に違いが生じるという理論である。

問 10
○

観察学習はモデリングともいう。バンデューラは他に、行動を自ら実行してその効果をも実際に身に受けながら何かを習得していく過程を「直接学習」とよんだ。

問 11
○

ブルーナーが提唱した教育方法である。

問 12
×

遺伝説ではなく、認知説である。外界の刺激（S、stimulus）と人の反応（R、response）につながりができることが学習と考える「連合説（S-R 理論）」と、外界の刺激全体に対する人の認知の変化が学習と考える「認知説（S-S 理論）」に分けられる。

問 13
○

アンダーアチーバーとは、健康・性格・環境などが原因で知能水準から期待される力より低い学業成績を示す者のことである。

問 14
○

オーズベルは学校教育において、「教授方法としては受容学習が、学習内容としては有意味学習が中心」であることから有意味受容学習が最も重要であると定義した。

教育心理　発達と発達心理学

以下の記述を読み、正しいものには○、誤っているものには×をつけよ。

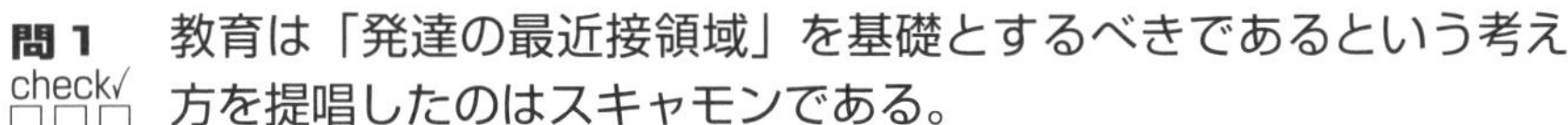

問1 check√ □□□
教育は「発達の最近接領域」を基礎とするべきであるという考え方を提唱したのはスキャモンである。

問2 check√ □□□
親よりも友人を優先するような徒党を組む中学生の時代をギャングエイジという。

問3 check√ □□□
シュテルンは、人間の発達は遺伝的素質、環境的素質のどちらか一方のみの影響によるものではなく、両者の相互作用によるものであると定義した。

問4 check√ □□□
発達の比較的初期にある経験が与えられると、その効果が最も有効に表れる時期がある。その時期の前でもあとでも同じ効果は表れない。このような時期を適正期という。

問5 check√ □□□
環境条件があまりに劣悪な場合は発達が妨げられるが、一定水準以上であれば環境の差異はあまり問題にならないという環境閾値（いきち）説を唱えたのはワトソンである。

問6 check√ □□□
個人が健全な発達を遂げるために、発達のそれぞれの時期で果たさなければならない課題があるという「発達課題」はハヴィガーストが最初に提唱した。

問7 check√ □□□
ピアグループは、共通・類似点のみならず、お互いの相違点をぶつけ合いながらも異質性を認め合うことができ、性別の差も関係ないグループのことである。

解答・解説

問1 × スキャモンではなくヴィゴツキーである。自分一人で現在できる水準と、大人や友だちなど他人の力を借りてできる水準のずれが「発達の最近接領域」であり、それこそが教育が問題とするべき水準であるとした。スキャモンは身体の各器官の発達を類型化した。

問2 × 仲間意識が発達し、家族よりも仲間の価値観を優先させるようになるのは小学校中学年・高学年頃のことである。

問3 ○ シュテルンの定義を輻輳説（ふくそうせつ）という。ゲゼルの生得説（成熟優位説や遺伝説ともいう）、ロックやワトソンの経験説（環境説）と比較される。

問4 × 臨界期という。ローレンツはほかに、鳥のヒナの実験から、生後間もなくの限られた時間内に生じ再学習することができなくなる学習現象を刷り込み（インプリンティング）と名付けた。近年は、よりゆるやかな概念である敏感期を用いることが多い。

問5 × ジェンセンである。ワトソンは人間の発達は環境（経験）の力によって規定されるという「経験説（環境説）」を唱えた。

問6 ○ ハヴィガーストの「発達課題」の捉え方は、その課題をうまく達成するとその個人の幸福と後の課題の成功をもたらすが、うまく達成できないとその個人の不幸、社会からの否認、後の課題の不成功を導くことになるとするものであった。その後エリクソンなど多くの研究者が発達課題について研究を発表した。

問7 ○ ピアグループは高校生以上に見られ、自立した個人として互いに尊重し合って共にいることができる状態である。

教育心理　発達と発達心理学

以下の記述を読み、正しいものには○、誤っているものには×をつけよ。

問 8 check√ □□□
道徳の実践は慣習的なものであるが、慣習に違反せざるを得ないような体験を通じて人は道徳と慣習の違いについて考え始めるとする立場から道徳性発達理論を提唱したのはコールバーグである。

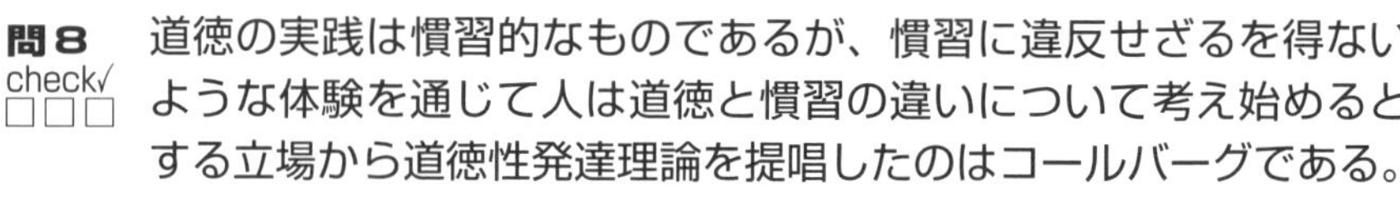

問 9 check√ □□□
ゲゼルは双生児統制法による実験研究を行い、発達における成熟優位説を説くとともに発達診断学を確立しそのための基礎資料を収集した。

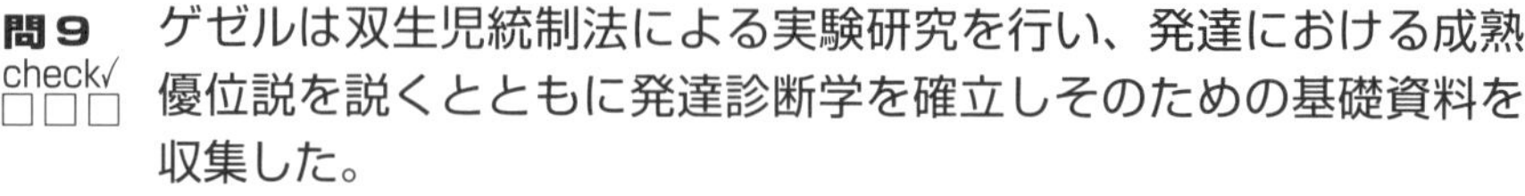

問 10 check√ □□□
ヴィゴツキーは言葉をコミュニケーションの道具としてのものと、思考のためのものの 2 種類に分け、前者を「内言」、後者を「外言」と定義した。

問 11 check√ □□□
フロイトはその発達理論として発達段階を 8 つのライフサイクルに分けて段階に応じて克服するべき課題を解決し次の段階へ進むことが成長につながると提唱した。

問 12 check√ □□□
ウェルナーは一定方向の変化のみを発達とし、それは未分化から分化への変化だとした。

問 13 check√ □□□
ホスピタリズムとは、乳幼児期に親元から離れて長期入院していたり乳児院等で育ったりする子どもの心身に生じる特有の症状を指す。

問 14 check√ □□□
結晶性知能は、青年期以降も発達し高齢期まで上昇する。

解答・解説

問8 ○ コールバーグは、道徳性を正義と公平さであるとし、道徳的ジレンマに対する被験者の応答についての実験的な調査に基づいて道徳性の発達段階を見出した。前慣習的水準（ステージ1、2)、慣習的水準（ステージ3、4)、後慣習的水準（ステージ5、6）の3水準6段階に分類した。

問9 ○ ゲゼルは「階段のぼり」の練習を双子の片方には多く訓練し、もう一方には訓練しないでみたところ、結果として階段を登れるようになった時期は変わらなかったことから、学習が効果的に獲得される為にはレディネス（学習準備性）が不可欠であるとする、成熟優位説を提唱した。

問10 × 前者が「外言」、後者が「内言」である。ヴィゴツキーは「発達の最近接領域」の提唱者でもある。

問11 × 設問文の内容は、エリクソンの心理・社会的発達段階説である。フロイトはリビドー（性的なエネルギー）が発達の基本的な力だとする立場であった。

問12 ○ ウェルナーは、発達の一般的原理を見出すため様々な発達の過程を研究し、発達の方向性を指摘した。

問13 ○ スピッツが提唱した概念で、施設病ともいう。食欲不振、体重減少、睡眠障害が見られたり、神経症的傾向やモチベーションの退行が見られたりする。乳幼児にとって一定の養育者から継続的・安定的な養育を受けることが大切である。

問14 ○ キャッテルは知能を、「新しい環境への適応や課題の学習等、変化へ素早く対応する能力」である流動性知能と、「過去の学習経験に基づく判断力や一般常識、理解力など経験に基づいて状況を処理する能力」である結晶性知能の２つに大別できるとした。結晶性知能は、青年期以降も発達することが明らかになっている。

教育心理　動機付け

以下の記述を読み、正しいものには○、誤っているものには×をつけよ。

問1 check√ □□□
活動を開始し、維持し、一定方向に向かわせる働きを「動機付け」という。

問2 check√ □□□
「動機」には強弱がある。

問3 check√ □□□
「外発的動機付け」とは、ヒトに行動を起こさせたり続けさせたりする「動機付け」のうち、賞罰や競争などがもとになるものをいう。

問4 check√ □□□
「よい成績をとりたい」「よい学校にいきたい」などの他者との比較の上でより優れた能力を示す行動を、習得目標と呼ぶ。

問5 check√ □□□
学習の動機付けとしては、「勉強すれば成績が上がる」ということより、学習内容に興味関心をもたせ子どもの知的好奇心を喚起することが重要である。

問6 check√ □□□
他人と友好的な関係を成立させ、それを維持したいという動機を達成動機という。

問7 check√ □□□
勉強した子どもにご褒美を与えた場合、ご褒美を与えている間は勉強するが与えなくなると勉強しなくなってしまう、という現象を「過度の正当化効果」という。

問8 check√ □□□
子どもが難しいコンピュータゲームに取り組んでいるとき、「最後までやり通したい」と強い動機をもつ場合、その動機を達成動機という。

問9 check√ □□□
デシは報酬には情報的側面と制御的側面があると唱えた。

解答・解説

問１ ○

ある人に行動を起こさせ、目標に向かわせる心理的な過程をいう。内的要因と外的要因の相互作用で成立する。モチベーションともいう。

問２ ○

ある人の中にあり、行動の傾向に影響を与えるものと仮定されているエネルギーの源泉を動機という。ふつう満足が得られればその行動は強化され、満足が得られなければその行動は弱体化される。

問３ ○

生理的欲求、社会的欲求など生体の外側に欲求満足の対象（誘因）が存在するものを「外発的動機付け」という。

問４ ×

設問の目標は遂行目標である。習得目標は熟達目標ともいい、過去の自分自身と比較し、より向上することを目指す目標のことである。

問５ ○

学習内容に興味関心をもたせ、子どもの知的好奇心を喚起することを内発的動機付けという。

問６ ×

設問にいうのは「親和動機」である。達成動機は困難にめげず自分の持てる力を活用し、何かを成し遂げようとする動機である。

問７ ○

内発的動機付けによる行動が、それに伴う報酬が与えられたために外発的に動機付けられるようになることである。

問８ ○

目的を達成するために努力しようとする動機を達成動機という。

問９ ○

情報的側面は報酬が与えられることによってあなたの行為は正しいと伝えているということである。また、制御的側面は報酬を与えたり与えなかったりすることで相手の行動を制御しようとすることである。

教育心理　ピアジェ／エリクソン／マズロー

以下の記述を読み、正しいものには○、誤っているものには×をつけよ。

問1 check√ □□□
ピアジェは人間の認知の発達段階を、感覚運動期・前操作期・具体的操作期・形式的操作期に分類した。

問2 check√ □□□
ピアジェは道徳性を正義と公平さであると規定し、道徳的ジレンマに対する被験者の応答についての実証的な調査にもとづいて道徳性の発達段階を見いだした。

問3 check√ □□□
ピアジェは、新しい経験や情報をそのまま取り入れる「同化」と、その経験や情報を自分のものとするために既に持っている認知構造の形を変え整えていく「調節」の働きが調整しあい均衡を保っている状態が知能の活動だとした。

問4 check√ □□□
ピアジェは未分化な幼児期の心性の特徴をリビドーという言葉で表現した。

問5 check√ □□□
ピアジェは自己同一性を研究し、『幼児期と社会』などに著した。

問6 check√ □□□
ピアジェは、具体物がなくても頭の中で事柄を思い浮かべて思考したり、仮定の話ができるようになったりする時期を形式的操作期と定義した。

問7 check√ □□□
「シンボル機能が発達し、内的にものごとを考える。また言語を用いて考える能力も備わる。事物の類推もできるようになる一方で自己中心性がみられる」時期のことを、ピアジェは具体的操作期と定義した。

問8 check√ □□□
エリクソンは「私は何者か」「私はこういう人物である」「私は人格的に同一のものである」というアイデンティティの概念を提案した。

解答・解説

問1 ○
スイスの心理学者ピアジェは、外界との相互作用の様式に注目し、人間の認知の発達段階を設問のように分類した。

問2 ×
設問にいう道徳性の発達段階説はピアジェではなく、コールバーグが提唱した。ピアジェは認知・知能（思考）の発達段階説を説いた。

問3 ○
ピアジェは、外界との相互作用の様式を「同化」と「調節」の働きによって説明した。それまでの「枠組み（シェマ）」では対処できない不均衡の状態に陥ったとき、枠組みを変形させ、対処可能な均衡の状態へともっていくことで発達すると考えた。

問4 ×
アニミズムである。リビドーはフロイトが提唱した、あらゆる精神活動のもととなる性的エネルギーのことである。

問5 ×
エリクソンである。ピアジェは人間の思考（認知・知能）の発達について系統立てた理論を構築した人物で、『臨床心理学』『児童の世界観』などを著した。

問6 ○
形式的操作期（11・12 歳頃以降）は、具体的現実に縛られずに抽象的・一般的な思考ができるようになる時期であり、この段階で人間の思考は完成した働きをもつとされる。

問7 ×
前操作期（2～7 歳）である。前操作期の特徴としては、ほかに中心化の傾向をもつことがあげられる。具体的操作期(7～11 歳)は脱中心化、保存の概念獲得などを特徴とする時期である。

問8 ○
アイデンティティとは「自己同一性」のことである。エリクソンはアイデンティティ確立を青年期の発達課題だと主張した。

教育心理　ピアジェ／エリクソン／マズロー

以下の記述を読み、正しいものには○、誤っているものには×をつけよ。

問9 check√ □□□
エリクソンは「人間は生まれてから死ぬまで、生涯に渡って発達する」という考えのもと、人間の一生（ライフサイクル）を４つの段階に分け、それぞれの段階で獲得すべき課題を設定した。

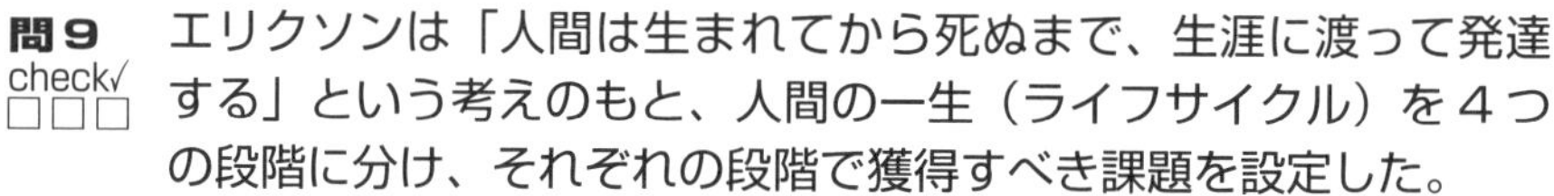

問10 check√ □□□
エリクソンは、児童期には勤勉性を獲得するべきであり、劣等感を経験しない方がよいとした。

問11 check√ □□□
エリクソンは老年期の課題を統合と絶望とした。

問12 check√ □□□
欲求階層説とは、生理的欲求と心理的欲求の種類を区別し、それらを階層構造として位置付け、低次の欲求が満たされて初めてそれよりも１つ高次の欲求が機能するという考えである。

問13 check√ □□□
マズローは、人間の欲求を低次なものから①生理的欲求、②愛情（所属）の欲求、③安全の欲求、④自尊（承認）の欲求、⑤自己実現の欲求の５段階に分けた。

問14 check√ □□□
マズローの欲求階層論のなかで「他者から認められ、尊重されることを求める欲求」を「自己実現の欲求」という。

問15 check√ □□□
マズローの欲求階層論では最も低次なものに生理的欲求があげられている。

解答・解説

問 9 × エリクソンは「心理社会的発達理論」において、人生を 4 段階ではなく「乳児期、幼児前期、幼児後期、児童期、青年期、初期成人期、成人期（壮年期）、成熟期（老年期）」の 8 段階に分類した。

問 10 × エリクソンは各段階で肯定的・否定的な 2 種類の要素をそれぞれ経験し、そのバランスがいくぶん肯定的なものに傾き、肯定的な要素を獲得することが大切だとした。否定的な要素を排除することはかえって発達にゆがんだ影響を与えると唱えた。

問 11 ○ 老年期は一般に 65 歳以降と定義されるが、心理学ではその開始は 55 歳や 60 歳頃とされる。エリクソンは老年期（成熟期）の発達課題を「統合対絶望」と定義した。「統合」は、「完全性」とあらわされることもあり、これまでの過去の経験をプラスもマイナスもすべて受け入れ、そこから人生最後の取組みないし生き方の姿勢を獲得していくことである。「絶望」は人生の意味を否定し欲求不満、絶望の感情が残されることである。

問 12 ○ マズローは、人間の動機は自己実現を頂点として階層をなすと考えた。その際、上位の欲求は下位の欲求が満たされて初めて追及することができる。

問 13 × 正しくは①生理的欲求、②安全の欲求、③愛情（所属）の欲求、④自尊（承認）の欲求、⑤自己実現の欲求の 5 段階である。

問 14 × 設問にいう欲求は「自尊（承認）の欲求」である。自己実現の欲求は、「自分の能力や可能性を発揮し、成長していきたいと思う欲求」のことをいう。

問 15 ○ 空気、水、食べ物、睡眠など人が生きていく上で欠かせない基本的な欲求を指す。これが満たされないと病気になり、いらだち、不快感を覚える。

教育心理　適応機制（防衛機制）

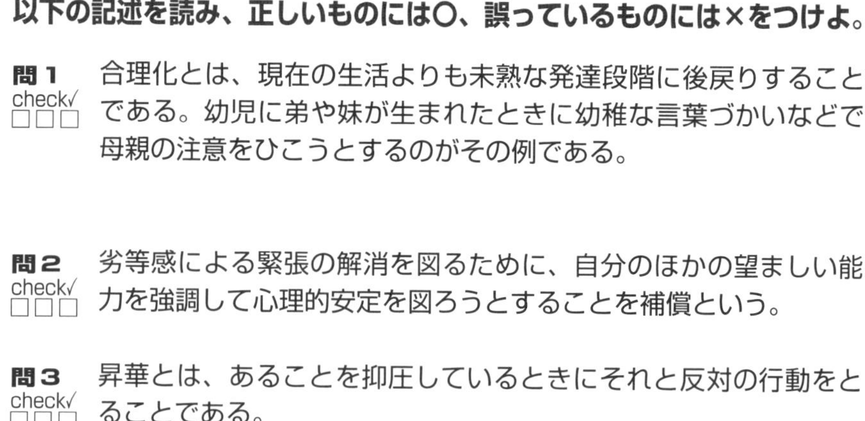

以下の記述を読み、正しいものには○、誤っているものには×をつけよ。

問1 check√ □□□
合理化とは、現在の生活よりも未熟な発達段階に後戻りすることである。幼児に弟や妹が生まれたときに幼稚な言葉づかいなどで母親の注意をひこうとするのがその例である。

問2 check√ □□□
劣等感による緊張の解消を図るために、自分のほかの望ましい能力を強調して心理的安定を図ろうとすることを補償という。

問3 check√ □□□
昇華とは、あることを抑圧しているときにそれと反対の行動をとることである。

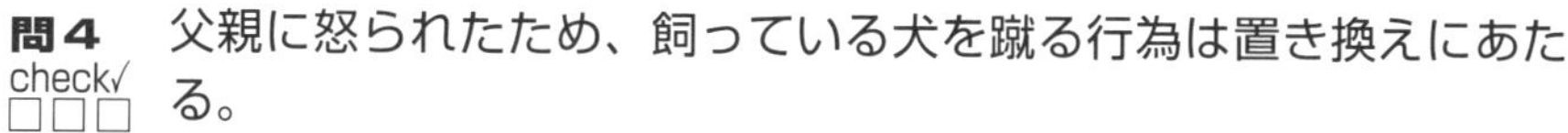

問4 check√ □□□
父親に怒られたため、飼っている犬を蹴る行為は置き換えにあたる。

問5 check√ □□□
不登校や引きこもりにより自己を守ろうとすることを抑圧という。

問6 check√ □□□
自分のなかにある認めたくない欲求や感情を、逆に相手が持っているように思うことを投影という。

問7 check√ □□□
自分のとった行動を正当化するために、もっともらしい理由付けをすることを合理化という。

問8 check√ □□□
自分にとって重要な対象を自分の中に取り入れ、対象と同じように自分が考えたり、感じたり、行動したりすることを同一視という。

解答・解説

問1 ×
設問にいうのは合理化ではなく、退行である。発達の過程では子どもの退行（赤ちゃんがえり）の現象がみられることもある。合理化は、自分に都合のよい理由をつけて自分の立場を正当化することである。

問2 ○
補償の例として、勉強が不得意な子どもが芸術面で努力する場合などが当てはまる。

問3 ×
設問にいうのは反動形成であり、受け入れたくない気持ちを隠すように反対の言動をとってしまうことをいう。昇華は、社会的に受け入れられない欲求を社会的に価値の高い目的に向けて努力することであり、例として攻撃欲求をスポーツに打ち込むことで発散させる、性的欲求を芸術として表現したりする、などがある。

問4 ○
置き換えは、欲求や感情の対象を置き換えることである。この場合は父親にやりかえせないため、その行為を自分より弱い飼い犬に向けたことになる。

問5 ×
設問文は逃避にあたる。抑圧は自分を傷つける不快な体験や望ましくない衝動を、意識化させないようにすることである。

問6 ○
投影とは、自分の欠点や弱点への劣等感を認めず、社会的に望ましくない感情を他人に転嫁することで、投射ともいう。

問7 ○
欲求が満たされない場合、事実を認めると傷つくので、否定して自己防衛をはかるものである。屁理屈や負け惜しみがこれにあたる。

問8 ○
同一視の例として、４～５歳の子どもが親と同じようにふるまったり、若い女性が好きな女優と同じ髪型にしたりすることが挙げられる。同一視は人と人との情緒的つながりの基礎となる心理機制の１つであり、人格形成においても重要な役割をもつ。

教育心理　認知と記憶／性格検査と知能検査

以下の記述を読み、正しいものには○、誤っているものには×をつけよ。

問1 check√ □□□
短期記憶とは、前日の夕食のメニューのように24時間程度情報を保持できる記憶である。

問2 check√ □□□
メタ認知とは、「認知についての認知」という意味である。

問3 check√ □□□
記憶材料のリストが多数の類似した項目と少数の異質な項目から構成されているとき、少数の異質な項目の記憶成績が多数の類似した項目の成績より優れていることを後光効果という。

問4 check√ □□□
学習直後よりも一定時間が経過した方がよく記憶を想起できることをレミニセンスという。

問5 check√ □□□
内田クレペリン精神検査は投影法による性格検査であり、インクのしみをどのように見るかを分析して精神内部の状態を査定しようとする手法である。

問6 check√ □□□
集団の成員のなかであるモデルにもっともあてはまる人物を指名させて、その指名数の総和によって各人の性格をとらえるテストを「TAT」という。

問7 check√ □□□
P-Fスタディは、被験者に絵を見せて自由に物語をつくらせ、その内容からパーソナリティをとらえようとする検査である。

解答・解説

問1 × 記憶のシステムは短期記憶と長期記憶の 2 つに分けられる。短期記憶とは 15 ～ 30 秒程度保持できる記憶のことであり、前日の夕食のメニューの記憶は長期記憶となる。

問2 ○ 自分の記憶や問題解決についての自分の知識のことであり、問題解決にあたって重要なものである。

問3 × 孤立効果（レストルフ効果）である。顔立ちでは特徴のある部分のみが目立ち、記憶に残る。後光効果はハロー効果のことであり、優れた点（もしくは悪い点）を 1 つ発見すると、他のすべての面も優れている（悪い）ように判断してしまう誤りのことである。

問4 ○ 記憶の保持量は覚えこんだ直後に急激に低下しその後緩やかに低下するという、エビングハウスが唱えた「忘却曲線」とは矛盾する考え方だが、条件によってはレミニセンス現象が起こる。

問5 × 内田クレペリン精神検査は作業検査の 1 つであり、隣接する数字を加算していき、得られた検査結果から性格特性等をとらえようとするものである。設問文はロールシャッハテストのことであり、左右対称のインクの染みの図を提示し、何に見えるか、なぜそう見えたかを問い、反応や回答結果の形式的・内容的分析により人格を多面的に診断するものである。

問6 × 設問の検査はゲス・フー・テストである。TAT は主題統覚検査と呼ばれる人格検査で、主に人物を含んだ多義的な絵を被験者に見せてその絵に関する物語を想像させ、それを分析するものである。

問7 × 設問の検査は、TAT（主題統覚検査）である。P-F スタディは日常的によく経験するような欲求不満場面が描かれた絵に対する反応から、無意識的な攻撃性の型と方向を明らかにする検査である。

教育心理　認知と記憶／性格検査と知能検査

以下の記述を読み、正しいものには○、誤っているものには×をつけよ。

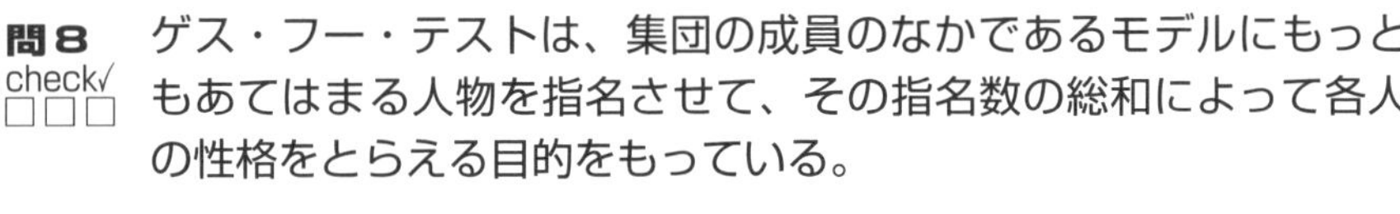

問8 check√ □□□
ゲス・フー・テストは、集団の成員のなかであるモデルにもっともあてはまる人物を指名させて、その指名数の総和によって各人の性格をとらえる目的をもっている。

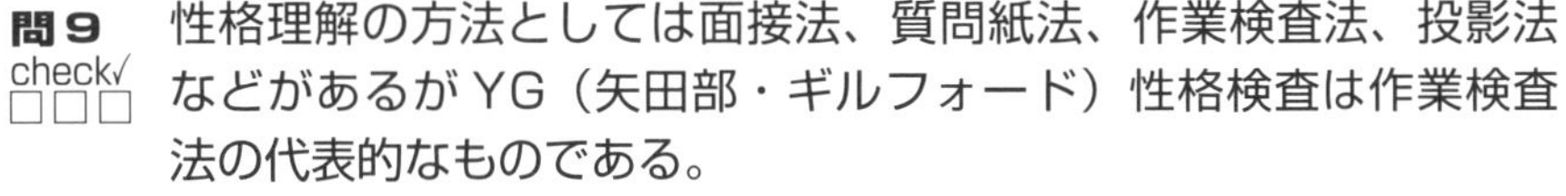

問9 check√ □□□
性格理解の方法としては面接法、質問紙法、作業検査法、投影法などがあるがYG（矢田部・ギルフォード）性格検査は作業検査法の代表的なものである。

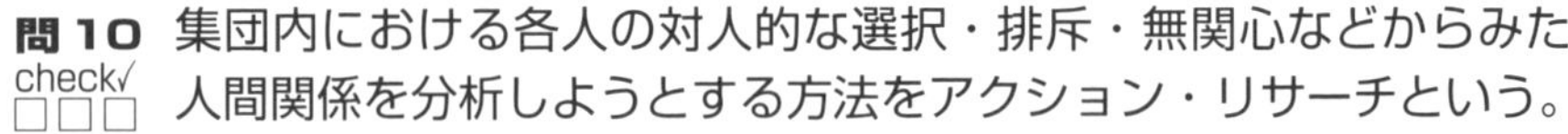

問10 check√ □□□
集団内における各人の対人的な選択・排斥・無関心などからみた人間関係を分析しようとする方法をアクション・リサーチという。

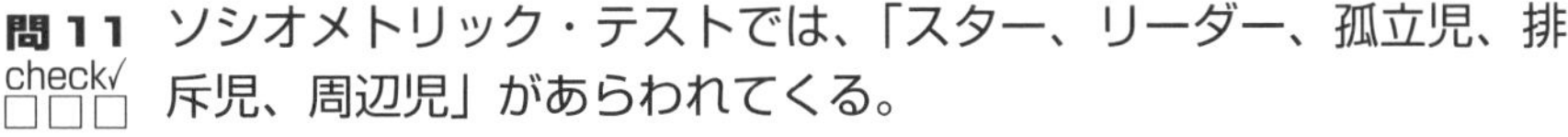

問11 check√ □□□
ソシオメトリック・テストでは、「スター、リーダー、孤立児、排斥児、周辺児」があらわれてくる。

問12 check√ □□□
バウムテストとは、被験者に実のなる木を一本描かせ、心理状態を探ろうとするものである。

問13 check√ □□□
ビネーは知能を「個人が目的的に行動し、合理的に思考し、効果的に自分の環境を処理する総合的又は全体的能力である」と定義した。

問14 check√ □□□
ウェクスラー式検査はいくつかの下位検査で構成され、知的活動の内的な過程に注目している。

解答・解説

問 8 ○ ゲス・フー・テストはハーツボーンとメイが考案したもので、子どもの側から観察されている、仲間の社会的地位や役割認知などの情報を得るための方法である。

問 9 × YG 性格検査は質問紙法の検査である。作業検査法の代表的なものには内田クレペリン精神検査などがある。

問 10 × 設問にいうのはモレノによって提案されたソシオメトリーという研究方法である。ソシオメトリック・テストが代表的。アクション・リサーチはレビンが提唱したもので、社会環境や対人関係の変革・改善など社会問題の解決のために実験研究と実地研究とを連結し相互循環的に推進する社会工学的な研究方法のことである。

問 11 ○ ソシオメトリック・テストは、限られた範囲の集団の中で子どもの社会的位置や心理相互作用の状態を、調査によって測定するものである。集団内のグループや、その中で人気のある成員（スター)、グループに属さない孤立児や排斥児などがあらわれてくる。

問 12 ○ コッホが考案した。描かれた木には自己像が投影されると考えられている。

問 13 × 設問にいうのはウェクスラーである。ビネーは初めて近代的知能検査「知能測定尺度」を作成した人物である。

問 14 ○ ウェクスラー式検査は、知能を単一の能力とはとらえない。検査（ウェクスラーⅣ）は全 15 の下位検査（基本検査 10、補助検査 5）で構成されており、10 の基本検査を実施することで、5 つの合成得点（全検査 IQ、4 つの指標得点）が算出される。それらの合成得点から、子どもの知的発達の様相をより多面的に把握できるようになっている。

教育評価／ハロー効果／ピグマリオン効果

以下の記述を読み、正しいものには○、誤っているものには×をつけよ。

問1 check√ □□□
形成的評価とは、学期の開始時や新しい単元に入る前に行う評価であり、事前評価ともいう。

問2 check√ □□□
児童生徒が自ら学習の状況を振り返る評価のことを個人内評価という。

問3 check√ □□□
学年末や一定の単元の終了後に行われるまとめのための評価を総括的評価という。

問4 check√ □□□
評価目的及び評価の時期の違いにもとづいて評価方法を「診断的評価、形成的評価、総括的評価」に分類したのはブルームである。

問5 check√ □□□
絶対評価はあらかじめ定められた教育目標への到達度を判定する評価である。

問6 check√ □□□
ポートフォリオ評価とは、知識や技能を活用して、何らかの作品を生み出したり実演をおこなったりすることを求める評価のことである。

問7 check√ □□□
昨今、学習指導要領が目標に照らして実現状況をみる「集団に準拠した評価」を一層重視することが求められている。

問8 check√ □□□
成績や評価が全体の平均あたりに集中してしまう現象のことを簡素化傾向という。

問9 check√ □□□
ラベリング理論とは、ラベルが与えられることによってその人物はラベルが暗示する特性をもち、周囲からも、自身もそのように認識するようになることである。

解答・解説

問 1 ×　設問の評価は診断的評価である。形成的評価とは、学習指導の過程で行われる評価であり、学習者が現段階でどの程度教育目標を達成できているのかを把握するための評価である。

問 2 ×　設問の評価は自己評価である。自己評価をする際には評価カードや学習記録などをもとに振り返る。ある特定の期間や時期における児童生徒の個人内の身体的・精神的なさまざまな特性や能力などをその個人の内部で比較して行う評価法である。

問 3 ○　総括的評価は、学習の到達度を明確にし、指導計画、指導法の改善や成績の決定、単位の認定などに用いられる。

問 4 ○　ブルームは学習内容について完全に理解させることを目指す「完全習得学習理論」を展開したが、その達成のために評価方法を分類した。

問 5 ○　絶対評価は、妥当な評価基準を決定することが難しいという特徴もある。

問 6 ×　パフォーマンス評価である。ある特定の文脈の下で、さまざまな知識や技能などを用いながら行われるその人自身の作品やふるまいを直接に評価する方法である。

問 7 ×　集団に準拠した評価ではなく、「目標に準拠した評価」を充実させることが求められている。

問 8 ×　中心化傾向（中心化効果）である。3 段階評価や 5 段階評価の尺度で中央段階の人数が不当に多くなりがちになる。

問 9 ○　ラベリングとは人に何らかの名称をつける行為である。ラベリングの認知に及ぼす効果は、ラベリング効果と呼ばれている。

教育心理　教育評価／ハロー効果／ピグマリオン効果

以下の記述を読み、正しいものには○、誤っているものには×をつけよ。

問 10 check✓ □□□ 寛容効果とは、教師が児童生徒に対してもつ感情によってその児童生徒に関する判断が影響を受けることをいう。

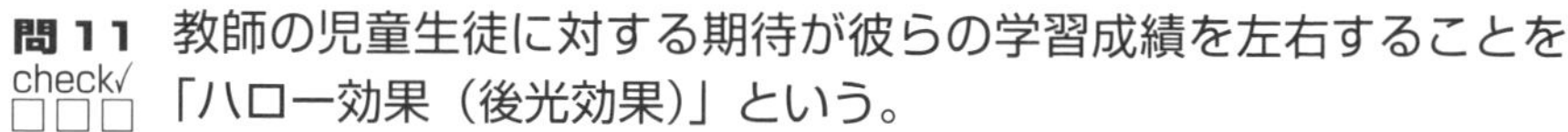

問 11 check✓ □□□ 教師の児童生徒に対する期待が彼らの学習成績を左右することを「ハロー効果（後光効果)」という。

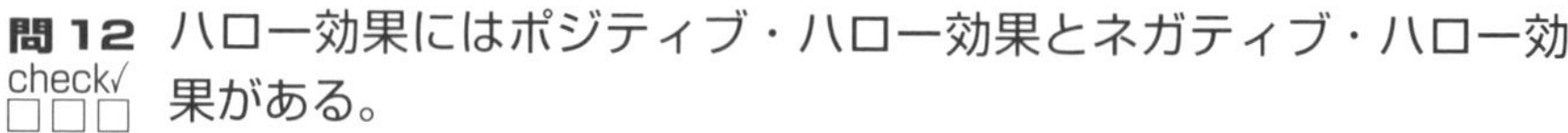

問 12 check✓ □□□ ハロー効果にはポジティブ・ハロー効果とネガティブ・ハロー効果がある。

問 13 check✓ □□□ 教師が学習者に期待をしないでいると、学習者の成績が下落する現象を「ゴーレム効果」という。

問 14 check✓ □□□ 児童の算数の成績がよいので理科の成績もよいという先入観をもってしまうことを「ピグマリオン効果」という。

問 15 check✓ □□□ 相対評価は、一定の学習集団の中での位置付けを正規分布にしたがって比較検討して判断する評価である。

問 16 check✓ □□□ 児童期の発達課題の 1 つに肯定的な自己評価を形成することがあげられる。

解答・解説

問 10 ○ 寛大効果ともいう。例えば好意を感じる児童生徒には点数が甘くなり、虫のすかない児童生徒には厳しくなりがちな傾向のことをいう。

問 11 × 設問の効果はピグマリオン効果である。ピグマリオン効果はアメリカの教育心理学者ローゼンタールが行った実験によって発見された。ハロー効果は優れた点（もしくは悪い点）を発見すると、他の面も優れている（悪い）ように判断してしまうことである。

問 12 ○ ポジティブ・ハロー効果は、評価者が人材を評価する際、ある特定の評価が高いと感じた場合に別の項目も高くしてしまう現象である。反対にネガティブ・ハロー効果は、評価者が人材を評価する際、ある特定の評価が低いと感じた場合に別の評価を低くしてしまうという現象である。

問 13 ○ 教師が学習者に対して期待していないことがわかるような言葉をかけていない場合でも、期待を学習者が感じなければ成績が下落する傾向にある。

問 14 × ハロー効果である。「ピグマリオン効果（教師期待効果）」は、教師の児童生徒に対する期待が彼らの学習成績を左右することである。

問 15 ○ 相対評価は、一人ひとりの児童生徒のよい点や可能性、進歩の状況について把握することには適さないといえる。

問 16 ○ 心理学ではこの自己評価を自尊感情と呼ぶ。自尊感情が高いことは他人に対する優越感をもつことではない。自分に好意を抱き、受容し、尊重するものであり、他者に対しても受容的であり得る。

教育心理　カウンセリングと心理療法

以下の記述を読み、正しいものには○、誤っているものには×をつけよ。

問1 check√ □□□
カウンセリングの場面においてカウンセラーとクライエント間の友好的関係・雰囲気のことをアタッチメントという。

問2 check√ □□□
心理臨床において、クライアントの状態を査定することを心理診断という。

問3 check√ □□□
心理アセスメントに用いられる検査は大きく２種に分けられ①発達や能力に関するもの、②性格や人格に関するものがある。

問4 check√ □□□
交流分析とは、言葉によるコミュニケーションが十分ではない子どもを対象としてセラピストと子どもが遊びを主な表現手段として治療関係を作り上げていく療法である。

問5 check√ □□□
ロジャーズはカウンセラーに必要とされる基本的態度として「自己一致」「無条件の肯定的関心」「共感的理解」の３つを提唱した。

問6 check√ □□□
面接過程で被面接者の傷つき抑圧されている感情が、面接者の示唆や支持によって抑え込みを解かれ、感情が解放されることで心が洗われる効果のことをモチベーションという。

問7 check√ □□□
精神分析療法とはフロイトが創始した療法であり、患者の夢や自由に連想した内容などから患者の無意識に焦点をあてて心の傷の原因を調べ治療していくという方法である。

解答・解説

問1 × ラポールという。カウンセリングにおいてはカウンセラーとクライエントの間に何でも自由に話し合える信頼関係をつくることが重視される。アタッチメントは愛着のことである。

問2 × クライアントの状態を査定することを（臨床）心理アセスメントという。症状の背景となるものや問題の性質、要因を明らかにしようとするものである。アセスメントは通常面接と心理検査に分けられるが、それに行動観察法を加える考え方もある。

問3 ○ 発達や能力に関するものには、田中ビネー式知能検査、ウェクスラー式知能検査（WISC、WAIS、WPPSI)、性格や人格に関するものには、YG 性格検査、内田クレペリン精神検査、ロールシャッハテスト、などがある。

問4 × 設問の療法は、遊戯療法である。交流分析とは、親の心（P)、大人の心（A)、子どもの心（C）の３つの心を、エゴグラムを用いて自分の特性を把握し改善していく療法である。

問5 ○ ロジャーズが提唱した心理療法は「来談者中心療法」又は「クライエント中心療法」という。人間は本来自己実現傾向が備わっており治療を通して自己成長あるいは問題解決がなされるという考えである。

問6 × カタルシスという。モチベーションは動機付けと訳されるもので、ある人に行動を起こさせ目標に向かわせる心理的な過程をいう。

問7 ○ フロイトが創始した精神分析療法は、精神分析によって解明された様々な心の無意識的動機や葛藤の特徴の理解をもとに治療をおこなう方法である。

教育心理　カウンセリングと心理療法

以下の記述を読み、正しいものには○、誤っているものには×をつけよ。

問8 サイコドラマ（心理劇）はモレノが考案した集団心理療法である。
check√ □□□

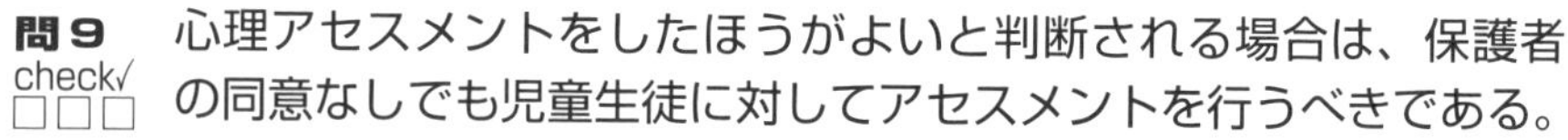

問9 心理アセスメントをしたほうがよいと判断される場合は、保護者の同意なしでも児童生徒に対してアセスメントを行うべきである。
check√ □□□

問10 スーパービジョンとはカウンセラーや心理療法を行う者が、熟達者から助言や指導を受けることである。
check√ □□□

問11 行動上の問題は不適応行動を学習した結果とする立場から、行動の改善を図るための技法のことを行動療法という。
check√ □□□

問12 箱庭療法とは、箱庭と呼ばれる小さな舞台上で自由な劇を演じることで役割演技の仕方を身に着けることを目的にした療法である。
check√ □□□

問13 自律訓練法とは、自己暗示により催眠状態をつくりリラックスする方法のことである。
check√ □□□

問14 心理的な問題を持った人には思考パターンの歪みがあることを見出し、患者が自分の思考パターンの歪みに気付き、それを修正することを治療の目的とする認知療法は、ウォルピが提唱したものである。
check√ □□□

問15 家族療法とは、家族の中にある病理を見つけて家族を治療する心理療法である。
check√ □□□

解答・解説

問 8 ○ サイコドラマは、多くの役割を演じることによって、人は柔軟で多様な人間関係を育成することができると共に、多くの新しい事態への適応を促すことができるという考えに基づく心理療法である。

問 9 × 保護者の同意が得られていない場合や、児童生徒がアセスメントに対して強い拒否感を示す場合などは、それらの条件が整うまではアセスメントをするべきではない。

問 10 ○ 指導する側をスーパーバイザー、指導を受ける側をスーパーバイジーという。

問 11 ○ 行動療法は、不適応行動を学習の原理に基づいて消失させるとともに、適応行動を強化していく療法である。

問 12 × 箱庭療法とは、セラピストが見守るなかで患者が自由に部屋にあるおもちゃを箱にいれていく手法のことである。

問 13 ○ シュルツによって体系化されたセルフコントロール技法であり、感情の沈静化と自律神経系の安定が得られる。

問 14 × ベックである。ウォルピは弛緩（リラクゼーション）、深呼吸、摂食などの不安を制止する方法を用いた系統的脱感作法を提唱した。

問 15 × 家族療法は、「原因探し」「悪者探し」をせずに、家族を１つのシステムとして扱い、そのシステム全体に介入することで問題解決に向けての変化を目指す方法である。例えば、子どもが不登校になった時、問題が子どもにある・親の養育態度にある等、個人の中に原因を探るのではなく、家族の力で解決できるように援助するという視点に立ったものである。

教育心理　本試験型問題

問 1
check√
□□□

次の学説を述べた人物の名を1～5から一つ選びなさい。

人間のパーソナリティの特徴を、イド、自我、超自我の３つの働きから形成されると考え、パーソナリティの発達段階を人間のあらゆる営みの源である性的な無意識の本能衝動によって示した。

1　アドラー
2　ボウルビィ
3　フロイト
4　ユング
5　ワトソン

問 2
check√
□□□

次に示す学習理論と提唱者の組合せで誤っているものを1～5から一つ選びなさい。

1　サイン・ゲシュタルト説 ―― トールマン
2　条件反射説 ―― パブロフ
3　洞察説 ―― ケーラー
4　有意味受容学習 ―― ブルーナー
5　プログラム学習 ―― スキナー

問 3
check√

次に示す文章のうち、誤っているものを1～5から一つ選びなさい。

1　ピアジェは同化と調節の概念を提唱し、人間の発達段階を感覚運動期、前操作期、具体的操作期、形式的操作期に分けた人物である。
2　ヴィゴツキーは、思考とことばの相互関係、子どもの概念発達と教育の理論（発達の最近接領域）を研究した人物である。
3　ゲゼルは、「場」理論の立場に立ってパーソナリティの構造を説明した人物である。
4　エリクソンは、ライフサイクルを８つの段階に分けて、各段階には健全なパーソナリティを発達させるために達成すべき課題があることを明らかにした人物である。
5　シュテルンは、人間の発達は遺伝的素質、環境的素質のどちらか一方のみの影響によるものではなく、両者の相互作用によるものであると「輻輳説」を唱えた。

解答・解説

問1　正解 3

設問の説を唱えたのはフロイトである。フロイトは性的な本能衝動をリビドーと名付けた。

アドラーはライフスタイル分析というカウンセリング技法を用いた人物である。

ボウルビィは愛着理論を提唱した人物である。

ユングはフロイトの精神分析に影響を受け、分析心理学の理論を唱えた人物である。

ワトソンは行動主義を提唱した人物である。

問2　正解 4

ブルーナーは発見学習を提唱した人物である。

有意味受容学習はオーズベルが主張したもので、学習者が受動的にかかわる受容学習の一種であり、学習者が能動的にかかわる発見学習とは正反対の学習方法といえる。

問3　正解 3

ゲゼルは双生児統制法による実験研究を行い、発達における成熟優位説を説くとともに発達診断学を確立し、そのための基礎資料を収集した人物である。「場」理論はレヴィン（レビン）が提唱したもので、人の行動、性格、発達を説明する理論である。個人の特性や過去だけでなく、人がその瞬間におかれている心理的な「場」が重要だというものである。

問 4 check√ □□□ **次に示す文章を読み、A 説の名前を 1 〜 5 から一つ選びなさい。**

ポルトマンは哺乳類を離巣性と留巣性にわけ、それぞれのタイプの哺乳類の妊娠期間、出産あたりの子の数等をまとめた。その分類にしたがうと人間は留巣性だが離巣性の特徴にあてはまることになる。そのことから、本来もう 1 年胎内にとどまるべきところ 1 年早く生まれているという説「A 説」を唱えた。

【哺乳類の分類】

	妊娠期間	出産あたりの子の数	誕生時の状態	個体の大きさ	
留巣性	短い	多い	留巣性	小さい	モグラ、ネズミ、リス、イタチ、キツネなど
離巣性	長い	少ない	離巣性	大きい	ウマ、イノシシ、アザラシ、ゾウ、クジラ、サルなど

1　生理的留巣性
2　哺乳性早産
3　哺乳的留巣性
4　生理的早産
5　哺乳性出産

問 5 check√ □□□ **次に示す動機に関する文章のうち、間違っているものを 1 〜 5 から一つ選びなさい。**

1　「よい成績をとりたい」「よい学校にいきたい」などの他者との比較の上でより優れた能力を示す行動を、遂行目標と呼ぶ。
2　他人と友好的な関係を成立させ、それを維持したいという動機を親和動機という。
3　子どもが難しいコンピュータゲームに取り組んでいるとき、「最後までやり通したい」と強い動機をもつ場合、その動機を達成動機という。
4　内発的動機付けは、賞罰や競争などがもとになるものをいう。
5　動機には強弱がある。

問4　正解 4

鳥類には生後すぐに巣立つ離巣性の鳥類と、生後しばらくは巣にとどまり親の加護を受けてから巣立つ留巣性の鳥類がいるが、ポルトマンは哺乳類をその分類法にあてはめて考えた。

人間は生後約１年で歩行することができる。その時点で巣を離れる（離巣）とみなすと、人間は母体内に２年いて育つべきところを、１年早く、未熟な状態で出生しているとする説を「生理的早産説」という。

「離巣性」の動物と「留巣性」の動物の生物学的な違いは、母胎内にいる胎児期間に身体器官・感覚神経系の構造を発達させる程度の違いである。離巣性の動物は、産まれてすぐに成体に近い身体機能（運動・感覚系の発達）を備えている。

人間は妊娠期間の長さ、出産あたりの子の数としては「離巣性」のほうがおさまりがよいが、人間の赤ちゃんは立てず、歩けず、自分で食事もできない未熟な存在であることから「留巣性」である。このように人間だけの特殊な位置付けを、ポルトマンは「二次的留巣性」と名付けた。留巣性は、就巣性ともいう。

問5　正解 4

生理的欲求、社会的欲求など生体の外側に欲求満足の対象（誘因）が存在するものを「外発的動機付け」という。賞罰や競争が原因で動機付けられるものは、外発的動機付けの例である。内発的動機付けは、賞罰や競争など自分の外側の影響を受けないもので、心の中の満足感を得ることを目的としたものである。学習でいえば学習内容に興味や関心をもち知的好奇心が喚起され学習することである。

5は、ふつう満足が得られればその行動は強化され、満足が得られなければその行動は弱体化されるために間違いではない。

問6 check√ □□□

マズローの欲求階層説を低次なものから順に並べたものはどれか、1～5から選びなさい。

1　生理的欲求、安全の欲求、愛情の欲求、自尊の欲求、自己実現の欲求
2　安全の欲求、生理的欲求、自尊の欲求、自己実現の欲求、愛情の欲求
3　生理的欲求、安全の欲求、自尊の欲求、愛情の欲求、自己実現の欲求
4　生理的欲求、愛情の欲求、安全の欲求、自尊の欲求、自己実現の欲求
5　安全の欲求、生理的欲求、自己実現の欲求、自尊の欲求、愛情の欲求

問7 check√ □□□

次に示す適応規制の名称とその例の組合せとして、間違っているものを1～5から一つ選びなさい。

1　反動形成 ―――― 好きな相手に無関心な態度を取る
2　置き換え ―――― 屁理屈、負け惜しみ
3　抑圧 ―――― 多重人格
4　退行 ―――― 赤ちゃん返り
5　逃避 ―――― 引きこもり

問6　正解 1

マズローは、人間の動機は「自分の能力や可能性を発揮し、成長していきたいと思う欲求」である「自己実現の欲求」を頂点として5段階の階層をなすと提唱した。上位の欲求は下位の欲求が満たされて初めて追及することができると考えた。

マズローはほかに、「動機」を、個人が身体的あるいは心的平衡の回復を求める「欠如動機」と、個人が今までしてきたことよりもさらに先へ進むことを求める「成長動機」の2つに区別した人物である。

〔マズローの欲求階層説〕

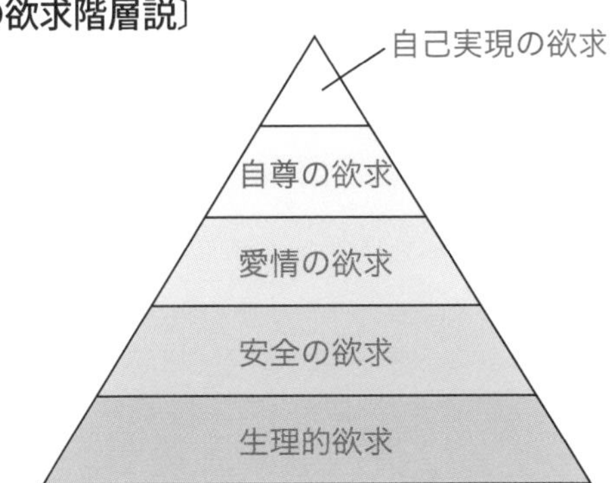

問7　正解 2

「置き換え」は、ある対象に対する実現困難な欲求や感情を、現実に充足可能なほかの対象に置き換えることで満足させるものである。例として、父親に対する敵意が教師に向けられたり、母親に対する依存が恋人に向けられたり、死んだ妻の代わりに娘を溺愛したりすることがあげられる。

「屁理屈」や「負け惜しみ」は、欲求が充足されない場合に事実を認めると傷つくためにそれを否定し、自己防衛を図る「合理化」の例である。イソップの寓話「酸っぱいブドウ」で、キツネが手の届かないところにあるブドウを、「あれは酸っぱいブドウだ」と言う例がよく知られている。合理化は気休めや口実であり、現実を正しく認識することができない状況であるといえる。

問 8 check√ □□□

次に示す文章の空欄［　ア　］、［　イ　］、［　ウ　］に当てはまるものの用語の組合せとして適当なものはどれか、１～５から一つ選びなさい。

「学習者が教師の説明を聞く際、ノートにその内容を書き写すまでその内容を記憶している」ような短い時間間隔の記憶を［　ア　］という。一方で自宅の住所や昨晩の夕食メニューなど私たちがふつうに考える「記憶」のことは［　イ　］といい、［　ア　］と区別する。［　ア　］から［　イ　］へと転送されるためにすることを［　ウ　］といい、何度も繰り返すことで定着する。

	ア	イ	ウ
1	短期記憶	長期記憶	リハーサル
2	瞬間記憶	一般記憶	転移
3	短期記憶	長期記憶	転移
4	瞬間記憶	長期記憶	転移
5	瞬間記憶	普遍記憶	リハーサル

問 9 check√ □□□

次の文章に示す検査の名称を１～５から一つ選びなさい。

限られた範囲の集団の中で子どもの社会的位置や心理相互作用の状態を、測定する検査である。集団内のグループや、その中で人気のある成員（スター）、グループに属さない孤立児や排斥児などがあらわれてくる。

1　バウムテスト
2　TAT
3　内田クレペリン精神検査
4　ロールシャッハテスト
5　ソシオメトリック・テスト

問 8　正解 1

記憶のシステムは短期記憶と長期記憶の 2 つに分けられる。

短期記憶とは 15 ～ 30 秒程度保持できる記憶のことであり、その容量は小さく、7 項目といわれている。

長期記憶はいわゆる「記憶」のことで、容量は膨大である。

情報を短期記憶から長期記憶へ転送する際おこなわれるリハーサルには言葉を頭の中で繰り返す「維持リハーサル」と、意味を関連付けたり連想したりする「精緻化リハーサル」があり、「維持リハーサル」ではふつう情報を短期記憶としてとどめておく程度しかできないが、「精緻化リハーサル」によって短期記憶から長期記憶へ転送される。

問 9　正解 5

設問の検査の名称は、ソシオメトリック・テストである。

バウムテストは、被験者に実のなる木を一本描かせ、心理状態を探ろうとするものである。

TAT（主題統覚検査）は、被験者に絵を見せて自由に物語をつくらせ、その内容からパーソナリティをとらえようとする検査である。

内田クレペリン精神検査は作業検査の 1 つであり、隣接する数字を加算していき、得られた検査結果から性格特性等をとらえようとするものである。

ロールシャッハテストは左右対称のインクの染みの図を提示し、何に見えるか、なぜそう見えたかを問い、反応や回答結果の形式的・内容的分析により人格を多面的に診断するものである。

問 10 check√ □□□ **次の文は、教育評価について述べたものである。【　　】に当てはまる語句として最も適当なものを、次の１～５から選びなさい。**

学習者の優れた点を発見すると、他の面も優れているように判断してしまうことを【　　】という。

1　寛容効果
2　ハロー効果
3　ラベリング
4　ピグマリオン効果
5　中心化傾向

問 11 check√ □□□ **次のア～エの各文で、心理療法について適切に述べているものの組合せとして最も適当なものを、次の１～５のうちから選びなさい。**

ア　行動療法は多くの役割を演じることによって、人は柔軟で多様な人間関係を育成することができると共に、多くの新しい事態への適応を促すことができるという考えに基づく療法である。
イ　遊戯療法とは、言葉によるコミュニケーションが十分ではない子どもを対象としてセラピストと子どもが遊びを主な表現手段として治療関係を作り上げていく療法である。
ウ　自律訓練法とは、行動上の問題は不適応行動を学習した結果とする立場から、行動の改善を図るための療法ある。
エ　箱庭療法とは、セラピストが見守るなかで患者が自由に部屋にあるおもちゃを箱にいれていく療法である。

1　アとイ
2　ウとエ
3　アとウ
4　イとウ
5　イとエ

問10　正解 2

ハロー効果は、後光効果、光背効果ともいう。

寛容効果とは、教師が児童生徒に対してもつ感情によってその児童生徒に関する判断が影響を受けることをいう。

ラベリングとは、ラベルが与えられることによってその人物はラベルが暗示する特性をもち、周囲からも、自身もそのように認識するようになることである。

ピグマリオン効果（教師期待効果）は、教師の児童生徒に対する期待が彼らの学習成績を左右することである。

中心化傾向とは、成績や評価が全体の平均あたりに集中してしまう現象のことをいう。

問11　正解 5

アは、サイコドラマまたは心理劇という、モレノが考案した集団心理療法の説明文である。サイコドラマは普通の演劇とは異なり、脚本がなく、即興的にその場で、自分が抱えている悩みをほかの参加者を前に演じる。それによって自分自身気付かなかった心の問題に気付いたり、自発性や創造性が促進されたりするものである。

ウは、行動療法の説明文である。行動療法では行動面での治療目標を立て、さまざまな技法を用いて不適切な反応を修正する。例えば、スモールステップで、徐々に慣れるようにしたり、賞賛やごほうび等を用いて新しく適切な反応（感情や行動）を習得したりする。

自律訓練法は、自己暗示により催眠状態をつくりリラックスする状態をつくる療法でシュルツによって体系化されたセルフコントロール技法である。

したがって、最も適切な組合せは、5のイとエである。

教育史

教育史について

教育史は西洋と日本に大きく分かれ、古代から現代までの教育や子どもに対する観念の変化や教育実践を概観したものである。主に、ある時代や地域の教育思想や教育制度を押さえつつ、それが当時の社会や政治とどのような関係にあったのかを繙きながら、当時の子ども観や教育観がどのように生まれて普及したのかを考察する。教育史を学ぶことは、過去から現在まで、世界中の教育実践から我が国の教育実践までを把握することであり、これからの教育を考える上で偏りのない広い視野を与えるものである。

傾向と対策

西洋教育史と日本教育史では前者の出題数が多いが、西洋の教育思想は他の教科においても目にする機会が多いため､学習しやすいだろう。各教育思想家の主著と名言はセットで覚えることが大切である。一方、日本の教育思想家についてはあまり馴染みがなく、新たに学ぶ事項が多い。しかし、深くは問われないので、広く浅く把握することがポイントになる。わが国の教育の近代化の流れについては頻出なので、しっかりとおさえる。また、自分が受験する都道府県（自治体）にゆかりのある教育思想家や教育実践家についても出題されることがあるので、調べておいたほうがよい。

教育史　西洋教育史

以下の記述を読み、正しいものには○、誤っているものには×をつけよ。

問1 check√ □□□
古代ギリシアの哲学者であるアリストテレスは、人々に無知の知を自覚させるために「産婆術」という問答法を用いた。本人自身は著作を残していないが、弟子のプラトンらによる著作によってその思想を知ることができる。

問2 check√ □□□
コメニウスは『大教授学』を著し、当時の身分制の時代において身分に関係なくあらゆる人間に対して同じような教育を行おうとした。また、教科書の先駆けである『世界図絵』も作成した。

問3 check√ □□□
ロックはイギリスの経験論哲学者であり、政治思想家である。人間の精神を白紙状態であるとする「白紙説（タブラ・ラサ)」を主張し、教育によって作られるとした。『教育に関する考察』では、親を教育の主体とし、紳士教育としての子どもへの理性的対処を求める家庭教育論を展開した。

問4 check√ □□□
フレーベルは『エミール』を著し、「万物をつくる者の手をはなれるときあらゆる者は善きものであるが、人間の手に渡るとそのすべてが悪しきものになってしまう」として、大人の文化にこそ人間を堕落させる原因が内在していると考えた。

問5 check√ □□□
コンドルセは18世紀フランス出身の政治家、数学者で、『人間精神進歩史素描』を著した。近代公教育制度の原理を時代に先んじて提唱した。

問6 check√ □□□
ペスタロッチはスイスの教育者であり、教育の原則は人間の内面の覚醒と内面に備わる諸力の発達であるとした。また、段階的教授法を提唱し、特に第一段階の「曖昧な直観から明確な直観へ」という直観教育を重視した。

問7 check√ □□□
フレーベルはドイツの教育家で、遊びに没入している子どもに神性を見出した。幼児期の遊びや作業の原理を表す道具として恩物を考案し、世界初の幼稚園を創設した。主著に『人間の教育』『母の歌と愛撫の歌』がある。

解答・解説

問 1 ×
「産婆術」という問答法を用いたのは、ソクラテスである。「汝自身を知れ」「徳は知なり」という言葉は有名である。アリストテレスは『ニコマコス倫理学』などを著し、アテナイに学園リュケイオンを創設した。

問 2 ○
コメニウスはチェコの宗教改革者、教育思想家である。「すべての人にすべてのことを」をモットーとした。普通教育の起源とされている。

問 3 ○
当時（17 世紀）のイギリスではピューリタン革命や名誉革命が起こり、このような状況下でロックは三権分立と社会契約説を唱えた。

問 4 ×
ルソーに関する記述である。ルソーはスイスのジュネーブに生まれ、フランスで活躍した思想家である。フレーベルはドイツの教育家で、遊びに没入する子どもに神性を見出し、世界初の幼稚園を創設した。

問 5 ○
コンドルセはフランス革命期に活躍した人物で、革命後は代議士となり、公教育制度の確立のために奔走した。ジロンド派の彼はジャコバン派から排斥され、投獄後に自殺した。

問 6 ○
ペスタロッチの主著に『隠者の夕暮れ』、『ゲルトルートはいかにその子を教えるか』、『シュタンツ便り』などがある。

問 7 ○
当時のプロイセン政府は、幼稚園に革新性があるとして危険視し、1851 年には幼稚園禁止令を発布した。

教育史　西洋教育史

以下の記述を読み、正しいものには○、誤っているものには×をつけよ。

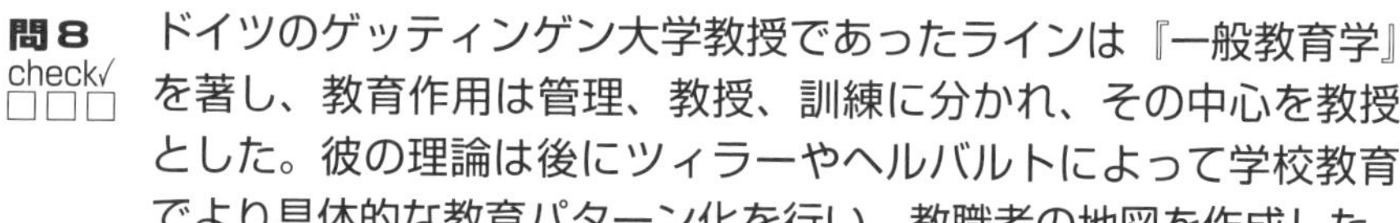

問8 check√ □□□
ドイツのゲッティンゲン大学教授であったラインは『一般教育学』を著し、教育作用は管理、教授、訓練に分かれ、その中心を教授とした。彼の理論は後にツィラーやヘルバルトによって学校教育でより具体的な教育パターン化を行い、教職者の地図を作成した。

問9 check√ □□□
ラングランはアメリカの哲学者、教育者であり、シカゴ大学附属の小学校を実験学校として、独自の教育実践を行った。ラングランの教育は「進歩主義教育」や「経験主義教育」と呼ばれる。

問10 check√ □□□
ブルーナーはアメリカの心理学者で、ピアジェと並ぶ認知心理学の第一人者である。著作『教育の過程』は、議長を務めたウッズホール会議での報告書である。

問11 check√ □□□
生理的早産はケッペルが唱えた説であり、他の哺乳類と比較すると人間は1年早く未熟な状態で生まれ、周りの人間の世話や養育が不可欠であるとした。そして、人間は誕生後の教育によって、いかようにもなる可能性を持った存在であるとした。

問12 check√ □□□
イタリア初の女性医学博士であるモンテッソーリは、医師の仕事を通して障害児の教育的治療に興味をもつ。ローマのスラム化した地域に「児童（子ども）の家」を設立し、ルソーやイタールらの教育法に影響を受けながら実践を行い、独自の教育理論を構築した。

問13 check√ □□□
オーエンは、児童労働の改善のために工場法制定に取り組み、自ら経営する工場の中に性格形成学院という学校を開設した。

問14 check√ □□□
ケルシェンシュタイナーはドイツの思想家で教育家である。自由ヴァルドルフ学校を創設し、人智学に基づいて精神と身体、芸術と科学を総合した特有の教育方法を形成した。

解答・解説

問8 × ヘルバルトに関する記述である。教授には、明瞭、連合、系統、方法の4段階があるとした。ラインはツィラーの考え方を継承、発展させて、教育課程を予備—提示—比較—概括—応用という5段階に区分する実践的な教授理論による教育を提唱した。

問9 × デューイに関する記述である。主著として『民主主義と教育』、『経験と教育』、『学校と社会』などがあげられる。ラングランはフランスの成人教育思想家で、生涯教育の理念の構築と普及に努めた。主著に『生涯教育入門』がある。

問10 ○ 1959年のウッズホール会議では、スプートニクショックを受けて当時の有識者が集まり、教育の改善を討議した。またブルーナーは発見学習を提唱した。

問11 × ポルトマンに関する記述である。ケッペルはティームティーチングを提唱した人物である。

問12 ○ この理論を「モンテッソーリ・メソッド」と呼び、子ども自身の活動は教師の強制的な働きかけではなく、外的な対象物との関わりを通して発展するとした。よって、学習環境や教具の構成に配慮することが重要となる。

問13 ○ オーエンの思想は、「人間は環境の子」という言葉が表しているように、人間形成には環境が大きな影響を及ぼしていると考えた。

問14 × シュタイナーに関する記述である。ケルシェンシュタイナーはドイツの教育者で、手工を中心とした労作教育を提唱した。主著に『公民教育の概念』、『労作学校の概念』などがある。

以下の記述を読み、正しいものには○、誤っているものには×をつけよ。

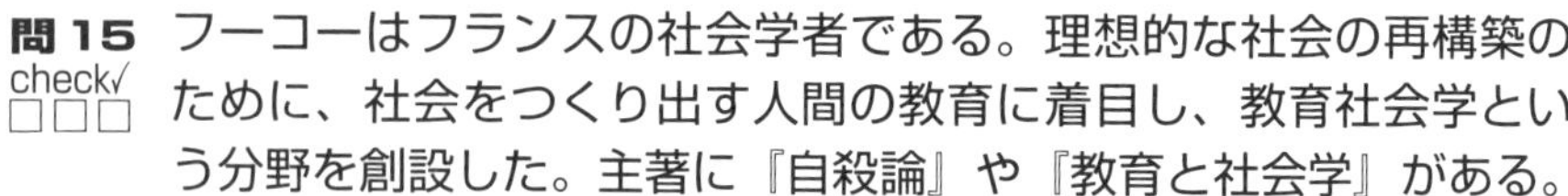

問 15 check√ □□□
フーコーはフランスの社会学者である。理想的な社会の再構築のために、社会をつくり出す人間の教育に着目し、教育社会学という分野を創設した。主著に『自殺論』や『教育と社会学』がある。

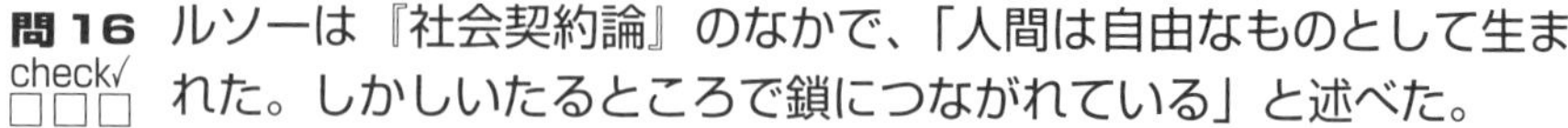

問 16 check√ □□□
ルソーは『社会契約論』のなかで、「人間は自由なものとして生まれた。しかしいたるところで鎖につながれている」と述べた。

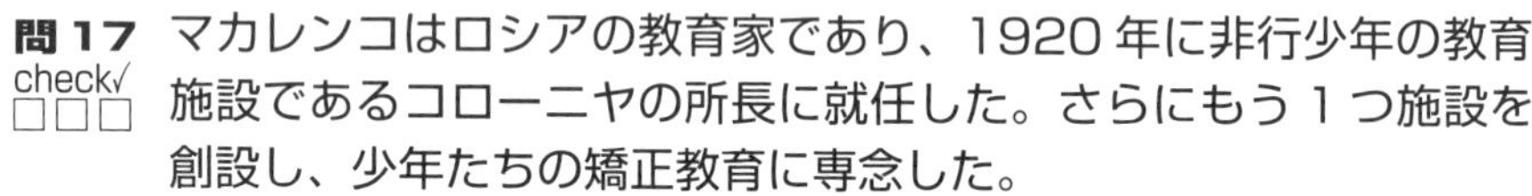

問 17 check√ □□□
マカレンコはロシアの教育家であり、1920 年に非行少年の教育施設であるコローニヤの所長に就任した。さらにもう 1 つ施設を創設し、少年たちの矯正教育に専念した。

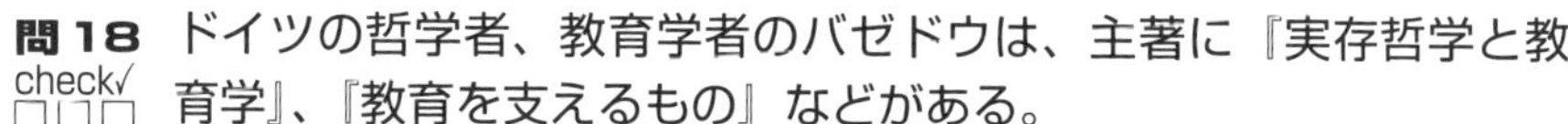

問 18 check√ □□□
ドイツの哲学者、教育学者のバゼドウは、主著に『実存哲学と教育学』、『教育を支えるもの』などがある。

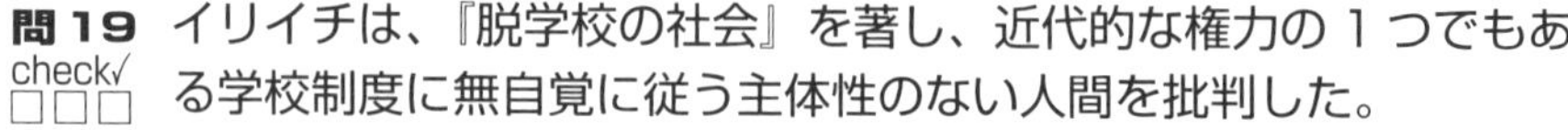

問 19 check√ □□□
イリイチは、『脱学校の社会』を著し、近代的な権力の 1 つでもある学校制度に無自覚に従う主体性のない人間を批判した。

問 20 check√ □□□
新教育運動とは、19 世紀末から 20 世紀初頭にヨーロッパを中心に起こった教育改革運動であり、教師や教科書中心の知識詰め込み型の教育に対して、子どもの個性や主体性を重んじる子ども中心の教育思想が台頭した。

問 21 check√ □□□
アリエスは、『〈子供〉の誕生』を著し、近代以前には「子ども」という概念がなく、そのため大人と子どもの境界もほとんど存在しなかったと主張した。

解答・解説

問15 × デュルケームに関する記述である。フーコーもフランス出身の哲学者であるが、学校を病院や監獄と同じ権力の装置とみなし、近代批判を行った一人である。主著に『監獄の誕生―監視と処罰』がある。

問16 ○ ルソーをはじめ、教育史で重要人物の言葉は覚えておくこと。ルソーによる言葉は、他にも「人は子どもというものを少しも知らない。子どもの中に大人の姿を求め、子どもが大人になる前にどのようなものであるかを少しも考えない」などが有名である。

問17 ○ 施設での教育実践を通じて、集団主義教育の理論が形成された。これらは『教育詩』や『塔の上の旗』にまとめられている。

問18 × ボルノーに関する記述である。バゼドウはドイツの教育家で、人間愛に基づく汎愛派の指導者である。デッサウに汎愛学校を創設した。彼の思想はカンペやザルツマンらに受け継がれた。

問19 ○ イリイチによれば、学校教育は格差を再生産し、制度の序列化の受容を助長する場であるという。脱学校論は、制度に依存するのではなく自分でコントロールできる社会を目指している。

問20 ○ このような子ども中心主義の思想は、ルソーやペスタロッチの思想が根底にある。アメリカにおける新教育運動の中心的人物にはデューイがいる。

問21 ○ アリエスは、近代化によって、大人と子どもの境界だけでなく、公と私の境界も引かれたことで、近代以前の豊かな生活が失われてしまったとして近代批判を行った。

以下の記述を読み、正しいものには○、誤っているものには×をつけよ。

問1 check√ □□□
最澄は、9世紀に庶民教化のために綜芸種智院を創設した。民衆の文字学習の施設として、約20年間存続した。

問2 check√ □□□
北条実時は13世紀に金沢文庫を創設し、武家文庫と寺院文庫の役割を果たしていた。

問3 check√ □□□
藤原惺窩は江戸初期の朱子学者で、1630年に徳川家光から与えられた江戸上野の忍岡の私邸に弘文館を創設した。

問4 check√ □□□
ドイツ人医師であるシーボルトが、1824年に長崎に診療所兼私塾である鳴滝塾を開いた。

問5 check√ □□□
石田梅岩は江戸時代の思想家・社会運動家であり、庶民階層を中心に幅広い支持を得た教化運動「石門心学」の創始者である。

問6 check√ □□□
江戸時代中期の儒学者である伊藤仁斎は、茅場町に私塾である蘐園塾を開設した。

問7 check√ □□□
往来物とは、江戸中期以降に流布した女子のための教訓書であり、女性には婦徳・婦言・婦容・婦功を中心とした躾が必要とされた時代に、女子像形成に大きな影響を及ぼした。

問8 check√ □□□
貝原益軒は江戸時代の朱子学者で、『和俗童子訓』『養生訓』『大和本草』など教訓本を数多く出版した。

解答・解説

問1 × 空海に関する記述である。最澄は平安時代前期の僧で、天台宗の祖である。空海とともに入唐した。

問2 ○ 金沢文庫には、仏典を中心に書籍が1万2000冊余現存する。しかし、鎌倉幕府の崩壊とともに衰退していった。

問3 × 弘文館を創設したのは、林羅山である。後に昌平坂学問所となり、幕臣に儒学を教授する江戸幕府直轄の教育機関となった。藤原惺窩は林羅山の師で、徳川家康に林羅山を推挙した。

問4 ○ シーボルトは蘭学を教授し、高野長英、二宮敬作など著名人物を、輩出した。

問5 ○ 石田梅岩は、1739（元文4）年には対話形式によるテキスト『都鄙問答』を刊行した。

問6 × 蘐園（けんえん）塾を開設し、古文辞学を確立したのは、荻生徂徠である。柳沢吉保に仕え、将軍徳川綱吉にも『論語』などを講じた。江戸時代前期の儒学者伊藤仁斎は、古義学を提唱し、京都の堀川に古義堂を開いた。

問7 × 女大学に関する記述である。女大学は、貝原益軒の著書『和俗童子訓』のなかの「教女子法」が後に通俗化されて、多種多様なものが出版された。往来物とは、おもに中世や近世に使われた初歩学習用の教科書であり、寺子屋でそれを用いながら自学自習した。

問8 ○ 貝原益軒の『和俗童子訓』には子どもの年齢に応じた教育法が論じてあり、教え込むよりは手本を自らが真似するように身に付けることを唱えた。

以下の記述を読み、正しいものには○、誤っているものには×をつけよ。

問 9 check√ □□□
中江藤樹は江戸時代初期の儒学者で、藤樹書院を開いて門弟らの指導に専念した。

問 10 check√ □□□
倉橋惣三は外交官として活躍しながら明六社を設立し、『明六雑誌』を発行した。後に初代文部大臣に就任し、国家主義教育を推進した。

問 11 check√ □□□
森有礼は、『教学聖旨』を著し、欧化主義などを批判し徳育を中心とした教育論を主張した。

問 12 check√ □□□
伊藤博文は幕末期の思想家・教育家で、漢学塾の松下村塾で教育を行った。高杉晋作、木戸孝允などを輩出した。

問 13 check√ □□□
『西洋事情』を著した新島襄は幕末・明治期の啓蒙思想家で、慶応義塾の創設者でもある。

問 14 check√ □□□
伊沢修二は明治時代の教育家であり、文部省から米国へと派遣されて帰国後は東京師範学校長となり、音楽教育、吃音教育や体操教育などさまざまな分野の開拓を行った。

問 15 check√ □□□
及川平治は 1917 年に成城小学校を創立し、「個性尊重」を目標に掲げ、「自然科」を 1 年時から課した。

問 16 check√ □□□
手塚岸衛は、生活綴方教育を中心とした実践記録『山びこ学校』を著し、戦後の生活綴方運動の復興のきっかけとなった。

解答・解説

問 9
○
中江藤樹は、日本の陽明学の祖。「近江聖人」といわれ、実学こそが真の学問の姿であると主張した。『翁問答』では、幼少期からの教育の必要性と可能性を唱えた。

問 10
×
森有礼に関する記述である。倉橋惣三は明治期から昭和の初めまで、わが国の幼児教育理論と実践に指導的な役割を果たした人物である。主著に『育ての心』がある。

問 11
×
元田永孚に関する記述である。元田永孚はまた、井上毅らとともに教育勅語の起草と発布に寄与した。森有礼は初代文部大臣である。

問 12
×
吉田松陰に関する記述である。伊藤博文は松下村塾の門下であり、後に初代内閣総理大臣となる。

問 13
×
福沢諭吉に関する記述である。その著書『学問のすすめ』はベストセラーになった。新島襄は岩倉具視全権大使に随行して欧州の教育を視察し、帰国後、同志社英学校を設立した。

問 14
○
伊沢修二は、日本で最初の唱歌教材である『小学唱歌集』、『幼稚園唱歌集』を著した。また、『学校管理法』や『教育学』は、師範学校の教科書として広く普及した。

問 15
×
沢柳政太郎に関する記述である。及川平治は明石女子師範附属小学校での実践を著した『分団式動的教育法』がベストセラーになる。両者とも大正自由教育運動の中心的人物である。

問 16
×
無着成恭に関する記述である。手塚岸衛は自由ヶ丘学園の創設者であり、大正自由教育運動に関わった。

問1 check√ □□□ **文中の[ア]～[エ]に当てはまる語句又は人名の組合せとして最も適当なものを、次の1～5のうちから一つ選びなさい。**

スイスの教育家であるペスタロッチは、[ア]の影響を受け、貧しい子どもたちの救済を決意し、ノイホーフ、シュタンツなどの各地に学校や孤児院を開設した。そのために[イ]と呼ばれている。家庭的な学校で道徳性を養い、自然の歩みに沿った教授法である[ウ]の有効性を主張した。彼の著作『白鳥の歌』では[エ]という原則を提示した。

	ア	イ	ウ	エ
1	ロック	民衆教育の父	恩物	生活が陶冶する
2	ロック	子どもの発見者	メトーデ	為すことで学ぶ
3	ロック	子どもの発見者	メトーデ	生活が陶冶する
4	ルソー	民衆教育の父	メトーデ	生活が陶冶する
5	ルソー	民衆教育の父	白紙説	為すことで学ぶ

問2 check√ □□□ **西洋の教育について論じた人物に関する記述として適切なものは、次の1～5のうちどれか。**

1　フレーベルは、「人間は教育によって初めて人間になることができる」と述べた。
2　カントは、子どもは大人とは質的に異なっている独自性を持っていると主張した。また、子どもは自ら発達する力を内在していると考え、子どもを植物に例えた「消極教育」を行った。
3　イギリス産業革命の時代に、子どもたちに効率よく教育を施すため、ベルとランカスターは助教を利用したモニトリアル・システムを考案した。
4　ルソーの教育学における3領域は、管理、教授、訓練である。
5　ペーターゼンは『児童の世紀』を著し、「20世紀は児童の世紀である」と述べた。

解答・解説

問１　正解４

ア　ペスタロッチが影響を受けたのはルソーである。

イ　ペスタロッチは民衆教育の父と呼ばれた。子どもの発見者と呼ばれたのはルソーである。

ウ　ペスタロッチはメトーデの有効性を主張した。恩物を発案したのはフレーベルである。また、白紙説を唱えたのはロックである。

エ　ペスタロッチは、「生活が陶冶する」という原則を提示した。「為すことで学ぶ」と主張したのはデューイである。

したがって、最も適当な組合せは４である。

問２　正解３

１×　「人間は教育によって初めて人間になることができる」と述べたのは、カントである。

２×　ルソーに関する記述である。

３○　モニトリアル・システムとは、優秀な生徒（助教）に他の生徒を指導させる教授法で、ベル・ランカスター方式とも呼ばれる。

４×　管理、教授、訓練の３要素を唱えたのは、ヘルバルトである。

５×　『児童の世紀』を著したのは、エレン・ケイである。エレン・ケイは『児童の世紀』のなかで、「20 世紀こそは児童の世紀として、子どもがしあわせに育つことのできる平和な社会を築くべき時代である」と述べ、「教育の最大の秘訣は教育しないことである」と主張した。ペーターゼンは、学年を廃して低学年・中学年・高学年に分け、それぞれのグループのなかで年少者と年長者の両方の立場を経験させる教授法イエナ・プランを発案した。

問3 check√ □□□ **西欧教育に関する記述として誤っているものは、次の1～5のうちどれか。**

1　キルパトリックはデューイの弟子であり、目的設定―計画―実行―判断・評価の「プロジェクトメソッド」を提唱した。
2　ボルノーは『人間学的に見た教育学』を著し、実存主義を唱えた。
3　ホワイト・ヘッドは『教育の目的』の中で、「あまりに多くのことを教えることなかれ。しかし、教えるべきことは徹底的に教えるべし」と主張した。
4　ブルーナーは『教育の過程』を著し、どの教科でも知的性格をそのまま保って、どの発達段階のどの子どもにも効率よく教えることができると述べた。発見学習の提唱者である。
5　ペスタロッチは幼稚園を創設、経営し、教育遊具を考案した。著書『人間の教育』の中で、「すべてのものに生命をふきこみ、すべてのものを活動せしめる、生き生きとした精神の呼吸ないし息吹きのみが、学校を真に学校たらしめる」と述べた。

問4 check√ □□□ **次のア～エの著書とそれらの著者の組み合わせがすべて正しいものは、次の1～5のうちどれか。**

ア　『エミール』『社会契約論』
イ　『児童の世紀』
ウ　『学校と社会』『民主主義と教育』
エ　『世界図絵』『大教授学』

	ア	イ	ウ	エ
1	ロック	ルソー	コンドルセ	デューイ
2	ロック	エレン・ケイ	デューイ	コンドルセ
3	ルソー	ナトルプ	ロック	コメニウス
4	ルソー	エレン・ケイ	ナトルプ	コンドルセ
5	ルソー	エレン・ケイ	デューイ	コメニウス

問3　正解 5

1○　キルパトリックは、デューイの児童中心主義・経験主義を受け継ぎ、子どもが自ら目的設定―計画―実行―判断・評価を行う「プロジェクトメソッド」を提唱した。

2○　ボルノーは、ハイデッガーの弟子として実存主義を深め、「教育的な雰囲気」や信頼・希望の重要性を指摘した。

3○　ホワイト・ヘッドは、イギリスの数学者・哲学者。その哲学は「プロセス哲学」と呼ばれ、神学にも影響を与えた。問題文中の言葉は、平成 8 年の中教審第一次答申に引用されている。

4○　ブルーナーは、教育方法の改善を討議したウッズホール会議の報告書として『教育の過程』を著した。発見学習の提唱者である。

5×　フレーベルに関する記述である。教育遊具とは「恩物」のことである。またフレーベルに関しては、「万物の中に、一つの永遠の法則があって、作用し、支配している」や、「遊戯は、幼児の発達の、この時期の人間の発達の、最高段階である」というような言葉も出題されるので、おさえておくこと。

問4　正解 5

ア　ルソーの著書である。「自然を見よ。そして自然が教える道をたどっていけ。自然は絶えず子供をきたえる」などが有名。

イ　エレン・ケイの著書である。「20 世紀こそは児童の世紀として、子どもがしあわせに育つことのできる平和な社会を築くべき時代である」などが有名。

ウ　デューイの著書である。「教育とは、経験の意味を増加させ、その後の経験の進路を方向付ける能力を高めるように経験を改造ないし再組織することである」などが有名。

エ　コメニウスの著書である。「何人も単なる権威によって教えてはならない。すべてを感覚と理性によって教えよ」などが有名。

どれも重要な著作なので、著者と合わせて覚えておくこと。ナトルプはドイツの哲学者・教育者で、『社会的教育学』を著し、「人間は、ただ人間的な社会を通してのみ人間となる」と述べた。

問5 check√ □□□

文中の［　ア　］～［　エ　］に当てはまる語句又は人名の組合せとして最も適当なものを、次の1～5のうちから一つ選びなさい。

わが国の近代学校教育は、1872（明治5）年の［　ア　］の制定に始まる。1885（明治18）年には初代文部大臣の［　イ　］が［　ウ　］を制定し、学校制度の基礎を固めた。1889（明治22）年に大日本帝国憲法が発布されたことを受けて、翌年90年には［　エ　］が発布され、天皇のもとに国民の精神と道徳を統一するという教育の基本理念と実践徳目が示された。

	ア	イ	ウ	エ
1	学制	森有礼	教育令	教育ニ関スル勅語
2	学制	伊藤博文	学校令	教育令
3	学制	森有礼	学校令	教育ニ関スル勅語
4	教育令	伊藤博文	学校令	教育ニ関スル勅語
5	学校令	元田永孚	教育令	教育ニ関スル勅語

問6 check√ □□□

日本教育史に関する記述として適切なものは、次の1～5のうちどれか。

1　世阿弥は15世紀に下野国足利庄に足利学校を設立した。
2　福沢諭吉は1882年、東京府に東京専門学校（現早稲田大学）を設立した。
3　塙保己一は賀茂真淵の弟子であり、和学講談所を1793年に江戸麹町に設立した。
4　本居宣長は儒学者で、江戸時代に私塾である咸宜園を豊後の日田に開いた。
5　山本鼎は、大阪に洋学の適塾を開き、福沢諭吉もその門弟であった。

問5　正解 3

ア　学制
イ　森有礼
ウ　学校令
エ　教育ニ関スル勅語

わが国の近代教育が始まる経緯は頻出なので、年号と事項を整理しておくこと。

伊藤博文は、初代内閣総理大臣である。

学校令は、帝国大学令、師範学校令、小学校令、中学校令をあらわす。

教育令は、学制に代わるものとして文部大輔の田中不二麻呂らにより起草され、1879 年に公布された。一連の学校令の制定により廃止された。

したがって、最も適当な組合せは 3 である。

問6　正解 3

1×　足利学校を設立したのは、上杉憲実である。世阿弥は、父の観阿弥とともに能を洗練させ、『風姿花伝』を著した。

2×　東京専門学校（現早稲田大学）を設立したのは、大隈重信である。福沢諭吉は、慶応義塾の創設者。

3○　塙保己一が設立した和学講談所では、和学の教授や資料の整理、編纂などが行われた。

4×　咸宜園（かんぎえん）を開いたのは、広瀬淡窓である。咸宜園では 3000 名を超える門人を輩出した。本居宣長は、伊勢松坂で医業のかたわら、「古事記」や「源氏物語」など日本の古典研究にいそしみ、多くの門人を教えた。

5×　適塾を開いたのは、緒方洪庵である。山本鼎は画家で教育者であり、大正自由教育運動（新教育運動）期の中心人物の一人で、自由画教育運動を展開した。人物とその功績はあわせて覚えておくこと。

●編著者

L&L 総合研究所

License & Learning 総合研究所は，大学教授ほか教育関係者，弁護士，医師，公認会計士，税理士，1 級建築士，福祉･介護専門職などをメンバーとする。資格を通して新しいライフスタイルを提唱するプロフェッショナル集団。各種資格試験，就職試験を中心とした分野，書籍･雑誌･電子出版，WBT における企画・取材・調査・執筆・出版活動を行っている。

絶対決める！

教職教養 教員採用試験合格問題集

編 著 者　　L & L 総 合 研 究 所

発 行 者　　富 永 靖 弘

印 刷 所　　今 家 印 刷 株 式 会 社

発行所　東京都台東区 台東２丁目24　株式会社　新星出版社

〒110-0016　☎03(3831)0743